A JORNADA

Outras obras da autora publicadas pela Record

Acidente
Agora e sempre
Álbum de família
Amar de novo
Um amor conquistado
Amor sem igual
O anel de noivado
Ânsia de viver
O apelo do amor
Asas
O brilho da estrela
O brilho de sua luz
Caleidoscópio
Casa forte
O casamento
Cinco dias em Paris
Desaparecido
Um desconhecido
Desencontros
Doces momentos
Entrega especial
O fantasma
Final de verão
Forças irresistíveis
Galope de amor
Honra silenciosa
Imagem no espelho
Jóias
Klone e eu
Um longo caminho para casa
Maldade
Meio amargo
Mensagem de Saigon
Momentos de paixão
Um mundo que mudou
Passageiros da ilusão
O preço do amor
O presente
O rancho
Recomeços
Relembrança
Segredo de uma promessa
Segredos de amor
Segredos do passado
Uma só vez na vida
Tudo pela vida
Vale a pena viver
A ventura de amar
Zoya

DANIELLE STEEL

A JORNADA

Tradução de
MARIA CLÁUDIA DE OLIVEIRA

EDITORA RECORD
RIO DE JANEIRO • SÃO PAULO
2002

CIP-Brasil. Catalogação-na-fonte
Sindicato Nacional dos Editores de Livros, RJ.

Steel, Danielle, 1948-
S826j A jornada / Danielle Steel; tradução de Maria Cláudia de Oliveira – Rio de Janeiro: Record, 2002.
336p.

Tradução de: Journey
ISBN 85-01-06052-6

1. Romance norte-americano. I. Oliveira, Maria Cláudia de. II. Título.

02-1522 CDD – 813
CDU – 820(73)-3

Título original norte-americano
JOURNEY

Este é um trabalho de ficção. Nomes, personagens, locais e fatos são produtos da imaginação da autora ou são apresentados de forma fictícia. Qualquer semelhança com fatos, locais ou pessoas reais é pura coincidência.

Direitos exclusivos de publicação em língua portuguesa para o Brasil adquiridos pela
DISTRIBUIDORA RECORD DE SERVIÇOS DE IMPRENSA S.A.
Rua Argentina 171 – Rio de Janeiro, RJ – 20921-380 – Tel.: 2585-2000
que se reserva a propriedade literária desta tradução

Impresso no Brasil

ISBN 85-01-06052-6

PEDIDOS PELO REEMBOLSO POSTAL
Caixa Postal 23.052
Rio de Janeiro, RJ – 20922-970

CÓPIA NÃO AUTORIZADA É CRIME
ABDR
ASSOCIAÇÃO BRASILEIRA DE DIREITOS REPROGRÁFICOS
RESPEITE O DIREITO AUTORAL
EDITORA AFILIADA

Para meus filhos,
Beatie, Trevor, Todd, Sam,
Victoria, Vanessa, Maxx e Zara,
que viajaram comigo para muito longe,
com fé, bom humor e muito amor.

E para Nick,
que está a salvo nas mãos amorosas de Deus.

Com todo o meu amor,
d.s.

Minha jornada foi longa. Não me arrependo dela. Às vezes foi escura, um caminho perigoso. Outras vezes foi alegre e colorida pela luz do sol. Foi mais vezes difícil do que fácil.

Para mim o caminho foi repleto de perigos desde o início. A floresta densa, as montanhas altas, a escuridão aterrorizante. E através disso tudo, mesmo das neblinas, havia um pequeno ponto de luz, uma estrela brilhante para me guiar.

Fui tão sábia quanto tola. Fui amada, traída, abandonada. E para meu grande desespero, inconscientemente, feri outras pessoas — e humildemente imploro seu perdão. Perdoei aqueles que me machucaram, assim como rezo para que eles me perdoem por deixá-los me machucarem. Amei muito e dei muito de meu coração e minha alma. E, mesmo quando estive profundamente ferida, continuei no caminho, com fé, esperança e até mesmo uma crença cega em direção ao amor e à felicidade. A jornada continua, mais fácil do que já foi.

Para aqueles entre vocês que ainda estão perdidos na escuridão, tomara que seus companheiros de viagem os tratem bem. Tomara que vocês encontrem portos seguros quando precisarem deles, e clareiras na floresta. Que vocês encontrem água fresca num lugar onde possam beber a salvo, matar sua sede e lavar suas feridas. E tomara que vocês um dia encontrem a cura.

Quando nos encontrarmos, nossas mãos vão se unir e vamos conhecer um ao outro. A luz está lá, esperando por nós. Cada um de nós deve, em nossos caminhos, andar até onde acharmos que devemos. Para alcançar este lugar, precisaremos de determinação, força, coragem, gratidão e paciência. E depois disso tudo, compreensão. E no fim da jornada, encontraremos a nós mesmos, encontraremos a paz e o amor com que, até agora, havíamos apenas sonhado.

Que Deus os ajude em sua jornada e os proteja.

d.s.

“Jornada”

“... Toda a minha vida
sobre meus ombros eu olhei para a paz;
e agora eu de bom grado me deitaria nesta grama distante
e fecharia meus olhos.”

EDNA ST. VINCENT MILLAY

Capítulo 1

A COMPRIDA LIMUSINE NEGRA parou devagar e entrou numa longa fila de carros parecidos. Era um anoitecer calmo no início de junho e dois fuzileiros navais adiantaram-se juntos, com perfeição treinada, quando Madeleine Hunter emergiu graciosamente do carro, em frente à entrada leste da Casa Branca. Uma bandeira brilhante estava flutuando na brisa do verão e ela sorriu para um dos fuzileiros quando ele a saudou. Ela era alta e magra e vestia um traje branco que caía elegantemente de um de seus ombros. Seus cabelos eram escuros e estavam penteados à maneira francesa, o que deixava à mostra seu longo pescoço e o único ombro desnudo quase à perfeição.

Sua pele era macia, seus olhos, azuis, e ela se movia com grande graça e segurança em sandálias prateadas de saltos altos. Seus olhos dançavam quando ela sorria, e parou de lado quando um fotógrafo tirou uma foto sua. E depois outro, enquanto seu marido saía do carro e tomava seu lugar ao lado dela. Jack Hunter era um homem de constituição forte, 45 anos, que fizera sua primeira fortuna como jogador de futebol americano, conseguira investir brilhantemente e negociara e vendera ações na hora certa. Primeiro comprou uma estação de rádio, depois somou a ela uma de televisão e, por volta dos quarenta anos, era o dono de uma das maiores redes de televisão a cabo do país. Jack Hunter há muito transformara sua boa sorte num grande negócio. E era um negócio realmente grande.

O fotógrafo fez outra foto e eles desapareceram rapidamente dentro da Casa Branca. Formavam um casal impressionante e já estavam juntos há sete anos. Madeleine tinha 34 anos agora, e 25 quando ele a descobriu em Knoxville. Seu sotaque já havia desaparecido há tempos, bem como o dele. Jack era de Dallas e falava num tom poderoso e cortado, que convencia instantaneamente o ouvinte de que ele sabia exatamente o que estava fazendo. Ele tinha olhos escuros que percorriam todos os cantos do aposento e tinha um jeito de escutar várias conversas ao mesmo tempo, enquanto ainda conseguia parecer interessado na pessoa com quem estava conversando. Havia vezes, e as pessoas que o conheciam bem o sabiam, em que seus olhos pareciam olhar bem através de você, e outras vezes em que você sentia que ele estava prestes a acariciá-lo. Havia algo poderoso e quase hipnotizante nele. Só de olhar para ele, com a lisura de seu terno, a camisa perfeitamente engomada e os cabelos negros bem penteados, qualquer pessoa gostaria de conhecê-lo e estar perto dele.

Ele provocara o mesmo efeito em Madeleine ao se conhecerem, quando ela era pouco mais que uma criança em Knoxville. Ela tinha na época um sotaque do Tennessee, pois viera de Chattanooga. Fora recepcionista na emissora de televisão onde trabalhava, até que uma surpresa a levara a fazer primeiro a garota do tempo e depois a apresentadora do programa, na frente das câmeras. Madeleine era desajeitada e tímida, mas tão bonita que os espectadores se sentavam hipnotizados quando a olhavam. Ela parecia mais uma modelo ou estrela de cinema, mas tinha um jeito de garota-comum-da-vizinhança que todos amavam e uma grande habilidade para ir direto ao coração de uma reportagem, o que era de tirar o fôlego. E Jack sentiu-se nocauteado quando a viu pela primeira vez. Suas palavras, bem como seus olhos, queimavam.

— O que você faz aqui, menina bonita? Aposto que parte o coração de todos os garotos — dissera ele. Ela não parecia ter mais que vinte anos, embora fosse quase cinco anos mais velha que isso. Ele parara para falar com ela quando ela saíra do ar.

— Nada disso — ela sorriu. Ele estava negociando para comprar a estação. E comprou, dois meses mais tarde. E assim que o fez, transformou-a em co-apresentadora e a mandou para Nova York, para ensinar a ela tudo o que precisava saber sobre noticiários de televisão e também como fazer seu cabelo e maquiagem. E o efeito, quando ele a viu no ar novamente, foi impressionante. Em poucos meses, sua carreira havia deslanchado.

Foi Jack que a ajudou a sair do pesadelo em que ela vivia com o marido, com quem estava casada desde os 17 anos e que cometera todo tipo de abuso contra ela. Não era diferente do que ela vira acontecer quando criança em Chattanooga, entre seus pais. Bobby Joe fora seu namorado na escola e eles estavam casados há oito anos quando Jack Hunter comprou a TV a cabo em Washington, D.C., e fez a ela uma oferta irresistível. Ele a queria como apresentadora do horário nobre e prometeu a ela que, se viesse, ele a ajudaria a resolver sua vida e a fazer todas as reportagens mais importantes.

Ele chegou a Knoxville numa limusine. Ela o encontrou na estação de ônibus de Greyhound, com uma pequena mala Samsonite e um olhar de terror. Ela entrou no carro com ele sem dar um pio, e eles foram juntos para Washington. Bobby Joe levou meses para descobrir onde ela estava e aí ela já havia pedido o divórcio, com a ajuda de Jack. Um ano depois eles haviam se casado. Ela já era a sra. Jack Hunter há sete anos, e Bobby Joe e os abusos impensáveis que cometera contra ela eram um pesadelo distante. Agora ela era uma estrela. Levava uma vida de conto de fadas. Era conhecida, respeitada e adorada em todo o país. E Jack a tratava como uma princesa. Quando entraram na Casa Branca de braços dados e ficaram na fila de recepção, ela parecia relaxada e feliz. Madaleine Hunter não tinha preocupações. Era casada com um homem importante e poderoso, que a amava, e ela sabia disso. Sabia que nada de mau aconteceria com ela novamente. Jack Hunter não deixaria. Agora ela estava a salvo.

O presidente e a primeira-dama apertaram suas mãos no Salão Leste e o presidente disse em voz baixa para Jack que queria conversar a sós com ele mais tarde. Jack assentiu e sorriu para ele, enquanto Madeleine conversava com a primeira-dama. Elas se conheciam bem. Maddy a entrevistara várias vezes e os Hunter eram freqüentemente convidados para a Casa Branca. Quando Madeleine entrou no salão de braços dados com seu marido, as cabeças se viraram, as pessoas sorriam e acenavam e todos a reconheciam. Fora um longo, longo caminho desde Knoxville. Ela não sabia onde estava Bobby Joe agora e não se importava. A vida que vivera com ele parecia inteiramente irreal agora. Esta era a sua realidade, um mundo de poder e pessoas importantes, e ela era uma estrela brilhante entre eles.

Eles se misturaram aos outros convidados e o embaixador francês conversou amigavelmente com Madeleine e apresentou-a a sua mulher, enquanto Jack se afastava para cumprimentar um senador que era o líder do Comitê de Ética do Senado. Havia um assunto que Jack estava querendo conversar com ele. Madeleine os viu saírem de seu campo de visão, enquanto o embaixador brasileiro se aproximava dela com uma atraente congressista do Mississípi. Era, como sempre, uma noite interessante.

Seus companheiros de mesa, quando entraram na Sala de Jantar do Estado, eram um senador do Illinois e um congressista da Califórnia, os quais ela já havia conhecido antes, e que rivalizaram o tempo todo por sua atenção. Jack estava sentado entre a primeira-dama e Barbara Walters. Já era tarde da noite quando ele se juntou novamente à sua mulher e foram para o salão de dança.

— Como foi? — perguntou ele casualmente, observando os músicos enquanto dançava com ela. Jack raramente desviava sua atenção das pessoas em torno dele e tinha uma agenda com os nomes daqueles que queria ver, encontrar ou fazer contato novamente, tanto em relação a uma reportagem quanto a um assunto de negócios. Ele raramente, ou nunca, perdia oportunidades, e jamais passava uma noite sem algum plano para o que estava fazendo. Ele passara poucos minutos numa conversa a sós com o presidente Armstrong, que o convidara para almoçar em Camp David naquele fim de semana, para continuarem a conversa. Mas Jack estava concentrado em sua mulher agora.

— Então, como foi com o senador Smith? O que ele tinha a dizer a ele mesmo?

— O de sempre. Falamos sobre o novo anúncio dos impostos — ela sorriu para seu bonito marido. Ela era uma mulher cosmopolita agora, de considerável sofisticação e enorme educação. Ela era, como Jack gostava de dizer, uma criatura inteiramente feita por ele. Ele tinha grande crédito no quanto ela havia evoluído e no enorme sucesso que ela fazia na televisão dele, e ele adorava provocá-la com aquilo.

— Isso soa bastante *sexy* — disse ele, referindo-se aos novos impostos. Os republicanos estavam tendo um ataque com aquilo, mas Jack achava que os democratas venceriam aquela rodada, particularmente com o presidente por trás deles, e ele estava. — E que tal o congressista Wooley?

— Ele é tão bonitinho — disse ela, sorrindo para Jack novamente, como sempre ainda um pouco ofuscada por sua presença. Havia algo na aparência de seu marido, seu carisma, a aura que o cercava, que ainda a impressionava. — Ele falou sobre seu cachorro e seus netos. Ele sempre fala. — Ela gostava do jeito dele e ele era louco pela mulher com quem havia se casado há mais de seis anos.

— É um milagre que ele ainda seja reeleito — disse Jack, quando a música terminou.

— Acho que todo mundo o adora — o coração caloroso da garota comum da vizinhança de Chattanooga não a deixara, apesar de sua boa sorte. Ela nunca perdera de vista o lugar de onde viera, e havia ainda uma certa ingenuidade nela. Ao contrário de seu marido, que era muito escolado e às vezes até desagradável e agressivo. Mas ela gostava de falar com as pessoas sobre seus filhos. Ela não tinha nenhum e Jack tinha dois na universidade, no Texas, embora ele raramente os visse. Mas eles adoravam Maddy. E apesar de seu grande sucesso, a mãe deles não tinha muitas coisas boas a dizer sobre o pai, ou sobre Maddy. Eles já estavam divorciados há 15 anos e a palavra que ela mais usava para se referir a ele era *cruel*.

— Pronta para partir? — perguntou Jack enquanto entrava novamente na sala e decidia que já havia feito contato com todos os que importavam e que a festa estava próxima do fim. O presidente e a primeira-dama haviam acabado de sair e seus convidados estavam livres para sair agora. Jack não via razão para ficar mais tempo. E Maddy estava feliz por ir para casa. Ela tinha de estar no estúdio bem cedo na manhã seguinte.

Eles se dirigiram à saída em silêncio. Seu motorista estava esperando por eles próximo da porta, enquanto saíam graciosamente. Maddy sentou-se confortavelmente na limusine ao lado de seu marido. Era um longo caminho trilhado desde a velha caminhonete Chevy de Bobby Joe, as festas a que tinham ido no bar local e os amigos que haviam visitado em *trailers*. Às vezes ela ainda tinha dificuldade de acreditar que suas duas vidas, tão diferentes, faziam parte da mesma vida. Agora era tudo tão diferente. Ela se movimentava no mundo de presidentes, reis e rainhas, políticos, princesas e magnatas como seu marido.

— Sobre o que você e o presidente falaram esta noite? — perguntou ela, contendo um bocejo. Ela parecia tão adorável e bonita quanto estava no início da noite. E, mais do que se dava conta, era uma posse inacreditável para seu marido. Mais do que ser reconhecido como o homem que a tinha inventado, ele agora era visto como o marido de Madeleine Hunter e, se ele sabia disso, jamais o admitiria para Maddy.

— O presidente e eu discutimos algo muito interessante — disse Jack vagamente. — Vou contar a você quando estiver livre para falar sobre este assunto.

— E quando vai ser isso? — perguntou com interesse renovado. Ela não era apenas sua mulher, mas tinha se transformado numa repórter experiente e amava o que fazia, as pessoas com quem trabalhava e o estúdio de notícias. Ela sentia como se estivesse segurando o pulso da nação com seus próprios dedos.

— Ainda não sei. Vou almoçar com ele no sábado em Camp David.

— Deve ser importante. — Mas tudo aquilo era. Qualquer coisa que envolvesse o presidente era potencialmente uma grande reportagem.

Eles continuaram conversando sobre a festa no carro enquanto percorriam a pequena distância para a rua R. Jack perguntou se ela vira Bill Alexander.

— Só de longe. Não me dei conta de que ele estava de volta a Washington. — Ele ficara em isolamento nos últimos seis meses, depois da morte de sua mulher na Colômbia, no ano anterior. Fora uma história terrível, da qual Maddy se lembrava muito claramente. Ela fora seqüestrada por terroristas, e o embaixador Alexander resolvera negociar sozinho, aparentemente de maneira desastrosa. Depois de pegarem o resgate, os terroristas se apavoraram e a mataram. E o embaixador se demitira pouco depois.

— Ele é um tolo — disse Jack sem preâmbulos ou piedade. — Nunca deveria ter tentado negociar sozinho. Qualquer um poderia ter previsto que aquilo aconteceria.

— Não acho que ele acreditasse nisso — disse Maddy suavemente, olhando pela janela.

Um minuto mais tarde eles estavam em casa, e ela e Jack subiram as escadas, enquanto ele tirava sua gravata.

— Tenho que estar no escritório cedo amanhã — disse ela, enquanto ele desabotoava a camisa em seu quarto de dormir e ela tirava seu vestido, ficando de pé em frente a ele vestindo nada mais que meias-calças e suas sandálias de prata de saltos altos. Ela tinha um corpo espetacular que nunca se desgastara com ele, nem em sua vida anterior, embora os dois homens com os quais ela tinha sido casada fossem extraordinariamente diferentes. Um, brutal, cruel e duro com ela, indiferente a seus sentimentos ou gritos de dor quando ele a machucava. O outro, tão delicado, cuidadoso, tão respeitoso com ela. Bobby Joe uma vez quebrara seus braços e também quebrara sua perna quando a empurrara escada abaixo. Aquilo fora logo depois de conhecer Jack e ele ficara com ciúmes doentios por causa dele. Ela jurara que não estava envolvida com Jack, e não estava mesmo na época. Ele era seu patrão e eram apenas amigos. O resto viera depois, depois que ela deixara Knoxville e se mudara para Washington para trabalhar para ele na televisão a cabo. Um mês depois de sua chegada a Washington ela e Jack se tornaram amantes, mas seu divórcio já estava a caminho então.

— Por que você tem que ir tão cedo? — perguntou Jack sobre os ombros enquanto desaparecia dentro do banheiro de mármore negro. Eles haviam comprado a casa cinco anos antes, de um rico diplomata árabe. Havia uma academia de ginástica completa e uma piscina olímpica no andar de baixo, belas salas de recepção que Jack gostava de usar para receber e todos os seis banheiros da casa eram de mármore. A casa tinha quatro quartos, um principal e três para convidados.

Não havia nenhum plano de transformar um dos quartos de hóspedes em quarto de crianças. Jack deixara muito claro para ela desde o início que ele não queria crianças. Ele não gostara dos dois que tivera quando estavam crescendo e não tinha vontade de ter mais — de fato ele a proibia veementemente. E, depois de um breve período de lamento pelas crianças que ela nunca teria, Maddy ligara as trompas por causa da insistência de Jack. Ela achou que, de certa forma, era melhor, pois ela fizera meia dúzia de abortos durante os anos que passara com Bobby Joe, e não tinha nem mesmo certeza se poderia ter um bebê normal. Parecia mais fácil ceder aos desejos de Jack e não dar nenhuma chance ao destino. Ele lhe dera muito e queria grandes coisas para ela. Maddy podia entender seu ponto de vista de que crianças seriam apenas um obstáculo em seu caminho e um peso em sua carreira. Mas havia momentos em que ela se arrependia da irreversibilidade de sua decisão. Aos 34 anos, muitas de seus amigas ainda estavam tendo filhos e tudo o que ela tinha agora era Jack. Ela imaginou se se arrependeria ainda mais quando ficasse mais velha e não tivesse netos ou seus próprios filhos. Mas era um preço pequeno a pagar pela vida que levava com Jack Hunter. E isso fora muito importante para Jack. Ele insistira tanto.

Eles se encontraram novamente na cama grande e confortável e Jack a puxou, enquanto ela se aconchegava a ele e descansava a cabeça em seus ombros. Muitas vezes eles ficavam deitados ali por alguns momentos antes de dormir, falando sobre o que acontecera durante o dia, os lugares em que haviam estado, as pessoas que haviam encontrado, as festas a que tinham ido. Como faziam agora, e Maddy tentou adivinhar o que estava acontecendo com o presidente.

— Eu já disse a você, vou contar quando puder, pare de ficar imaginando coisas.

— Segredos me deixam louca — ela sorriu.

— Você me deixa louco — disse ele, virando-a gentilmente para ele e sentindo o cetim de sua pele debaixo da camisola de seda. Ele nunca se cansava dela, ela nunca o aborrecia, na cama ou fora dela, e ele tinha prazer em saber que ela era sua de corpo e alma, não apenas na televisão, mas em seu quarto de dormir também. Mais particularmente ali, ele tinha um apetite insaciável por ela e às vezes ela sentia como se ele fosse devorá-la. Ele amava tudo nela, sabia tudo o que fazia, gostava de saber onde ela estava em cada momento do dia e o que estava fazendo. E ele sempre falava sobre isso. Mas tudo em que podia pensar agora era no corpo que ele nunca teria suficientemente e, enquanto a beijava e a apertava com força, ela gemeu suavemente. Ela nunca se ressentia ou fazia objeção à maneira com que ele a pegava, ou à freqüência. Ela adorava o fato de ele a querer tanto e sentia prazer em saber que ela ainda o excitava tão intensamente. Era tudo tão diferente do que fora com Bobby Joe. Bobby não queria nada mais que usá-la e machucá-la. O que excitava Jack era a beleza e o poder. Ter "criado" Maddy o fazia se sentir poderoso, e "possuir" Maddy na cama quase o deixava fora de si.

Capítulo 2

COMO SEMPRE FAZIA, Maddy levantou-se às seis em ponto e deslizou silenciosamente para o banheiro. Ela tomou banho e se vestiu, sabendo que fariam seu cabelo e maquiagem na emissora, como todos os dias. E quando Jack desceu para a cozinha às sete e meia, fresco, barbeado e penteado, vestindo um terno cinza-escuro e uma camisa branca engomada, ele a encontrou sem maquiagem, num terninho azul-escuro, tomando café e lendo os jornais matutinos.

Ela olhou para cima quando o ouviu entrar e comentou o último escândalo no Congresso. Um dos congressistas fora preso na noite anterior, por se relacionar com uma prostituta.

— Eles poderiam fazer melhor — disse ela, entregando a ele o *Post* e procurando o *The Wall Street Journal*. Ela gostava de ler os jornais antes de entrar no estúdio. Normalmente lia o *The New York Times* no caminho para o trabalho e, se tinha tempo, o *Herald Tribune*.

Eles saíram juntos para o trabalho às oito em ponto, e Jack perguntou-lhe se estava trabalhando em alguma reportagem para ter que sair tão cedo. Às vezes ela não saía antes das dez. Normalmente fazia reportagens durante o dia e gravava entrevistas na hora do almoço. Ela só entrava no ar às cinco horas e depois novamente às sete e meia. Ficava livre às oito e, quando eles saíam à noite, ela se trocava em seu camarim na emissora. Era um longo dia para ambos, mas eles gostavam.

— Greg e eu estamos trabalhando numa série de entrevistas com mulheres no Congresso. Queremos saber quem está cuidando de quem e quando. Já temos cinco mulheres. Acho que será uma boa reportagem.

Greg Morris era o seu co-apresentador, um jovem repórter negro de Nova York que trabalhava com ela nos últimos dois anos. Eles eram fãs um do outro e adoravam trabalhar juntos.

— Você não acha que devia fazer a reportagem sozinha? Por que precisa de Greg para fazê-la com você?

— Isso torna as coisas mais interessantes — disse ela calmamente. — A perspectiva masculina. — Ela tinha suas próprias idéias sobre o programa, que muitas vezes diferiam das de seu marido, e às vezes não gostava muito de contar a ele o que estava fazendo. Ela não queria que ele interferisse em suas reportagens. Às vezes era um desafio ser casada com o dono da emissora.

— A primeira-dama falou com você na noite passada sobre a sua entrada na Comissão de Violência contra a Mulher? — perguntou Jack casualmente, enquanto Maddy sacudia a cabeça. Ela ouvira vagos rumores sobre a comissão que a primeira-dama estava formando, mas ela não falara nada com Maddy.

— Não, ela não disse nada.

— Mas vai dizer — falou Jack com suavidade. — Eu disse a ela que achava que você adoraria participar.

— Eu gostaria, se tivesse tempo. Depende de quanto comprometimento isso vai envolver.

— Eu disse a ela que você participaria — disse Jack asperamente. — É bom para a sua imagem.

Maddy ficou em silêncio por um momento, enquanto olhava pela janela. Eles estavam sendo levados de carro ao trabalho pelo motorista de Jack. Ele trabalhava para Jack há anos e ambos confiavam inteiramente nele.

— Gostaria de ter uma chance de tomar a decisão por mim mesma — disse ela calmamente. — Por que você disse a ela que eu participaria? — Aquilo a fazia se sentir como uma criança. Ele tinha apenas onze anos a mais que ela, mas às vezes a tratava como se fosse sua filha.

— Eu já disse. Vai ser bom para você. Considere isso uma decisão executiva do dono da empresa. — Como tantas outras. Ela odiava quando ele fazia aquilo, e ele sabia. Realmente a aborrecia. — Além do mais, você disse que gostaria.

— *Se* eu tivesse tempo. Deixe-me decidir isso. — Mas eles já estavam na emissora e Charles estava abrindo a porta do carro. Não havia tempo para continuar com a conversa. E Jack não parecia querer continuar mesmo. Ele obviamente já tinha tomado a decisão. Deu-lhe um beijo rápido enquanto se despediam e desapareceu dentro de seu elevador privativo. Depois de passar pela segurança e pelo detector de metais, Maddy pegou o elevador para o estúdio.

Ela tinha um escritório envidraçado, uma secretária e assistente de pesquisa, e Greg Morris tinha um escritório um pouco menor muito próximo ao dela. Ele acenou quando a viu entrando rapidamente e se aproximou com uma caneca de café nas mãos um minuto mais tarde.

— Bom dia... ou não? — Ele olhou para ela com cuidado e achou que havia algo quando ela devolveu o olhar. Embora fosse difícil enxergar a menos que a conhecesse bem, por dentro ela estava fervendo. Maddy não gostava de ficar com raiva. Em seu passado, raiva significava perigo e ela nunca esquecera aquilo.

— Meu marido acaba de me comunicar que tomou uma "decisão executiva". — Ela olhou para Greg com indisfarçável aborrecimento. Ele era como um irmão para ela.

— Oh, oh! Será que estou sendo demitido? — Ele a estava provocando. Seu salário era quase igual ao dela, mas com Jack nunca se podia ter certeza de nada. Ele era capaz de tomar decisões súbitas, irracionais e inegociáveis. Mas até onde Greg sabia, Jack gostava dele.

— Nada tão dramático, obrigada. — Maddy foi rápida em colocar sua mente para descansar. — Ele disse à primeira-dama que eu participaria da Comissão de Violência contra a Mulher, sem nem mesmo me perguntar a respeito.

— Pensei que você gostasse desse tipo de coisa — disse Greg, largando-se na cadeira ao lado da mesa, enquanto ela se sentava à mesa.

— Não é bem essa a questão, Greg. Gosto de ser consultada. Já sou bastante crescida.

— Ele provavelmente achou que você gostaria de participar. Você sabe como os homens são estúpidos. Eles esquecem de passar por todas as etapas entre A e Z e simplesmente fazem suposições.

— Ele sabe o quanto eu odeio isso. — Mas ambos também sabiam que Jack tomava uma série de decisões por ela. Era como as coisas sempre haviam sido entre eles. Ele dizia saber o que era melhor para ela.

— Odeio ser o primeiro a lhe dizer, mas acabamos de saber de outra "decisão executiva" que ele deve ter tomado ontem. Acabou de vazar do Monte Olimpo pouco antes de você chegar. — Greg parecia não estar gostando muito do que ia dizer. Ele era um belo afro-americano, com um estilo informal e membros longos e elegantes. Quando garoto quisera ser dançarino, mas acabara entrando no jornalismo e agora amava aquilo.

— Sobre o que você está falando? — Maddy parecia preocupada.

— Ele tirou um bloco inteiro do programa. Os nossos comentários sobre política no jornal das sete e meia.

— Ele fez *o quê*? Por quê? As pessoas adoram aquilo. E nós gostamos de fazer.

— Ele quer mais notícias fortes no horário das sete e meia. Eles disseram que foi uma decisão baseada nos índices de audiência. Eles querem que a gente experimente assim.

— Por que ele não falou conosco a respeito?

— E quando é que ele nos consulta, Maddy? Por favor, querida, você conhece seu marido melhor do que eu. Jack Hunter toma suas próprias decisões sem consultar os talentos que estão no ar. Isso não é uma novidade.

— Merda. — Ela pareceu zangada enquanto se servia de uma xícara de café. — Que bom. Então não fazemos mais editoriais agora? Isso é simplesmente estúpido.

— Eu também acho, mas Deus Sabe o que Faz. Eles disseram que poderiam colocar o editorial de volta no noticiário das cinco, se as pessoas reclamassem. Mas não por enquanto.

— Ótimo. Meu Deus, você deve ter achado que ele ia me avisar.

— Como ele sempre faz, certo, Pocahontas? Me dá um tempo. Vamos encarar, a gente só trabalha aqui.

— É, acho que você está certo. — Ela cozinhou aquilo por alguns minutos e então voltou ao trabalho com Greg, escolhendo quem eles iriam entrevistar primeiro da lista de congressistas que eles já haviam selecionado. Eram quase onze horas quando eles terminaram e Maddy saiu para resolver alguns assuntos e comer um sanduíche. Ela estava de volta à sua mesa à uma hora, trabalhando novamente nas entrevistas com as congressistas. Ela ficou ali a tarde toda e às quatro horas foi fazer o cabelo e a maquiagem e encontrou Greg lá. Eles conversaram sobre as matérias que haviam acontecido naquela tarde. Na verdade, não havia nada muito importante.

— Você já arrancou a cabeça de Jack por causa dos nossos editoriais? — Ele deu um sorriso brincalhão para ela.

— Não, mas vou fazê-lo mais tarde, quando eu o vir. — Ela nunca o via durante o dia, embora normalmente saíssem juntos do trabalho, a menos que ele fosse a algum lugar depois do trabalho que não a incluía, e então ela ia para casa sozinha e esperava por ele.

O jornal das cinco horas foi bem e ela e Greg se reuniram para conversar, como sempre o faziam, enquanto esperavam para voltar ao ar às sete e meia. Às oito horas eles haviam acabado e Jack apareceu quando ela estava saindo do estúdio. Ela disse boa-noite para Greg, tirou seu microfone, pegou sua bolsa e saiu com Jack um minuto mais tarde. Eles haviam prometido comparecer a um coquetel em Georgetown.

— Que diabos aconteceu com nosso editorial? — perguntou a ele, enquanto se dirigiam para Georgetown.

— As pesquisas mostraram que as pessoas estavam cansadas deles.

— Besteira, Jack, todo mundo adorava aquilo.

— Não foi isso o que nos disseram — disse ele firmemente, sem se incomodar com o comentário dela.

— Por que você não me disse nada sobre isso de manhã? — ela ainda parecia aborrecida ao falar no assunto.

— Porque a notícia tinha que ir através dos canais de sempre.

— Você nem mesmo me perguntou a respeito. Teria sido bacana saber. Acho que você realmente tomou a decisão errada desta vez.

— Vamos ver o que as pesquisas dizem.

Eles já estavam na festa em Georgetown e se perderam um do outro na multidão por um tempo. Ela não viu Jack novamente até que ele veio buscá-la duas horas mais tarde e perguntou se ela estava pronta para sair. Ambos estavam fora de casa o dia inteiro e haviam dormido tarde na noite anterior, por causa da Casa Branca.

Eles não falaram muito no caminho para casa, e ele lembrou a ela que iria para Camp David na manhã seguinte para almoçar com o presidente.

— Vou encontrá-la no avião às duas e meia — disse ele, parecendo distraído. Eles iam para a Virgínia todo fim de semana. Jack comprara uma fazenda lá um ano antes de conhecer Maddy. Era um lugar que ele amava, e ela se acostumara a ir. Tinha uma casa grande e confortável e muita terra em torno dela. Ele mantinha estábulos e alguns puros-sangues. Mas a despeito do cenário maravilhoso, Maddy sempre se aborrecia lá.

— Você não quer ficar na cidade este fim de semana? — perguntou ela esperançosamente, enquanto o seguia para dentro da casa depois que Charles os deixou.

— Não podemos. Convidei o senador McCutchins e sua esposa para o fim de semana. — Ele também não tinha dito aquilo a ela.

— Isso era segredo também? — perguntou Maddy, parecendo irritada. Ela odiava quando ele não a consultava sobre assuntos como aquele, ou pelo menos a avisava.

— Sinto muito, Maddy, eu estive ocupado. Tenho muita coisa na cabeça esta semana. Há alguns negócios complicados no escritório.

Ela suspeitava que ele estava distraído pelo encontro em Camp David. Mas ainda assim ele poderia ter falado a ela sobre a visita dos McCutchins no fim de semana. Ele sorriu gentilmente para ela quando falou:

— Foi impensado de minha parte. Sinto muito, amor. — Era difícil continuar zangada com ele quando ele falava assim. Ele tinha um jeito adorável de ser, e assim que começava a ficar zangada com ele, sempre se dava conta de que não conseguia.

— Tudo bem. Eu apenas gostaria de ter sabido. — Ela não se incomodou de dizer a ele que não gostava de Paul McCutchins. Jack sabia disso. Ele era gordo, autoritário e arrogante, e sua esposa sempre parecia aterrorizada com ele. Ela era muito nervosa para dizer mais de duas palavras quando Maddy a via, e parecia estar sempre assustada com sua própria sombra. Mesmo seus filhos pareciam nervosos. — Eles vão levar as crianças? — Eles tinham três filhos pálidos e chorões, de cuja companhia Maddy jamais gostava, embora geralmente gostasse de crianças. Apenas não gostava dos McCutchins.

— Eu disse a eles que não podiam — disse Jack com uma careta. — Sei que você não os suporta, e não a culpo. Além disso, eles assustam os cavalos.

— Pelo menos isso — disse Maddy quando entraram. Fora uma longa semana para ambos e ela estava cansada. Ela adormeceu nos braços de Jack naquela noite e nem mesmo ouviu quando ele se levantou na manhã seguinte. Ele estava acordado, vestido e lendo os jornais na hora em que ela desceu para o café da manhã.

Jack deu-lhe um rápido beijo e poucos minutos mais tarde saiu para a Casa Branca, onde iria pegar o helicóptero presidencial que o levaria a Camp David.

— Divirta-se — ela sorriu para ele, enquanto se servia de uma xícara de café. Ele parecia estar de bom humor. Nada excitava mais Jack do que o poder. Era um vício.

E quando ela o encontrou no aeroporto naquela tarde, ele estava bastante animado. Parecia ter passado bons momentos com Jim Armstrong.

— Então, resolveu todos os problemas do Oriente Médio ou planejou uma pequena guerra em algum lugar? — perguntou ela com ar travesso. Só olhar para ele no sol de junho a fazia se apaixonar mais e mais. Ele era muito atraente e bonito demais.

— Mais ou menos isso — ele sorriu misteriosamente, enquanto a seguia para dentro do avião que comprara naquele inverno. Era um Gulfstream e Jack estava feliz com ele. Usavam-no todos os fins de semana e ele também o usava a trabalho.

— Você pode me contar a respeito? — ela estava morrendo de curiosidade, mas ele balançou a cabeça e sorriu para ela. Ele amava provocá-la com algo que ele sabia e ela, não.

— Ainda não. Em breve.

Havia dois pilotos e eles pousaram vinte minutos mais tarde, enquanto Jack e Maddy conversavam nas cadeiras confortáveis no fundo do avião. Foram direto para sua fazenda na Virgínia. E, para desgosto de Maddy, os McCutchins já estavam esperando por eles quando chegaram. Eles haviam saído de Washington de carro naquela manhã.

Previsivelmente, Paul McCutchins deu um forte tapa no traseiro de Jack e apertou Maddy muito perto quando a beijou, mas sua mulher Janet não disse nada. Seus olhos apenas encontraram os de Maddy por um instante. Era como se ela estivesse com medo de que Maddy visse algum segredo obscuro, se permitisse que Maddy olhasse dentro de seus olhos por muito tempo. Algo a respeito de Janet sempre incomodara Maddy, embora ela jamais tivesse sabido o que era, e não fizesse muita questão de pensar sobre aquilo.

Mas Jack queria algum tempo para falar com Paul sobre um empréstimo que ele estava endossando. Tinha a ver com controle de armas, um assunto delicado e sempre interessante.

Os dois homens saíram para os estábulos praticamente na mesma hora em que Jack e Maddy chegaram, o que obrigou Maddy a ficar com Janet. Ela sugeriu que fossem para dentro e ofereceu a Janet limonada gelada e biscoitos feitos pela cozinheira da fazenda, uma maravilhosa italiana que trabalhava para eles há anos. Jack na verdade a contratara antes de se casar com Maddy. A fazenda sempre parecia mais dele do que do casal, e ele gostava dela bem mais que Maddy. Era remota e isolada e Maddy nunca fora louca por cavalos. Jack a usava freqüentemente para entreter as pessoas que precisava ver a negócios, como Paul McCutchins.

Maddy perguntou sobre os filhos de Janet enquanto se sentavam na sala de estar e, quando terminaram a limonada, sugeriu que saíssem para uma caminhada nos jardins. Parecia uma eternidade esperar que Jack e Paul voltassem dos estábulos. E Maddy bateu um papo insignificante sobre o tempo, a fazenda, sua história e as novas roseiras que o jardineiro havia plantado. E ficou assustada quando olhou para Janet e viu que ela estava chorando. Ela não era uma mulher atraente, era gorda, pálida, e havia algo infinitamente triste nela. Agora mais do que nunca. Enquanto as lágrimas escorriam por suas faces incontrolavelmente, ela parecia totalmente patética.

— Você está se sentindo bem? — perguntou Maddy, incomodada. Mas obviamente Janet não estava. — Há algo que eu possa fazer? — Janet McCutchins sacudiu a cabeça e apenas chorou mais forte.

— Sinto muito — foi tudo o que ela pôde dizer.

— Não sinta — disse Maddy tentando tranqüilizá-la, parando num banco de jardim para que a mulher pudesse se sentar e se recompor. — Você gostaria de um copo d'água? — Janet sacudiu a cabeça enquanto Maddy tentava não encará-la, e ela assoou o nariz e olhou para Maddy. Havia subitamente algo muito urgente nela quando seus olhos se encontraram.

— Não sei o que fazer — disse ela numa voz trêmula que realmente tocou Maddy.

— Posso ajudar de alguma forma? — Ela imaginou se a mulher estava doente ou se havia algo errado com seus filhos. Ela parecia tão perturbada e tão profundamente infeliz. Maddy não podia nem imaginar o que era.

— Não há nada que ninguém possa fazer. — Ela parecia atormentada e sem esperança. — Não sei o que fazer — repetiu. — É Paul. Ele me odeia.

— Claro que não odeia, estou certa de que não — disse Maddy, sentindo-se estúpida, sem nenhum conhecimento da situação. Por tudo o que ela sabia, ele realmente a odiava. — Por que ele a odiaria?

— Ele me odeia há anos. Ele me tortura. Ele teve que se casar comigo porque fiquei grávida.

— Hoje em dia, e na idade de vocês, ele não estaria mais com você se não quisesse. — Seu filho mais velho tinha doze anos e eles haviam tido mais duas crianças desde então. Embora Maddy tivesse de admitir que nunca vira Paul ser gentil com ela. Era uma das coisas de que não gostava nele.

— Não podemos nos divorciar porque Paul diz que isso seria ruim para ele politicamente. — Era uma possibilidade, certamente, mas outros políticos haviam sobrevivido a isso. E então Janet tirou sua respiração com a próxima coisa que disse. — Ele me espanca. — Algo no sangue de Maddy gelou quando ela ouviu a outra mulher falar. E, depois de dizer aquilo, Janet cuidadosamente levantou sua manga e Maddy pôde ver algumas escoriações feias. Ela ouvira histórias desagradáveis sobre o temperamento violento e arrogante do senador ao longo dos anos, e agora isso confirmava tudo.

— Sinto tanto, Janet. — Ela não sabia o que dizer, mas seu coração ficou tocado e tudo o que queria fazer era abraçá-la. — Não fique em casa — disse Maddy suavemente. — Não o deixe fazer isso. Eu fui casada com um homem como este por nove anos. — Ela conhecia tudo aquilo muito bem, embora tivesse passado os últimos oito anos tentando esquecer.

— Como você conseguiu sair? — Elas eram subitamente como dois prisioneiros da mesma guerra, sussurrando no jardim.

— Eu fugi — disse Maddy, parecendo mais corajosa do que realmente fora na época, e queria ser honesta com esta mulher. — Eu estava apavorada. Jack me ajudou. — Mas esta mulher não tinha Jack Hunter. Ela não era jovem nem bonita, não tinha esperanças, não tinha uma carreira, não tinha uma rota de fuga e tinha três filhos para levar com ela. Era muito diferente.

— Ele diz que vai me matar se eu sair e levar as crianças. E ele diz que, se eu contar a alguém, vai me colocar numa instituição para doentes mentais. Ele fez isso uma vez, depois que minha filha nasceu. Eles me deram choques elétricos como tratamento. — Maddy pensou que eles deveriam ter dado choques nele, em locais realmente importantes, mas não disse isso a Janet. O simples fato de pensar no que a mulher estava passando e ver suas feridas fez Maddy se sentir com o coração apertado por ela.

— Você tem que procurar ajuda. Por que você não vai para uma casa segura? — sugeriu Maddy.

— Sei que ele vai me encontrar. Ele vai me matar. — Janet soluçou quando disse isso.

— Eu vou ajudá-la — ofereceu-se Maddy sem hesitar. Ela tinha de fazer algo por aquela mulher. Ela se sentia mais culpada que nunca por jamais ter gostado dela. Mas ela precisava de ajuda agora e, como uma sobrevivente da mesma agonia, sentiu que devia isso a ela. — Vou descobrir alguns lugares para onde você possa ir com as crianças.

— Isso vai vazar para os jornais — disse Janet, ainda chorando, e se sentindo sem saída.

— Vai vazar para os jornais se ele a matar — disse Maddy firmemente. — Prometa-me que você vai fazer alguma coisa. Ele bate nas crianças? — Janet sacudiu a cabeça, mas Maddy sabia que era mais complicado que aquilo. Mesmo se ele não tocasse nelas, estava distorcendo suas mentes e aterrorizando-as, e um dia as garotas se casariam com homens como seu pai, assim como Maddy o fizera, e talvez o filho achasse normal bater na mulher. Ninguém saía ileso de uma casa onde a mãe era espancada. Aquilo levara Maddy direto para os braços de Bobby Joe, e a levara a acreditar que ele tinha o direito de fazer aquilo também.

Quando Maddy pegou a mão de Janet nas suas, elas ouviram os homens se aproximarem e Janet rapidamente se recompôs. Num instante ela estava com o rosto de pedra. Era como se a conversa jamais tivesse acontecido quando os dois homens entraram no jardim.

Aquela noite, quando ficaram a sós, Maddy contou a Jack o que acontecera.

— Ele bate nela — disse ela, ainda se sentindo doente com aquilo.

— Paul? — Jack pareceu surpreso. — Duvido. Ele é o tipo do cara grosseiro, mas não acho que faria algo assim. Como você sabe?

— Janet me contou — disse Maddy, dedicada à sua amiga agora. Elas finalmente tinham algo em comum.

— Eu não levaria isso tão a sério — disse Jack suavemente. — Paul me contou anos atrás que ela tinha problemas mentais.

— Eu vi as marcas — disse Maddy, parecendo zangada. — Eu acredito nela, Jack. Eu também passei por isso.

— Eu sei que passou. Você não sabe como ela conseguiu as marcas. Ela pode simplesmente tê-las feito para que ele parecesse mau. Sei que ele tem saído com alguém de vez em quando. Janet está provavelmente tentando se igualar a ele, dizendo coisas ruins a seu respeito. — Ele estava parecendo pior a cada minuto para Maddy e ela não duvidava da história de Janet nem por um instante. Ela odiava Paul só de pensar naquilo.

— Por que você não acredita nela? — perguntou Maddy, zangada. — Não entendo isso.

— Eu conheço Paul. Ele simplesmente não faria isso. — Maddy teve vontade de gritar ao ouvir aquilo. Eles discutiram o assunto até irem para a cama e ela estava tão zangada com Jack por não acreditar nela que ficou aliviada por não fazerem amor naquela noite. Ela se sentia bem mais próxima de Janet McCutchins e tinha mais em comum com ela do que com seu próprio marido. Mas ele não parecia notar o quanto sua mulher estava preocupada.

Antes que partissem no dia seguinte, Maddy lembrou a Janet que ia procurar informações para ela. Mas Janet pareceu vazia quando ela falou no assunto. Ela morria de medo que Paul as ouvisse. Apenas assentiu e entrou no carro, e eles partiram poucos minutos mais tarde. Mas enquanto voavam de volta para Washington naquela noite, Maddy olhava silenciosamente pela janela o cenário embaixo. Tudo em que ela podia pensar era Bobby Joe e o desespero que sentira naqueles anos solitários em Knoxville. E então ela pensou em Janet e nas marcas que ela mostrara. Era como se Janet estivesse se tornando uma prisioneira e não tivesse coragem ou energia para escapar dele. De fato, estava convencida de que não podia. E quando pousaram em Washington, Maddy fez uma promessa silenciosa de que faria tudo o que pudesse para ajudá-la.

Capítulo 3

QUANDO MADDY FOI PARA o trabalho na segunda-feira de manhã, correu para o escritório de Greg assim que chegou. Seguiu-o para dentro de seu cubículo e se serviu de uma xícara de café.

— Como foi o fim de semana da apresentadora mais glamourosa e premiada de Washington? — Ele gostava de provocá-la sobre a vida que levavam e o fato de que ela e Jack estavam quase sempre na Casa Branca. — Você passou o fim de semana com o presidente ou só foi fazer compras com a primeira-dama?

— Muito engraçado, bundão — disse ela e tomou um gole do café fumegante. — Ela ainda estava mexida com as confissões de Janet McCutchins. — Jack almoçou com ele no sábado, em Camp David.

— Obrigado, meu Deus, você nunca me decepciona. Eu me mataria se soubesse que você estava no lava-jato como o resto de nós. Eu vivo indiretamente através de você. Espero que você saiba disso. Todos nós vivemos.

— Acredite em mim, não é assim tão excitante. — Ela nunca sentira que aquela vida era sua de verdade, sempre sentia como se estivesse vivendo na luz que tomava emprestada de seu marido. — Nós passamos o fim de semana com os McCutchins em Virgínia. Deus, ele é nojento.

— Um belo cara, o senador. Muito distinto. — Greg fez uma careta para ela.

Maddy ficou em silêncio por um longo momento e então decidiu se abrir com Greg. Eles se tornaram muito próximos desde que começaram a trabalhar juntos, como irmão e irmã. Ela não tinha tantos amigos assim em Washington, nunca tivera tempo de fazê-los. Aqueles que fizera, Jack não gostava, e até mesmo a pressionava às vezes para não vê-los. Ela nunca fizera objeção porque Jack a mantinha muito ocupada, ela estava sempre trabalhando. No início, quando ela conhecera mulheres de que gostara, Jack sempre tinha objeções a elas. Eram gordas, ou feias, ou pouco apropriadas, ou indiscretas, ou ele pensava que elas tinham inveja dela. Ele mantinha Madeleine cuidadosamente guardada e bastante isolada. As únicas pessoas de quem ela tinha realmente chance de se aproximar estavam no trabalho. Ela sabia que ele tinha boas intenções ao tentar protegê-la e ela não se importava, mas aquilo significava que a pessoa da qual ela estava mais prróxima era Jack e, nos últimos anos, Greg Morris.

— Aconteceu uma coisa horrível este fim de semana. — Ela começou cautelosamente, ainda se sentindo um pouco deselegante ao divulgar o segredo de Janet. Maddy sabia que ela não gostaria que as pessoas falassem sobre aquilo.

— Você quebrou uma unha? — Ele a provocou e ela normalmente riria dele, mas parecia séria desta vez.

— Foi Janet.

— Ela parece muito pálida e desmazelada. Eu só a vi umas duas vezes nas festas do Senado.

Maddy suspirou e decidiu dar o mergulho. Ela confiava totalmente em Greg.

— Ele bate nela.

— O quê? O senador? Você tem certeza? Isso é muito sério.

— Muito sério. Eu acredito nela. Ela me mostrou os hematomas.

— Ela não andou tendo problemas mentais? — perguntou Greg, cético. Era a mesma reação que Jack tivera e aquilo a aborrecia.

— Por que os homens sempre dizem coisas como essas sobre as mulheres que sofrem abusos? E se eu dissesse a você que ela bateu nele com um taco de golfe? Você acreditaria em mim? Ou diria que aquele gordo bastardo estava mentindo?

— Eu provavelmente acreditaria nele, sinto muito em dizer. Porque homens não mentem sobre coisas assim. É muito pouco provável que um homem sofra abusos de uma mulher.

— Mulheres também não mentem. Mas pessoas como você, e como meu marido, as fazem sentir como se fosse sua a culpa delas, e elas têm que manter isso em segredo. E sim, ela esteve numa instituição para doentes mentais, mas não me parece louca e aquelas marcas não eram fruto de sua imaginação. Ela está aterrorizada com ele. Eu sempre soube que ele era um filho-da-puta com a sua equipe, mas nunca soube que ele a maltratava. — Ela nunca falara abertamente sobre seu passado com Greg. Como outras mulheres na mesma situação, sentia como se fosse sua a culpa e mantinha aquilo como um segredo mortal. — Eu disse a ela que a ajudaria a encontrar um local seguro. Alguma idéia de por onde começar?

— Que tal pela Coalizão das Mulheres? A diretora é minha amiga. E sinto muito pelo que eu disse. Eu devia saber. — Ele parecia arrependido.

— É, você devia. Mas obrigada, vou telefonar para ela. — Ele anotou rapidamente um nome e Maddy olhou para ele. Fernanda Lopez. Ela lembrou-se vagamente de ter feito uma matéria sobre ela logo que entrara na emissora. Fora há uns cinco ou seis anos, mas Maddy se lembrava de ter ficado impressionada com ela. Mas quando Maddy ligou para ela de seu escritório, disseram que a senhora Lopez estava de licença e a pessoa que ficara em seu lugar havia acabado de sair para uma licença-maternidade. A nova responsável não viria nas próximas duas semanas e eles lhe dariam o recado assim que chegasse. Deram a Maddy alguns nomes para ligar, quando ela disse o que queria. Ela tentou, mas todas as ligações eram respondidas por secretárias eletrônicas e, quando ela ligou para a Linha Direta para Mulheres que Sofrem Abusos, estava ocupado. Ela teria de ligar novamente mais tarde. Aí ela se ocupou com Greg e esqueceu tudo até entrar no ar às cinco da tarde e prometeu a si mesma que tentaria novamente pela manhã. Se Janet vivera com aquilo tanto tempo, certamente sobreviveria até a manhã seguinte, mas Maddy realmente queria fazer algo a respeito. Era óbvio que Janet estava paralisada de medo para ajudar a si mesma, o que também não era pouco comum.

Quando Greg e Maddy entraram no ar às cinco, eles cobriram as notícias comuns locais, de política, nacionais e internacionais, e uma queda de avião no aeroporto JFK tomou a maior parte do noticiário das sete e meia.

Ela foi para casa sozinha no carro de Jack naquela noite, pois ele tinha outro encontro com o presidente e ela não conseguia deixar de pensar no que os estava mantendo tão ocupados. Mas estava pensando em Janet novamente quando chegou em casa e imaginou se deveria ligar para ela. Porém tinha medo de que Paul pudesse estar ouvindo os telefonemas de Janet e decidiu não fazê-lo.

Maddy leu um monte de artigos que estava querendo ler há algum tempo e mergulhou num novo livro sobre as últimas novidades das técnicas de combate ao câncer de mama, para ver se ia querer entrevistar o autor como parte de uma reportagem. Ela fez suas unhas e foi para a cama cedo. E ouviu Jack chegar por volta de meia-noite. Mas estava muito cansada para falar com ele e voltou a dormir antes que ele se juntasse a ela. Já era de manhã quando ela acordou novamente e o ouviu entrar em seu banheiro e ligar o chuveiro.

Ele estava na cozinha lendo o *The Wall Street Journal* quando ela desceu as escadas e ele a olhou com um sorriso. Ela estava usando jeans, um suéter vermelho e sapatos Gucci vermelhos brilhantes. Ela parecia fresca, jovem e *sexy*.

— Você me faz sentir não tê-la acordado na noite passada — disse ele com um sorriso e ela também sorriu enquanto se servia de uma xícara de café e pegava os jornais.

— Você e o presidente devem estar metidos numa grande encrenca esses dias, com todos esses encontros. É bom que seja algo mais interessante do que uma troca de gabinete.

— Talvez seja — disse ele sem se comprometer, enquanto ambos voltavam para seus jornais. Subitamente ele ouviu Maddy arfar e olhou para ela. — O que foi? — Ela não pôde falar por um instante enquanto as lágrimas enchiam seus olhos e ela continuava a tentar ler a reportagem, mas estava cega pelas lágrimas quando se virou para seu marido.

— Janet McCutchins se suicidou na noite passada. Ela cortou os pulsos em sua casa, em Georgetown. Um de seus filhos a encontrou e chamou o 911, mas ela já estava morta quando eles chegaram lá. Disseram que ela tinha marcas em seus braços e pernas e que ela caíra da escada na noite anterior, tropeçando no *skate* de um de seus filhos. O filho-da-puta... ele a matou... — ela parecia chocada e quase sem ar e podia sentir todo o seu corpo tenso enquanto pensava naquilo.

— Ele não a matou, Maddy — disse Jack calmamente. — Ela se matou. Você disse isso.

— Ela achou que não tinha outra saída — disse Maddy numa voz estrangulada, lembrando todo o sentimento ainda muito vívido enquanto olhava para seu marido. — Eu podia ter feito a mesma coisa, se você não tivesse me tirado de Knoxville.

— Isso é besteira e você sabe. Você o teria matado antes. Ela era perturbada, tinha uma história de problemas mentais. Havia provavelmente muitas outras razões para ela fazer o que fez.

— Como é que você pode falar isso? Por que você não quer acreditar que aquele gordo filho da mãe batia nela? Isso é tão inacreditável? Ele parece um cara legal para você? Por que não é possível que ela estivesse falando a verdade? Porque ela é uma mulher?

Ela ficou furiosa de ouvir o que ele dizia, e mesmo Greg duvidara da história quando ela a contara. Por que a mulher está sempre mentindo?

— Talvez ela não estivesse. Mas o fato de que ela se matou sustenta a teoria de que estava desequilibrada.

— Sustenta a teoria de que ela achou que não tinha outra saída e estava desesperada. Desesperada demais para deixar seus filhos sem mãe e até arriscar que um deles a encontrasse. — Ela estava chorando abertamente enquanto falava e sua respiração estava vindo em pequenos engasgos de horror. Ela sabia o que era se sentir tão torturada, tão aterrorizada, tão encurralada que parecia não haver uma saída. Se ela não fosse tão jovem e bonita e Jack não a quisesse para a emissora, ela poderia facilmente ter encontrado o mesmo destino de Janet McCutchins. E ela não tinha tanta certeza de que Jack estava certo ao dizer que ela teria matado Bobby Joe primeiro. Ela pensara em suicídio mais de uma vez nas noites escuras, quando ele estava bêbado e seus lábios e olhos estavam machucados por seus últimos atos de vingança. Era tão fácil entender o que Janet sentira. E então ela se lembrou dos telefonemas que dera no dia anterior, de seu escritório. — Eu liguei para a Coalizão das Mulheres ontem, e para uma linha direta. Merda, eu queria ter ligado para ela na noite passada. Mas eu estava com medo, estava com medo de que Paul pudesse interceptar o telefonema e eu acabasse criando problemas para ela.

— Ela não podia ser ajudada por você, Mad. Não se martirize por isso. Isso prova...

— Isso não prova nada, por Deus, Jack. Ela não era louca. Ela estava aterrorizada. E como você sabe onde ele estava, ou o que ele fez a ela antes que ela fizesse aquilo?

— Ele é um imbecil, não um assassino. Eu apostaria minha vida nisso — disse ele calmamente enquanto Maddy ficava ainda mais enfurecida.

— Desde quando vocês dois são tão grandes amigos? Como é que você pode saber o que ele fez a ela? Você não tem idéia do que é isso. — Ela estava sacudida por soluços quando se sentou à mesa da cozinha, chorando por uma mulher que ela conhecia tão pouco mas que percorrera o mesmo caminho que ela. Maddy sabia que era uma das sobreviventes afortunadas. Janet não fora tão sortuda.

— Eu sei o que é isso — disse ele suavemente. — Quando me casei com você, você tinha pesadelos terríveis e dormia em posição fetal, com seus braços sobre a cabeça. Eu sei, amor, eu sei... Eu salvei você...

— Eu sei que você salvou — disse ela, assoando o nariz e olhando para ele tristemente —, nunca esqueci isso... eu apenas sinto tanto por ela... Pense em como ela deve ter se sentido quando fez aquilo. Sua vida deve ter sido uma agonia de terror.

— Acredito que sim — disse ele friamente —, e sinto muito por Paul e seus filhos. Isso vai ser duro para todos eles. Apenas espero que a mídia não faça um escarcéu com isso.

— Espero que algum repórter jovem e eficiente faça uma matéria investigativa e exponha o que ele vinha fazendo com ela. Não apenas por ela, mas por todas as outras mulheres que ainda estão vivas na mesma situação.

— É difícil entender por que ela não se separou, se era tão ruim assim. Ela poderia ter ido embora. Ela não tinha que se matar.

— Talvez ela achasse que tinha — disse Maddy, compreensiva, mas Jack estava irredutível.

— Você saiu, Maddy. Ela também podia ter saído! — disse ele com firmeza.

— Eu demorei oito anos para sair, e você me ajudou. Nem todo mundo tem essa sorte. E eu só consegui sair pela graça de Deus e a beleza de meus dentes. Talvez em outra época ele pudesse ter me matado.

— Você não deixaria isso acontecer — Jack parecia estar certo, mas Maddy nem tanto.

— Eu deixei que aquilo acontecesse por um tempo infernal até que você chegasse. E minha mãe deixou que acontecesse até meu pai morrer. E juro que ela sentiu falta daquilo, e dele, até morrer. Relacionamentos como esses são bem mais doentios do que as pessoas imaginam, tanto para o agredido quanto para quem agride.

— Esta é uma perspectiva interessante — disse ele, parecendo cético novamente. — Acho que algumas pessoas pedem isso, ou esperam por isso, ou deixam isso acontecer, porque são muito fracas para fazer qualquer outra coisa.

— Você não sabe nada sobre esse assunto, Jack — disse ela numa voz tensa enquanto saía da cozinha e subia as escadas para pegar sua bolsa e um casaco. Ela desceu carregando um *blazer* azul-marinho bem cortado e havia colocado pequenos brincos de diamantes. Ela estava sempre lindamente vestida e penteada, em casa ou no trabalho. Nunca sabia com quem iria ter de falar e as pessoas a reconheciam em qualquer lugar que fosse.

Eles foram para o trabalho juntos em silêncio naquela manhã. Ela estava aborrecida com algumas coisas que Jack dissera e não queria entrar numa discussão com ele sobre aquilo. Mas Greg estava esperando por ela no trabalho. Ele havia visto a reportagem e parecia angustiado.

— Sinto muito, Maddy, você deve estar se sentindo uma merda. Eu sei que você queria ajudá-la. Talvez você não tivesse conseguido, de qualquer forma. — Ele estava tentando consolá-la, mas ela se virou e repreendeu-o assim que ele terminou de falar.

— Por quê? Porque ela era psicótica, como todas as outras mulheres que sofrem agressões, e ela *queria* cortar seus pulsos? É isso o que você pensa?

— Tudo o que eu quis dizer foi que ela deve ter ficado tão apavorada para fugir daquilo como alguém que está sendo bombardeado numa zona de guerra. — E ele não pôde deixar de acrescentar: — Por que você acha que ela fez isso? Apenas porque ele a estava agredindo ou você acha que ela era psicótica? — Maddy pareceu furiosa com a pergunta.

— Isso é o que Jack acha, é o que a maior parte das pessoas acha, que as mulheres nessa situação são basicamente loucas, desconsiderando o que seus maridos fazem com elas. Ninguém pode entender por que as mulheres não vão embora. Bem, algumas delas simplesmente não conseguem... não conseguem... — disse ela, enquanto começava a soluçar novamente e Greg a abraçava.

— Eu sei, querida, eu sei... sinto muito... talvez você simplesmente não pudesse salvar esta mulher em especial. — Ele falou tentando tranqüilizá-la e ela ficou grata por ter os braços dele em torno de si.

— Eu queria... ajudá-la. — Ela soluçou novamente ao pensar no sofrimento que Janet devia ter passado para fazer aquilo, e na agonia em que seus filhos estariam agora, tendo perdido sua mãe.

— Como é que vamos cobrir isso? — perguntou Greg quando ela recuperou a compostura.

— Gostaria de fazer um editorial sobre mulheres agredidas — disse ela, pensativa, enquanto Greg servia a ela uma xícara de café.

— Isso foi cortado do nosso programa. Lembra?

— Vou falar com Jack que gostaria de fazê-lo, de qualquer forma — disse ela firmemente e Greg sacudiu a cabeça. — Queria poder bater naquele bastardo do McCutchins até dentro d'água.

— Eu não faria isso, se fosse você. E Jack não deixará você fazer um editorial. Não me importo se você dorme com ele todas as noites, nós tivemos ordens superiores. Sem editoriais, sem comentários sociais ou políticos, apenas notícias. Contamos tudo exatamente como aconteceu, sem nenhuma opinião nossa.

— O que ele vai fazer? Me demitir? Além disso, é pura notícia. A mulher de um senador cometeu suicídio depois de sofrer agressões de seu marido.

— Jack ainda assim não vai deixá-la dizer isso ou fazer um editorial. Se eu o conheço bem, a menos que você tome a emissora de assalto. E eu honestamente não acho que ele gostaria disso, Maddy.

— Sem brincadeira. Mas vou fazer assim mesmo. Nós entramos ao vivo, pelo amor de Deus, eles não podem me tirar do ar sem criar um tumulto ou um escândalo. Então nós fazemos mais um editorial e pedimos desculpas por ele depois. Se ele ficar furioso, posso viver com isso.

— Você é uma mulher corajosa — disse Greg com o largo sorriso branco que enfeitiçava as mulheres com quem ele saía. Ele era um dos solteirões mais cobiçados em Washington, e por boas razões. Era inteligente, bonito, agradável e bem-sucedido, uma combinação rara e desejável, e Maddy era louca por ele, num sentido puramente saudável. Ela amava trabalhar com ele. — Não estou certo de que gostaria de enfrentar Jack Hunter e ir contra uma de suas ordens.

— Eu tenho meus contatos — disse ela com o primeiro sorriso que mostrou desde que lera sobre Janet McCutchins.

— É, e as melhores pernas da emissora. Isso também ajuda — provocou ele.

Mas às cinco horas, quando ela e Greg entraram no ar pela primeira vez naquele dia, Maddy estava nervosa. Ela parecia tão fria e impecável como sempre em seu suéter vermelho, os cabelos imaculadamente penteados e brincos simples ornados com diamantes.

Mas Greg a conhecia bem o suficiente para ver o quanto ela estava ansiosa durante a contagem regressiva para entrar no ar.

— Você vai tentar? — sussurrou ele enquanto chegavam cada vez mais perto de entrar no ar. Ela assentiu e então sorriu quando a câmera fez um *zoom* nela. Ela apresentou-se e a Greg. Eles trabalharam do mesmo jeito com as notícias, como sempre o faziam, em perfeita harmonia, alternando as histórias. Então Greg rolou sua cadeira para longe, sabendo o que estava por vir, e o rosto de Maddy ficou imediatamente sério quando ela encarou as câmeras por sua própria conta.

— Há uma história nas notícias de hoje que afeta cada um de nós, a alguns mais que a outros. É a história do suicídio de Janet Scarbrough McCutchins em sua casa em Georgetown, deixando órfãos seus três filhos. É certamente uma tragédia, e quem pode dizer que tipo de sofrimento forçou a senhora McCutchins a tirar a própria vida? Mas há perguntas que não podem ser ignoradas e talvez não possam nunca ser respondidas. Por que ela fez isso? Que grande dor ela estava sentindo naquele momento, e antes? E por que ninguém escutou ou viu o seu desespero? Numa conversa recente, Janet McCutchins me disse que havia sido hospitalizada brevemente uma vez, por causa de depressão. Mas uma fonte próxima à senhora McCutchins disse que poderia haver um caso de agressão aqui, o que a teria levado ao suicídio. Se foi assim, Janet McCutchins não seria a primeira mulher a tirar sua própria vida, preferindo isso a fugir de uma situação de violência. Tragédias como esta acontecem com muita freqüência. É possível que Janet McCutchins tivesse outras razões para tirar a própria vida. Talvez sua família saiba por que ela o fez, ou seu marido, ou seus amigos mais próximos, ou seus filhos. Mas isso traz um foco maior, para todos nós, sobre o que algumas mulheres enfrentam a respeito de dor, de medo e desespero. Eu não posso dizer a vocês por que Janet McCutchins morreu. Não é minha tarefa julgar. Soubemos que ela deixou uma carta para seus filhos e estou certa de que jamais a veremos.

"Mas não podemos deixar de pensar por que, quando uma mulher pede socorro, o mundo tapa os ouvidos e muitos de nós dizem: 'deve haver algo errado com *ela*... talvez ela seja louca.' Mas e se não for? Mulheres morrem todos os dias, seja por suas próprias mãos, seja pelas mãos de seus torturadores. E com freqüência não acreditamos nelas quando elas nos contam sobre o sofrimento que estão passando, ou simplesmente deixamos passar. Talvez seja muito doloroso para nós ouvir isso.

"Mulheres que fazem isso não são loucas, muitas delas não são perturbadas, elas não foram preguiçosas ou estúpidas por não se separarem. Elas tiveram medo de fazê-lo. Elas não puderam fazê-lo. Algumas vezes essas mulheres preferem se matar. Ou ficam muito tempo e acabam deixando que seus maridos as matem. Isso acontece. Isso é real. Nós não podemos virar as costas para essas mulheres. Nós devemos ajudá-las a encontrar um caminho de saída.

"Peço a vocês agora, em memória de Janet McCutchins. Da próxima vez que ouvirem falar de uma morte como esta, perguntem-se por quê? E quando o fizerem, fiquem em silêncio e escutem a resposta, por mais assustadora que ela seja.

"Boa noite. Eu sou Maddy Hunter."

Eles foram direto para os comerciais e todos no estúdio ficaram malucos. Ninguém ousara interrompê-la e, hipnotizados pelo que ela dizia, não cortaram para os comerciais mais cedo. Greg só ficou ali sorrindo e deu a ela um *high five** enquanto ela sorria para ele.

— Como foi? — perguntou ela num sussurro.

---

*Gesto de cumprimento no qual duas pessoas batem as palmas de suas mãos uma contra a outra. (*N. da T.*)

— Nitroglicerina pura. Eu diria que vamos receber a visita de seu marido dentro de quatro segundos.

Foram apenas dois. Ele explodiu dentro do estúdio como um tornado e estava tremendo de fúria quando se dirigiu a ela.

— Você está louca, porra? Paul McCutchins vai me colocar para fora dos negócios! — Ele ficou bem próximo dela e gritou diretamente sobre seu rosto. Maddy ficou pálida, mas não fez nenhum movimento de recuo. Marcou seu território, embora também estivesse tremendo. Ficava aterrorizada quando ele, ou qualquer outra pessoa, ficava com raiva, mas desta vez ela achou que tinha valido a pena.

— Eu disse que uma fonte próxima a ela disse que *poderia* haver violência. Que inferno, Jack, eu *vi* as marcas. Ela me *disse* que ele batia nela. Que conclusão você tira disso, quando ela comete suicídio um dia depois? Tudo o que eu fiz foi pedir às pessoas que pensassem sobre as mulheres que cometem suicídio. Ele não pode nos atingir legalmente. Eu posso testemunhar sobre o que ela me disse, se precisar.

— E você provavelmente vai ter que fazer isso mesmo, diabos. Você é surda, não consegue ler? Eu disse nada de editoriais e estava falando sério, porra!

— Sinto muito, Jack. Eu tive que fazer isso, devia isso a ela e a outras mulheres na mesma situação.

— Oh, pelo amor de Deus... — ele moveu uma mão furiosa para os cabelos dela, sem conseguir acreditar no que ela fizera e o estúdio a deixara fazer obedientemente. Eles poderiam tê-la cortado, mas não o fizeram. Eles gostaram do que ela dissera sobre mulheres agredidas. E Paul McCutchins tinha a reputação de uma pessoa verbalmente violenta, e quando jovem participou de uma infindável lista de brigas de bar. Ele era um dos mais odiados senadores de Washington e tinha um temperamento violento que se manifestava com freqüência. Ninguém ficaria ansioso para defendê-lo e parecia perfeitamente plausível a eles, embora Maddy jamais tenha falado sobre isso, que ele provavelmente agredira a mulher. Jack ainda estava andando tempestuosamente pelo estúdio gritando com todo mundo quando Rafe Thompson, o produtor, veio dizer a ele que o senador McCutchins estava ao telefone.

— Merda! — gritou ele para sua mulher. — Quanto você quer apostar que ele vai me processar?

— Sinto muito, Jack — disse ela calmamente, mas sem remorso, quando o assistente de produção veio dizer a ela que a primeira-dama estava ao telefone. Ambos desapareceram para telefones diferentes, para conversas bem diferentes. Maddy reconheceu imediatamente a voz de Phyllis Armstrong e ficou morrendo de medo quando a ouviu.

— Estou tão orgulhosa de você, Madeleine — a voz calorosa e penetrante da mulher mais velha chegou até ela. — Foi uma coisa muito corajosa que você fez e muito necessária. Foi um excelente programa, Maddy.

— Obrigada, senhora Armstrong — disse Maddy, parecendo mais calma do que estava. Ela não disse que Jack estava furioso com aquilo.

— Estava pensando em ligar para você para falar sobre a Comissão de Violência contra a Mulher. Na verdade, pedi a Jack que falasse com você sobre isso.

— Ele falou. Estou muito interessada.

— Claro, ele me disse que você adoraria participar, mas eu queria escutar isso de você mesma. Nossos maridos têm a mania de nos colocar como voluntárias para coisas que não queremos fazer. O meu não é exceção. — Maddy sorriu quando a escutou, e aquilo a fez se sentir melhor sobre o fato de Jack dispor de seu tempo de maneira tão livre. Ele estava sempre dominando-a e era muito liberal quanto a dar opiniões e tomar decisões por ela. Às vezes parecia até falta de respeito com ela.

— Neste caso, ele estava certo. Eu adoraria.

— Fico feliz de ouvir isso. Vamos nos encontrar pela primeira vez nesta sexta-feira. Na Casa Branca, desta vez, em meu escritório particular. Vamos encontrar um local mais apropriado mais tarde. Ainda somos bem pequenos, há apenas uma dúzia de pessoas. Estamos tentando descobrir como causar impacto no público, um impacto real, sobre a violência cometida contra mulheres. E acho que você já deu o primeiro passo. Parabéns!

— Obrigada novamente, senhora Armstrong — disse Maddy, sem ar, e sorriu para Greg quando desligou.

— Parece que você foi a número um na avaliação da senhora Armstrong — disse ele com orgulho. Ele adorara a forma como ela fizera aquilo. Precisou de bastante coragem, mesmo com o dono da emissora sendo marido dela. Agora ela teria de ir para casa e pegar as sobras. E, como todos sabiam, Jack Hunter não era sempre um doce, especialmente quando alguém passava por cima dele. E Maddy não era mais preservada que qualquer outro.

Quando Maddy começou a contar a Greg o que a senhora Armstrong dissera, Jack veio para cima deles com um olhar furioso. Ele estava enraivecido.

— Você sabia disso? — gritou Jack para Greg, desesperado para culpar alguém, qualquer um, todo mundo. Ele parecia querer estrangular Maddy.

— Não exatamente, mas quase. Eu sabia que ela diria alguma coisa — disse Greg honestamente. Ele não tinha medo de Jack e, embora fosse um segredo bem guardado e ele nunca tivesse dito nada a Maddy, ele não gostava de Jack Hunter. Achava-o arrogante e dominador e não gostava da maneira como lidava com Maddy, embora não comentasse sobre isso com ela. Ela já tinha problemas suficientes para ainda ter de defender seu marido.

— Você poderia tê-la impedido — Jack acusou-o. — Você poderia ter falado em cima da fala dela e terminado com isso antes mesmo de ter começado.

— Eu a respeito demais para fazer isso, senhor Hunter. Além do mais, concordo com o que ela disse. Não acreditei quando ela me contou sobre Janet McCutchins na segunda-feira. Isso foi um alerta para acordar aqueles que não querem ter que pensar sobre o quanto algumas mulheres se sentem desesperadas em situações de violência. Isso acontece todos os dias à nossa volta. Nós simplesmente não queremos ver ou ouvir. Mas por ser casada com quem era, Janet McCutchins nos fez escutá-la. Talvez, se pessoas suficientes tiverem escutado Maddy hoje à noite, a morte de Janet McCutchins vá significar algo e ajudar alguém. Com todo o devido respeito, acho que Maddy fez a coisa certa. — Sua voz vibrou quando ele disse as últimas palavras e Jack Hunter olhou para ele, furioso.

— Estou certo de que nossos patrocinadores vão adorar se formos processados.

— Foi isso o que McCutchins disse ao telefone? — perguntou Maddy com um ar preocupado. Ela não estava arrependida, mas odiava causar tais problemas a Jack. Só que, em sua cabeça, aquilo devia ter sido feito. Ela vira com seus próprios olhos o que McCutchins havia feito à sua mulher e estava querendo testemunhar, se fosse preciso. Ela havia levantado temas no programa por sua própria conta, qualquer que fosse o custo para ela ou para a emissora. Para Maddy, parecia valer a pena.

— Ele ficou fazendo ameaças veladas, mas o véu era muito fino. Ele disse que ia ligar para seus advogados assim que desligasse — Jack disse a ela duramente.

— Não acho que ele vá tão longe — disse Greg, pensativo. — A evidência foi aparentemente bastante condenável. E Janet McCutchins falou diretamente com Maddy. Isso deve salvar nossos traseiros.

— "Nossos" traseiros, que nobreza de sua parte, Greg — rosnou Jack para ele. — Até onde sei, o meu é o único que está na reta agora. Foi uma coisa absolutamente estúpida e irresponsável o que você fez. — E com isso ele atravessou novamente o estúdio e subiu as escadas para seu escritório.

— Você está bem? — Greg olhou para Maddy preocupado, e ela fez que sim.

— Eu sabia que ele ficaria chateado, mas espero que não sejamos processados. — Ela parecia preocupada quando disse isso. Estava esperando que McCutchins não ousasse processá-los, arriscando-se a se expor.

— Você contou a ele sobre o telefonema de Phyllis Armstrong?

— Não tive tempo — ela confessou. — Vou contar quando chegarmos em casa.

Mas Maddy chegou em casa sozinha naquela noite. Jack havia chamado seus advogados para rever a gravação do programa e discuti-la com eles, e já era uma hora da manhã quando ele chegou em casa, em Georgetown. Maddy ainda estava acordada, mas ele não disse uma palavra a ela enquanto andava decidido na direção do banheiro.

— Como foi? — perguntou ela cautelosamente, enquanto ele se virava e a encarava.

— Não posso acreditar que você fez isso comigo. Foi uma porra de uma coisa estúpida. — Seria melhor se ele a tivesse esbofeteado. Mas tudo o que Jack fez com ela foi machucá-la com olhares e palavras ferozes. Era óbvio que ele achava que ela o havia traído.

— A primeira-dama me ligou logo depois que saímos do ar, ela estava muito feliz com a emissora e achou que foi uma atitude corajosa. Vou entrar na comissão dela esta semana — disse ela, se desculpando. Ela não estava certa de como ia fazer as pazes com ele, mas teria que tentar agora. Ela não queria que ele a odiasse por causa de assuntos ligados ao trabalho.

— Eu já tinha tomado esta decisão para você — disse ele, lançando faíscas em sua direção quando ela mencionou a Comissão de Violência contra a Mulher.

— Eu a tomei sozinha — disse ela suavemente. — Eu tinha o direito de fazê-lo, Jack.

— Você está fazendo campanha para os direitos das mulheres agora também, tanto quanto pelas que sofrem violências? Eu tenho que me preocupar com um editorial sobre isso também? Por que nós não fazemos um show só para você? Você pode falar o que vier na sua cabeça o dia inteiro e esquecer as notícias.

— Se a primeira-dama gostasse, que mal poderia fazer?

— Muito mal, se os advogados de McCutchins resolverem que sim.

— Talvez tudo se acalme em poucos dias — disse ela com esperança, enquanto ele andava vagarosamente na direção da cama e parava finalmente, para olhar para ela numa fúria pouco disfarçada. Sua raiva não havia se dissipado.

— Se você fizer isso novamente, não ligo se você é minha mulher, vou despedi-la imediatamente. Está claro? — Ela assentiu silenciosamente, sentindo subitamente como se não tivesse feito uma coisa boa, mas como se o tivesse traído. Ele nunca, em seus nove anos de convivência, ficara tão furioso com ela, e ela agora estava pensando se ele jamais a perdoaria por aquilo, principalmente se a emissora fosse processada.

— Pensei que era algo importante a ser feito.

— Não me importo com o que você pensa. Não pago você para pensar. Pago você para parecer bonita e ler as notícias de um *teleprompter*. Isso é tudo o que eu quero de você. — E com isso ele entrou no banheiro e bateu a porta, enquanto ela caía em lágrimas no quarto. Fora uma noite estressante para ambos. Mas no fundo de seu coração ela ainda acreditava que fizera a coisa certa, custasse o que custasse. E naquele momento, pelo menos, parecia que ia custar muito.

Quando Jack saiu do banheiro, foi para a cama sem dizer uma palavra. Apagou a luz, virou-se de costas para ela e não houve nenhum som entre eles até que ela o ouviu ressonando. Mas pela primeira vez em muitos anos ela sentiu uma ponta de terror dentro dela. A raiva, mesmo que controlada, trouxe de volta velhas memórias, e era aterrorizante para ela. E naquela noite, também pela primeira vez em muito tempo, ela teve pesadelos.

Jack não disse uma palavra durante o café da manhã no dia seguinte e foi para o trabalho sozinho com o motorista.

— Como é que eu vou para o trabalho? — perguntou ela, parecendo chocada quando ele a deixou na calçada.

Ele olhou diretamente em seus olhos, bateu a porta do carro e falou com ela como se fosse uma estranha:

— Pegue um táxi.

Capítulo 4

O ENTERRO DE JANET MCCUTCHINS foi na sexta-feira de manhã, e Jack mandou a Maddy uma mensagem através de sua secretária, dizendo que ele estava planejando ir com ela. Deixaram o escritório no carro dele, ele vestindo um traje a rigor preto, ela num conjunto chanel de linho preto e de óculos escuros, enquanto eram levados à igreja St. John pelo Lafayette Park da Casa Branca. O serviço foi longo e angustiante. Era uma grande multidão, com o coro cantando a *Ave Maria* e o banco da frente cheio de sobrinhas e sobrinhos de Janet, e muitas crianças. Até o senador chorou e todos os políticos importantes da cidade pareciam estar lá. Maddy viu-se encarando o senador com descrença, observando-o chorar, e seu coração se apertou por causa das crianças. Sem pensar, no fim da cerimônia, ela escorregou sua mão para o braço de Jack. Ele olhou para ela e então se desvencilhou rapidamente. Ele ainda estava furioso e mal tinha falado com ela desde terça-feira à noite.

Eles se juntaram aos outros nos degraus enquanto o caixão era carregado para o ataúde e a família entrava nas limusines para ir ao cemitério. Os Hunter sabiam que haveria um almoço leve na casa dos McCutchins mais tarde, mas nenhum deles queria ir, já que não eram tão próximos assim. E voltaram para o escritório lado a lado, num silêncio pesado.

— Quanto tempo isso vai durar, Jack? — ela finalmente perguntou no carro, sem conseguir sustentar a situação mais tempo.

— Tanto tempo quanto eu me sentir assim a seu respeito — disse ele asperamente. — Você me derrubou, Maddy. Não, para ser mais preciso, você me esmagou.

— Foi uma coisa maior do que isso, Jack. Uma mulher que foi agredida se matou e ia entrar para a história como uma desequilibrada. Era preciso dar a ela, e a seus filhos, um cumprimento justo. E jogar os refletores sobre seu agressor, mesmo que por um minuto.

— E foder comigo durante o processo. Nada do que você fez mudou o fato de que ela vai entrar para a história como uma desequilibrada. Os fatos estão aí. Ela esteve internada num hospital para doentes mentais e levou choques elétricos por seis meses. Você acha que ela era muito normal, Mad? E ela merecia que você me tornasse o alvo fácil de um processo?

— Sinto muito, Jack. Eu tinha de fazer isso. — Ela ainda acreditava que estava certa.

— Você é tão louca quanto ela — disse ele com um olhar de desgosto, olhando pela janela. Era uma coisa cruel de se dizer e seu tom a feriu, como o fizera nos últimos três dias.

— Podemos instituir um cessar-fogo no fim de semana? — Seria uma tristeza ficar na Virgínia se ele fosse continuar com isso, e ela estava pensando em não ir.

— Não creio — disse ele friamente. — Além do mais, tenho coisas a fazer aqui. Tenho alguns encontros no Pentágono. Você pode fazer o que quiser. Não terei tempo para ficar com você.

— Isso é ridículo, Jack. Lá era trabalho. Aqui é a nossa vida.

— As duas coisas ficam muito próximas em nosso caso. Você devia ter pensado nisso antes de abrir a boca.

— Ótimo. Me castigue, então. Mas isso está se tornando infantil.

— Se McCutchins me processar, acredite, o preço não será "infantil".

— Não estou tão certa de que ele vá fazer isso, principalmente com a primeira-dama aplaudindo a emissora. Além do mais, ele não pode se defender. Se houver um inquérito, os investigadores vão encontrar as marcas nela.

— Ele pode não se impressionar tanto com a primeira-dama quanto você.

— Por que você simplesmente não deixa as coisas descansarem por um tempo, Jack? Eu não posso voltar atrás, e nem o faria. Então por que não tentamos deixar isso tudo para trás?

Mas assim que ela falou ele se virou para ela com os olhos apertados, e uma expressão gelada.

— Talvez você goste de refrescar um pouco sua memória, Joana d'Arc, e lembrar que, antes de fazer esta cruzada pelos perdedores, você não era ninguém e nada quando eu a encontrei. Você não era nada, Mad. Zero. Você era uma caipira de nenhum lugar que estava se enfiando numa vida cheia de latas de cerveja e violência num estacionamento de *trailers*. O que quer que você pense que é agora, tenha em mente que eu fiz você. E você me deve isso. Estou cansado desta merda idealista e de tantos lamentos e suspiros sobre um pedaço de merda gordo e sem atrativos como Janet McCutchins. Ela não merecia que você tivesse colocado o meu na reta, nem o seu, nem a emissora.

Subitamente ela olhou para seu marido como se ele fosse um desconhecido. Talvez ele fosse, e ela apenas tivesse notado agora.

— Você está me deixando enojada — disse ela, inclinando-se para a frente e dando um tapinha no ombro do motorista. — Pare o carro. Vou descer aqui.

Jack pareceu momentaneamente assustado.

— Pensei que você ia voltar para o trabalho.

— Eu vou, mas acho que será melhor andar do que ficar aqui sentada e ouvindo você falar comigo desse jeito. Já entendi a mensagem, Jack. Você me fez, e eu devo a você. Quanto? Minha vida? Meus princípios? Minha dignidade? Qual é o preço de salvar alguém de ser um lixo para o resto da vida? Me diga, quando você souber. Quero estar certa de não estar dando o troco errado. — E com isso ela saiu do carro e caminhou rapidamente em direção ao escritório. Jack não disse nada e silenciosamente fechou a janela. Quando ele voltou para seu escritório, não ligou para ela. Ela estava a apenas cinco andares de distância, comendo um sanduíche com Greg.

— Como foi o funeral? — perguntou ele com um olhar de preocupação. Ele achou que ela parecia tensa e cansada.

— Deprimente. Aquele filho da mãe chorou o tempo todo.

— O senador? — ela assentiu, com a boca cheia. — Talvez ele se sinta culpado.

— Deveria. Ele poderia muito bem tê-la matado. Jack ainda está convencido de que ela era psicótica. — E estava fazendo com que ela se sentisse assim também, da maneira como estava se comportando.

— Jack ainda está furioso? — perguntou Greg cautelosamente, oferecendo seu picles a ela. Ele sabia que ela o amava.

— Isso não serve nem para começar a descrever o estado dele. Ele está convencido de que fiz aquilo para irritá-lo.

— Ele vai superar — disse Greg, jogando-se em sua cadeira e olhando para ela. Maddy era inteligente, decente e incrivelmente bonita. Greg adorava o fato de que ela estava sempre querendo lutar por aquilo em que acreditava, mas ela parecia preocupada e infeliz. Ela odiava quando Jack ficava com raiva dela, e ele nunca, em seus sete anos de casamento, havia ficado com tanta raiva antes.

— O que faz você pensar que ele vai superar? — Ela não estava tão certa agora. Pela primeira vez sentia que seu casamento estava em risco, e aquilo a aterrorizava.

— Ele vai superar porque a ama — disse Greg firmemente. — E ele precisa de você. Você é uma das melhores apresentadoras do país, se não a melhor. Ele não é louco.

— Não tenho certeza de que esta seja uma boa razão para me amar. Poderia pensar em outras razões que significariam mais para mim.

— Fique grata pelo que você conseguiu, garota. Ele vai se acalmar. Provavelmente durante o fim de semana.

— Ele tem reuniões no Pentágono no fim de semana.

— Algo grande? Isso pode ser bom — disse Greg, interessado.

— Acho que é. Ele não disse nada, mas se encontrou com o presidente algumas vezes.

— Talvez estejamos indo soltar uma bomba na Rússia — disse Greg com um sorriso, mas nenhum dos dois acreditava naquilo.

— Isso é um pouco *passé*, não é? — Maddy sorriu de volta para ele. — Acho que eles vão nos contar, cedo ou tarde. — E com isso ela olhou para seu relógio e ficou de pé. — Tenho que ir para a comissão da primeira-dama. Meu encontro é às duas. Estarei de volta a tempo de fazer a maquiagem para o jornal das cinco.

— Você vai ficar bem mesmo sem a maquiagem — disse ele carinhosamente. — Divirta-se. Dê minhas recomendações à primeira-dama. — Maddy fez uma careta e acenou para ele enquanto deixava o escritório e descia para pegar um táxi. Foi uma corrida de cinco minutos para a Casa Branca e quando Maddy chegou a primeira-dama havia acabado de chegar num séquito de automóveis vindos da casa dos McCutchins. Elas entraram juntas, com membros do Serviço Secreto em torno delas. A senhora Armstrong perguntou se Maddy havia ido ao enterro e, quando ela disse que sim, a senhora

Armstrong comentou o quanto havia sido trágico ver as crianças McCutchins.

— Paul também parecia muito chateado — disse a primeira-dama com simpatia e então falou com Maddy em voz baixa enquanto pegavam o elevador para os aposentos privados: — Você realmente acredita que ele usava de violência com ela? — Ela não perguntou a Maddy sobre suas fontes para a história.

Maddy hesitou, mas sabia por sua experiência passada que poderia acreditar na discrição dela.

— Sim, acredito. Ela mesma me disse que ele batia nela e que estava aterrorizada. Ela me mostrou as marcas em seus braços no fim de semana passado. Eu sei que ela estava falando a verdade e acho que Paul McCutchins também sabe. Ele vai querer que todo mundo esqueça o que eu disse — e este era o motivo pelo qual pessoalmente ela não acreditava que ele fosse processar a emissora. A primeira-dama sacudiu a cabeça consternada e suspirou quando elas saíram do elevador e encontraram sua secretária e mais Serviço Secreto.

— Sinto muito por ouvir isso — ela não duvidou nem por um minuto do que Maddy dissera a ela, ao contrário de Greg e Jack. Como mulher, ela aceitava aquilo. E nunca havia gostado de Paul McCutchins também; ele parecia um grosseirão para ela. — Acho que é por isso que estamos aqui hoje, não é? Que exemplo perfeito de um ato de violência impune contra uma mulher. Estou tão feliz que você tenha feito aquele editorial, Maddy. Houve muitas reações a ele?

Maddy sorriu com a pergunta.

— Recebemos milhares de cartas de telespectadoras aplaudindo o editorial. Quase nenhuma de homens. E meu marido está prestes a se divorciar de mim.

— Jack? Que coisa pequena da parte dele. Estou surpresa por ouvir isso. — Phyllis Armstrong parecia realmente surpresa. Como seu marido, ela sempre fora fã de Jack Hunter.

— Ele tem medo de que o senador o processe — Maddy explicou a ela.

— Não acho que ele vá ousar fazer isso se for verdade — disse Phyllis Armstrong com praticidade, enquanto entravam no aposento onde outros membros da comissão formada recentemente estavam esperando por elas. — Particularmente se for verdade. Ele não vai dar uma chance a você de provar o que disse. Ela deixou algum bilhete, por sinal?

— Parece que havia uma carta para os filhos, mas não sei nem se alguém a leu, ou quem o fez. A polícia a entregou para Paul quando a encontraram.

— Aposto que não vai acontecer mais nada. Diga a Jack para relaxar. Foi uma boa coisa, o que você fez. Lançou uma luz na área escura do abuso e da violência cometida contra as mulheres.

— Vou contar a ele que você disse isso — disse Maddy com um sorriso, enquanto seus olhos percorriam o aposento. Havia oito mulheres e quatro homens e ela era a oitava mulher. Ela reconheceu dois juízes federais entre os homens, uma juíza da Corte de Apelação entre as mulheres e outros membros da imprensa. A primeira-dama apresentou as outras mulheres e explicou que havia duas professoras, uma advogada, uma psiquiatra e uma médica. O terceiro homem também era médico e o último homem a quem Maddy foi apresentada no grupo era Bill Alexander, o embaixador americano na Colômbia que perdera sua mulher para os terroristas. A primeira-dama disse que ele estava dando um tempo antes de deixar o Departamento de Estado e escrevendo um livro. Eles eram um grupo interessante e eclético, formado por asiáticos, afro-americanos e caucasianos, alguns jovens, alguns velhos, todos profissionais, muitos deles bastante conhecidos, e Maddy era mais jovem pelo menos doze anos que todos eles, e possivelmente a mais famosa, com exceção da primeira-dama.

Phyllis Armstrong pediu a todos que se apresentassem rápida e sucintamente, e sua secretária se sentou para tomar notas. Ela havia deixado o Serviço Secreto do lado de fora e os membros da comissão estavam sentados numa confortável sala de estar, com uma grande bandeja de prata com café e chá e um prato de biscoitos numa bela mesa inglesa antiga. Ela chamou cada pessoa pelo nome e olhou em torno do aposento com uma expressão maternal. Ela já tinha contado a eles a respeito do corajoso editorial de Maddy na terça-feira à noite sobre Janet McCutchins, embora muitos deles o tivessem visto e aprovado de coração.

— Você tem certeza de que ela foi agredida? — perguntou uma das mulheres a Maddy, que hesitou antes de responder.

— Não sei como responder a isso. Acredito que tenha sido, embora não possa prová-lo num tribunal. Foi algo que escutei. Ela me disse. — Maddy se virou para a primeira-dama com um olhar interrogativo. — Presumo que o que dizemos aqui seja secreto e confidencial. — Era quase sempre assim com as comissões presidenciais.

— Sim, é verdade — garantiu Phyllis Armstrong.

— Acreditei nela, embora as duas primeiras pessoas a quem contei não tenham acreditado em mim. Eles eram homens. Um é o meu co-apresentador, e o outro, meu marido. E ambos deviam pensar melhor.

— Nós estamos aqui hoje para discutir o que podemos fazer sobre o problema de crimes cometidos contra as mulheres — disse a senhora Armstrong ao abrir a reunião. — É uma questão de legislação, direcionando a percepção pública do que é o abuso? Como podemos lidar com isso de maneira mais efetiva? Bem, eu gostaria de ver o que podemos fazer sobre isso. Acredito que todos gostaríamos. — Todos na sala concordaram. — Eu gostaria de fazer hoje algo não muito usual. Gostaria que cada um de nós dissesse por que está aqui, seja por razões profissionais ou pessoais, caso se sinta confortável para falar. Minha secretária não vai tomar notas e, se vocês não quiserem falar, não precisam. Mas acho que poderia ser interessante para nós — e, embora ela não dissesse, sabia que aquilo formaria um laço instantâneo entre eles. — Posso falar primeiro, se vocês preferirem.

Todos esperaram respeitosamente que ela começasse a falar e ela contou a eles algo que nenhum deles poderia imaginar.

— Meu pai era um alcoólatra e batia em minha mãe todos os fins de semana, sem falta, depois que recebia seu salário na sexta-feira. Eles foram casados durante 49 anos, até que ela finalmente morreu de câncer. As pancadas que ele dava nela eram para todos nós uma espécie de ritual. Eu tinha três irmãos e uma irmã. E nós todos aceitávamos aquilo como algo inevitável, como a igreja aos domingos. Eu costumava me trancar no quarto para não ter que ouvir, mas ouvia de qualquer jeito. E mais tarde eu a ouvia soluçar no quarto. Mas ela nunca o deixou, nunca o fez parar, nunca bateu nele de volta. Nós todos odiávamos aquilo e, quando tinham idade suficiente, meus irmãos saíram de casa e se tornaram alcoólatras. Um deles agrediu sua mulher. Ele era o mais velho. O irmão seguinte era abstêmio e se tornou pastor, e meu irmão mais novo morreu de alcoolismo aos 30 anos. E não, eu não tenho problemas com álcool, se vocês estão pensando isso. Não gosto muito e bebo muito pouco, e isso não foi um problema para mim. O que foi um problema para mim durante toda a minha vida foi a idéia, a realidade, de mulheres sendo agredidas em todo o mundo por seus maridos, com mais freqüência que nunca, e ninguém fazer nada a esse respeito. Eu sempre prometi a mim mesma que um dia me envolveria nisso e gostaria de fazer alguma coisa, qualquer coisa, para mudar essa situação. Todos os dias mulheres são agredidas nas ruas, são atacadas sexualmente, molestadas, violentadas, espancadas e mortas por seus parceiros e maridos e, por alguma razão, nós aceitamos isso. Nós não gostamos, não aprovamos, choramos quando ouvimos contar, particularmente se conhecímos a vítima. Mas não os fazemos parar, não saímos à rua e tomamos deles as armas, a faca ou a mão, assim como eu nunca fiz meu pai parar. Talvez não saibamos como, talvez nós simplesmente não liguemos tanto. Mas acho que ligamos sim. Acho que apenas não gostamos de pensar sobre isso. Mas quero que as pessoas comecem a pensar, levantem-se e façam alguma coisa a respeito. Acho que já é hora, estamos muito atrasados. Quero que vocês me ajudem a fazer parar a violência contra as mulheres. Por mim, por vocês, por minha mãe, por nossas filhas, nossas irmãs e amigas. Quero agradecer a vocês todos por estarem aqui e por se preocuparem o suficiente para me ajudarem. — Havia lágrimas em seus olhos quando ela parou de falar e por um instante todos olharam para ela. Não era uma história incomum. Mas ela tornava Phyllis Armstrong mais real para eles.

A psiquiatra que havia crescido em Detroit contou uma história parecida, exceto que seu pai havia matado sua mãe e ido para a prisão por causa disso. Ela disse que era *gay* e havia sido estuprada e espancada aos 15 anos por um garoto com o qual crescera. Vivia agora com a mesma mulher há 14 anos e disse que sentia ter se recuperado dos abusos que sofrera no início de sua vida, mas estava preocupada com a crescente tendência de violência contra a mulher, até mesmo na comunidade *gay*, e a capacidade das pessoas de olharem para o outro lado enquanto isso acontecia.

Alguns dos outros não haviam tido experiências pessoais com violência, mas os dois juízes federais disseram que tiveram pais violentos que batiam em suas mães e que, até que crescessem e aprendessem outras coisas, achavam que aquilo era normal. Então foi a vez de Maddy e ela hesitou por um momento. Ela nunca havia contado sua história para ninguém em público, e se sentia nua agora enquanto pensava sobre isso.

— Acho que minha história não é tão diferente assim das outras — ela começou. — Cresci em Chattanooga, Tennessee, e meu pai sempre bateu na minha mãe. Algumas vezes ela batia de volta, mas a maior parte do tempo não. Algumas vezes ele estava bêbado quando o fazia, às vezes ele apenas batia porque estava zangado com ela ou com outra pessoa qualquer ou com alguma coisa que houvesse acontecido naquele dia. Nós éramos muito pobres e ele nunca pareceu ser capaz de manter um emprego, então também batia em minha mãe por causa disso. Tudo o que acontecia com ele era sempre culpa dela. E quando ela não estava por perto, ele me batia, mas não com muita freqüência. Suas brigas foram uma espécie de música de fundo na minha infância, um tema familiar com o qual eu cresci. — Ela sentiu uma certa falta de ar quando falou e, pela primeira vez em muitos anos, era possível perceber resquícios de seu sotaque sulista enquanto ela continuava a falar. — E tudo o que eu queria fazer era sair daquilo. Eu odiava minha casa, meus pais e a maneira como eles se tratavam um ao outro. Então eu me casei com meu namorado da escola, aos 17 anos, e assim que nos casamos ele começou a me bater também. Ele bebia muito e não trabalhava quase nada. Seu nome era Bobby Joe e eu acreditava quando ele dizia que era tudo culpa minha e que, se eu não fosse uma chata e uma esposa tão ruim, tão estúpida e descuidada e tão burra, ele não "teria" que me machucar. Mas ele tinha. Ele quebrou meus dois braços uma vez e em outra ocasião me empurrou escada abaixo e eu quebrei a perna. Na época eu estava trabalhando numa emissora de televisão em Knoxville e ela foi vendida para um homem do Texas, que acabou comprando uma emissora de TV a cabo em Washington e me levou com ele. Acho que muitos de vocês conhecem esta parte. Era Jack Hunter. Eu deixei meu anel de casamento e um bilhete na mesa de minha cozinha em Knoxville, encontrei Jack na estação de ônibus de Greyhound com uma maleta Samsonite com apenas dois vestidos e corri feito louca para Washington, para trabalhar para ele. Eu consegui o divórcio e me casei com Jack um ano depois disso. E ninguém jamais encostou a mão em mim desde então. Eu não deixaria. Eu agora já sei. Se alguém me olhar de lado eu saio correndo. Não sei por que tive tanta sorte, mas tive. Jack salvou minha vida. Ele me fez ser tudo o que sou hoje. Sem ele, eu provavelmente estaria morta agora. Acho que Bobby Joe provavelmente teria me matado uma noite qualquer, me empurrando pelas escadas até eu quebrar meu pescoço, ou me dando socos no estômago. Ou talvez simplesmente porque no fim eu ia querer morrer. Eu nunca disse nada sobre isso a ninguém porque eu tinha vergonha, mas agora quero ajudar mulheres como eu, mulheres que não são tão sortudas quanto eu fui, mulheres que pensam que estão presas numa armadilha e não têm um Jack Hunter esperando por elas com uma limusine para levá-las para outra cidade. Quero encontrar estas mulheres e ajudá-las. Elas precisam de nós — disse ela, enquanto as lágrimas enchiam seus olhos — e nós devemos isso a elas.

— Obrigada, Maddy — disse Phyllis Armstrong suavemente. Todos eles tinham algo em comum, ou a maior parte deles. Advogados, médicos, juízes e até a primeira-dama com histórias de violência e abuso, e apenas por sorte absoluta e coragem eles haviam sobrevivido. E todos sabiam intensamente que havia outros sem conta que não eram tão sortudos e precisavam de sua ajuda. O grupo sentado nos aposentos privados da primeira-dama estava ansioso para ajudá-los.

Bill Alexander foi o último a falar, e sua história era a menos comum, como Maddy suspeitara que seria. Ele havia crescido numa boa casa na Nova Inglaterra, com pais que se amavam e o amavam. Ele encontrara sua mulher e se casara quando ela estava em Wellesley e ele em Harvard. Ele tinha doutorado em política internacional e ciência política e ensinara em Dartmouth por muitos anos e depois em Princeton. Estava dando aulas em Harvard quando foi designado embaixador do Quênia, aos cinqüenta anos. Seu posto seguinte foi em Madri e de lá ele foi mandado à Colômbia. Disse que tinha três filhos crescidos, que eram, respectivamente, um médico, uma advogada e um banqueiro. Todos muito respeitáveis e com carreiras acadêmicas impressionantes. A vida dele fora tranqüila, "normal" de fato, ele disse com um sorriso, uma existência um pouco aborrecida, mas satisfatória.

A Colômbia fora um desafio interessante para ele, a situação política era delicada e o tráfico de drogas impregnava tudo no país. Estava fortemente ligado a todas as formas de negócios, comprava políticos e a corrupção era enorme. Ele ficara fascinado pelo que teria de fazer lá e se sentia capaz de realizar a tarefa, até que sua mulher foi seqüestrada. Sua voz tremeu quando ele falou. Ela foi mantida prisioneira por sete meses, ele disse, lutando contra as lágrimas, e então finalmente se deixou levar por elas enquanto a psiquiatra sentada próxima a ele gentilmente se aproximou para tocar seu braço, como que para lhe dar apoio, e ele sorriu para ela. Agora eles eram todos amigos e sabiam as maiores intimidades uns do outros, e os segredos mais bem guardados.

— Nós tentamos de tudo para tê-la de volta — ele explicou numa voz profunda e perturbada. Maddy havia calculado, pelo tempo que passara em seus três postos diplomáticos, que ele tinha uns sessenta anos. Ele tinha cabelos brancos e olhos azuis e um rosto jovem e parecia forte e atlético. — O Departamento de Estado mandou negociadores especiais para falar com os representantes do grupo terrorista que a estava mantendo no cárcere. Eles queriam uma troca de prisioneiros, queriam trocá-la por uma centena de prisioneiros políticos e o Departamento de Estado não concordaria com isso. Eu entendi as razões deles, mas não queria perdê-la. A CIA também tentou, eles tentaram seqüestrá-la de volta, mas erraram na tentativa e ela foi levada para as montanhas. Depois disso nós não pudemos encontrá-la. Finalmente, paguei pessoalmente o resgate que eles queriam e então fiz uma coisa muito tola. — Sua voz tremeu novamente enquanto ele continuava a contar a história, e Maddy ficou com o coração apertado por ele, assim como todos os que estavam ouvindo. — Tentei negociar com eles por conta própria. Fiz tudo o que pude. Quase fiquei louco tentando tê-la de volta. Mas eles eram muito inteligentes, muito rápidos, muito espertos para serem pegos. Nós pagamos o resgate e três dias depois eles a mataram. Jogaram seu corpo nas escadarias da embaixada — disse ele, engasgando com as palavras e caindo em lágrimas novamente — e eles haviam cortado suas mãos. — Ele se sentou soluçando por um momento e ninguém se moveu. Então Phyllis Armstrong aproximou-se e o tocou, e ele respirou fundo enquanto os outros murmuravam palavras de simpatia. Era uma história aterrorizante e um trauma tão grande que todos imaginavam como é que ele havia sobrevivido. — Senti-me inteiramente responsável por ter estragado tudo. Eu nunca deveria ter tentado negociar por conta própria, aquilo apenas os fez ficarem ainda mais alucinados. Pensei que podia ajudar, mas acho que se tivesse esperado e deixasse os especialistas negociarem, eles a teriam mantido por um ano ou dois, como fizeram com outros, e então a teriam soltado. Mas, por ter feito tudo sozinho, eu mais ou menos a matei.

— Isso não tem sentido, Bill — disse Phyllis firmemente —, espero que você saiba disso. Você não pode ficar imaginando o que poderia ter acontecido. Aquelas pessoas são cruéis e imorais, uma vida não significa nada para eles. Eles provavelmente a matariam de qualquer forma. De fato, estou certa de que eles o fariam.

— Acho que sempre vou me sentir como se a tivesse matado — disse Bill melancolicamente — e a imprensa mais ou menos afirmou isso. — E subitamente, enquanto escutava, Maddy lembrou-se de Jack dizendo a ela que Bill Alexander era um tolo, e imaginou, agora que sabia toda a história, como ele podia ser tão insensível.

— A imprensa gosta de fazer sensação sobre as coisas. Eles não sabem o que estão falando na maior parte das vezes — acrescentou

Maddy por educação, enquanto ele olhava para ela com os olhos cheios de dor. Ela nunca vira tanto sofrimento em sua vida e queria chegar perto e tocá-lo, mas estava sentada muito longe dele. — Eles apenas querem vender uma matéria. Eu posso dizer isso por minha própria experiência, embaixador. Sinto muitíssimo por tudo o que aconteceu com você — disse Maddy com simpatia.

— Eu também. Obrigado, senhora Hunter — disse ele e assoou o nariz no lenço limpo que tirou do bolso.

— Nós todos temos histórias duras. Eis por que estamos aqui. Mas não foi por isso que os chamei — Phyllis Armstrong os trouxe vagarosamente de volta à ordem. — Não conhecia a maior parte dessas histórias quando pedi a vocês para virem. Pedi porque são inteligentes, pessoas de carisma. Eis por que vieram, e por que querem ajudar a comissão. Todos nós aprendemos com a experiência, da maneira mais dura, ou a maior parte de nós, pelo menos. Nós sabemos sobre o que estamos falando e como é que isso nos faz sentir. O que precisamos agora é pensar no que fazer, em como ajudar as pessoas que ainda estão lá fora. Nós somos sobreviventes, todos nós, mas elas podem não ser. Nós temos que tirá-las logo de onde estão, e trabalhar com a mídia e o público. O relógio está andando e temos que chegar a elas antes de as perdermos. Mulheres morrem todos os dias, assassinadas por seus maridos, estupradas nas ruas, seqüestradas e torturadas por estrangeiros. Mas muitas mulheres são mortas por homens que elas conhecem e, com mais freqüência que parece, por seus maridos e namorados. Nós precisamos educar o público e mostrar às mulheres onde devem ir para conseguir ajuda antes que seja tarde demais para elas. Nós temos que mudar as leis, e torná-las mais duras. Nós temos que fazer as sentenças de prisão compatíveis com os crimes, e torná-las muito pesadas para se cometer um ato de violência contra uma mulher, ou contra qualquer um sob esse aspecto. É uma guerra de gêneros, uma guerra que temos de lutar e ganhar. E eu quero que cada um de vocês vá para casa e pense sobre o que podemos fazer para mudar as coisas. Sugiro que nos encontremos novamente dentro de duas semanas, antes que muitos de vocês saiam para as férias de verão. E vamos tentar chegar aqui com algumas soluções. Hoje eu queria mais que vocês se conhecessem uns aos outros. Eu conheço cada um de vocês, alguns muito bem, mas agora vocês sabem com quem estarão trabalhando e por que estão aqui. Nós todos estamos aqui pela mesma razão essencialmente, e alguns de nós podem ter sofrido, mas todos queremos mudar alguma coisa, e podemos fazê-lo. Individualmente, somos todos capazes de fazê-lo, e coletivamente vamos ter uma força à qual não se poderá resistir. Estou depositando toda a minha confiança em vocês e quero pensar um pouco também antes de nos encontrarmos de novo. — Ela ficou de pé então, com um sorriso caloroso que envolveu cada um deles. — Obrigada por virem aqui hoje. Sintam-se à vontade para saírem, ou ficarem mais um pouco e conversarem. Infelizmente, tenho que sair para meu próximo compromisso.

Era perto de quatro horas e Maddy não podia acreditar na quantidade de coisas que havia escutado em apenas duas horas. Fora tão emocionante para todos eles que ela sentia como se tivesse passado dias ao lado deles. E ela resolveu ir até Bill Alexander e falar com ele antes de sair. Ele parecia um homem bom e sua história era trágica. Parecia que ele ainda não havia se recuperado e aquilo não a surpreendia muito, dado o grande trauma que ele sofrera há apenas sete meses. Ela estava surpresa com a coerência que ele apresentava.

— Sinto muitíssimo, embaixador — disse ela gentilmente. — Eu me lembro da história, mas foi diferente ouvi-la de você. Que pesadelo.

— Não sei se jamais vou me recuperar — disse ele com honestidade. — Ainda sonho com aquilo. — Ele disse que tinha pesadelos recorrentes e a psiquiatra perguntou se ele estava fazendo terapia. Ele disse que fizera durante muitos meses, mas agora estava sobrevivendo por sua própria conta. Ele certamente parecia são e normal e era obviamente muito inteligente, mas Maddy não podia deixar de imaginar como ele podia ter sobrevivido a uma experiência como aquela e ainda estar funcionando com sensibilidade e calma. Ele era uma pessoa realmente extraordinária.

— Estou aguardando ansiosamente para trabalhar com você — disse Maddy com um sorriso.

— Obrigado, senhora Hunter — disse ele, sorrindo de volta para ela.

— Chame-me de Maddy, por favor.

— Eu sou Bill e vi sua matéria na outra noite, sobre Janet McCutchins. Foi muito perturbadora, e deveria ser mesmo.

Ela sorriu tristemente com o cumprimento e agradeceu a ele.

— Meu marido ainda tem que me perdoar. Ele ficou muito aborrecido com as implicações para a emissora.

— Você tem que ser forte e fazer a coisa certa, às vezes. Você sabe disso tanto quanto eu. Você tem de escutar seu coração tão bem quanto os seus conselheiros. Estou certo de que ele compreende isso. Foi a coisa certa a fazer, e você a fez.

— Não creio que ele concordaria com você, mas estou satisfeita de tê-lo feito — ela admitiu.

— As pessoas precisam escutar esse tipo de coisa — disse ele firmemente, a força voltando a sua voz. E ele parecia mais jovem enquanto conversava com ela. Ela estava impressionada com ele, tanto por sua presença quanto pela maneira com que se comportara em seu primeiro encontro. Ela pôde ver por que Phyllis o havia chamado.

— Acho que realmente precisam — disse Maddy e então olhou para o relógio. Já havia passado das quatro e ela tinha de ir para o estúdio se maquiar e fazer o cabelo. — Tenho um programa às cinco. Vejo você no próximo encontro. — Maddy apertou as mãos de muitas pessoas antes de deixar a sala e depois saiu da Casa Branca o mais rápido que pôde, pegando um táxi de volta para a emissora.

Greg ainda estava na cadeira fazendo sua maquiagem quando ela chegou.

— Então, como foi? — perguntou ele, querendo conversar. Ele estava intrigado com a comissão que estava sendo organizada pela primeira-dama e achou que poderia dar uma boa matéria.

— Muito interessante. Adorei. Encontrei Bill Alexander lá, o ex-embaixador na Colômbia cuja mulher foi morta pelos terroristas no ano passado. Que história horrível.

— Lembro vagamente. Eu vi uma reportagem, ele estava completamente desequilibrado quando trouxeram o corpo dela de volta para a embaixada. Não que eu o culpe. Pobre homem, como ele está?

— Parece bem, embora eu ache que ele ainda esteja bem mexido. Ele está escrevendo um livro sobre isso.

— Me parece uma boa história. Quem mais estava lá? — Ela disse alguns poucos nomes, mas não falou sobre nenhuma das histórias pessoais que foram contadas. Ela sabia que tinha a obrigação de não fazê-lo e respeitava aquilo. E assim que sua maquiagem ficou pronta, ela foi para o estúdio e olhou para as matérias que estavam cobrindo. Não havia nada estarrecedor ou terrível, era tudo parte do dia-a-dia e, uma vez que entraram no ar, apresentaram tudo normalmente e então ela voltou para seu escritório. Havia algumas coisas que ela queria ler, e pesquisas que precisava fazer antes do jornal das sete e meia. E às oito horas ela havia terminado. Fora um longo dia e, quando estava pronta para sair do escritório, ligou para Jack. Ele ainda estava lá em cima, terminando uma reunião.

— Vou ter uma carona ou você quer que eu vá andando para casa? — perguntou ela e ele sorriu com a pergunta, apesar de tudo. Ele ainda estava com raiva dela, mas sabia que não podia durar para sempre.

— Vou fazer você correr ao lado do carro nos próximos seis meses para redimir seus pecados e tudo o que você pode me custar.

— Phyllis Armstrong não acredita que ele vá nos processar.

— Espero que ela esteja certa. Se não estiver, o presidente vai pagar a conta? Ela será bem grande.

— Vamos esperar que não aconteça nunca — disse ela suavemente. — A comissão foi fantástica, por sinal. Há algumas pessoas maravilhosas nela. — Foi a primeira conversa de verdade que haviam tido desde a terça-feira e ela ficou feliz por ele finalmente estar relaxando um pouco.

— Encontro você lá embaixo em dez minutos — disse ele rapidamente. — Tenho que resolver algumas coisas aqui.

Quando ele desceu para o saguão dez minutos mais tarde, não pareceu feliz por vê-la, mas pareceu menos feroz do que estivera nos últimos três dias, desde sua "transgressão". Ambos tomaram cuidado para não mencionar isso no caminho para casa. Eles pararam para comer uma pizza enquanto ela contava a ele sobre o encontro da comissão naquela tarde. Mas ela também não deu a ele detalhes pessoais, apenas falou por alto sobre o que eles esperavam fazer. Ela sentia que tinha de proteger as pessoas que conhecera lá.

— Há algo em comum entre vocês ou todos são apenas inteligentes e interessados no tema?

— Ambas as coisas. É impressionante como a violência toca a vida de todo mundo pelo menos alguma vez. Todos foram muito honestos sobre isso. — Era tudo o que ela falaria para ele.

— Você não contou a eles a sua história, contou? — Ele pareceu preocupado enquanto examinava seu rosto.

— Contei, mas apenas superficialmente. Todos fomos muito sinceros.

— Isso é estúpido, Mad — disse ele asperamente. Ainda estava aborrecido com ela, mas não estava dando nenhum soco. — E se alguém vazar isso para a imprensa? É esta a imagem que você quer ter lá fora? Bobby Joe chutando seu traseiro escada abaixo em Knoxville? — Ele parecia crítico e ela não gostou, mas não fez comentários sobre o que ele havia dito.

— Talvez isso seja bom se ajudar mais alguém a entender que a violência acontece também com pessoas como eu. Talvez valha a pena uma pequena exposição se isso salvar a vida de alguém, ou der a elas esperança de que possam escapar.

— Tudo o que isso vai te dar é uma dor-de-cabeça e a imagem de um *trailer* que eu investi uma fortuna para apagar. Não entendo como você pode ser tão burra.

— Eu fui honesta. Assim como todos lá dentro. Algumas das histórias eram bem piores do que a minha. — A da primeira-dama certamente não era boa e ela também não a escondera. Todos haviam sido muito sinceros, o que era a beleza do que haviam dividido. — Bill Alexander está na comissão também. Ele nos contou sobre o seqüestro de sua mulher. — Era de conhecimento público, então ela podia contar a Jack, mas ele apenas sacudiu os ombros em resposta e foi claramente antipático.

— Ele devia ter se matado. Foi uma coisa estúpida o que ele fez, tentar negociar sozinho a vida dela. Todo o Departamento de Estado disse isso a ele, mas ele se recusou a ouvir.

— Ele estava desesperado e provavelmente não estava conseguindo raciocinar. Ela ficou refém durante sete meses antes de a matarem. Ele deve ter ficado louco, esperando. — Ela ainda sentia pena dele quando pensava naquilo, mas Jack era irredutível, o que a aborreceu. Ele parecia ter um total desrespeito pelos sentimentos do homem e por tudo o que ele passara. — O que você tem contra ele? Tenho a impressão de que não gosta dele.

— Ele foi um dos conselheiros do presidente por um curto período, depois que ensinou em Harvard. Suas idéias voltam diretamente para a Idade Média e ele insiste em princípios e moralidade.

O peregrino original. — Era uma maneira indelicada de descrevê-lo e aquilo irritou Maddy.

— Acho que há mais nele do que isso. Ele parece muito sensível e inteligente e uma pessoa muito decente.

— Acho que simplesmente não gosto dele. Ele não tem vida, nem *sex appeal* ou algo do gênero. — Era uma coisa estranha para ele dizer porque Bill era um homem bonito e havia algo muito forte e sincero nele. Ele era o oposto exato da multidão enérgica com a qual Jack Hunter gostava de lidar, mas Maddy não estava certa de que não ligava para o estilo de Bill e suas idéias. Embora ele não parecesse glamouroso o suficiente para seu marido.

Eles chegaram em casa às dez horas e, saindo da rotina, ela ligou o noticiário e ficou paralisada quando viu que as tropas americanas haviam invadido novamente o Iraque. Ela se virou para Jack e viu algo estranho em seus olhos enquanto ele olhava a televisão.

— Você sabia disso, não sabia? — perguntou ela diretamente.

— Não aconselho o presidente sobre guerras, Mad. Apenas sobre questões de mídia.

— Besteira. Você sabia. Por isso foi a Camp David na semana passada, não foi? E por isso vai ao Pentágono este fim de semana. Por que você não me contou? — houve vezes em que ele partilhara informações secretas com ela, mas desta vez não. Pela primeira vez ela sentiu como se ele não acreditasse nela e ficou ferida com isso.

— Isso foi muito especial e importante.

— Vamos perder muitos garotos lá, Jack — disse ela, parecendo preocupada. Sua mente estava dando voltas. Seria uma importante matéria para ela também, na segunda-feira.

— Às vezes é preciso fazer um sacrifício — disse ele friamente. Ele achava que o presidente havia tomado a decisão certa. Ele e Maddy tinham discordado sobre aquele assunto antes, e ela não estava tão convencida quanto seu marido.

Eles assistiram às últimas notícias quando o apresentador disse que dezenove fuzileiros navais haviam sido mortos naquela manhã num confronto com soldados iraquianos. Então Jack desligou o aparelho e ela o seguiu para o quarto.

— É interessante que o presidente Armstrong tenha deixado você participar disso. Por que, Jack? — ela parecia suspeitar de alguma coisa enquanto fazia a pergunta.

— Por que ele não deixaria? Ele confia em mim.

— Ele confia em você ou está usando você como assessor de opinião pública, para fazer com que o povo americano engula isso sem macular sua imagem?

— Ele tem o direito de saber como lidar com a mídia. Não há nenhum crime nisso.

— Crime não, mas talvez não seja muito honesto vender ao povo algo que pode ser uma idéia muito ruim a longo prazo.

— Me poupe das suas opiniões políticas, Mad. O presidente sabe o que está fazendo. — Ele a dispensou sumariamente, o que a aborreceu. E a intrigava o fato de Jack estar começando a ocupar uma posição de tanta importância com o atual presidente. Ela imaginou se aquilo estava em parte por trás de sua fúria com a matéria sobre Janet McCutchins na terça-feira. Talvez ele estivesse com medo de algum embaraço que pudesse pesar na delicada balança do poder contra ele. Jack sempre mantinha seus olhos na bola durante o jogo, e no quanto aquilo poderia custar a ele. Ele fazia cálculos sobre tudo em que tocava e mais ainda sobre as coisas que poderiam afetá-lo. Mas quando ele foi para a cama com ela naquela noite, estava mais caloroso do que estivera há dias e, quando ele a procurou e a puxou para mais perto, ela pôde sentir que ele estava faminto por ela.

— Sinto muito que esta tenha sido uma semana ruim para nós — disse ela gentilmente, enquanto ele a abraçava.

— Não o faça novamente, Mad. Não vou perdoá-la da próxima

vez, e você sabe o que aconteceria se eu a demitisse? — Sua voz soava dura e fria. — Você estaria morta na sarjeta no dia seguinte. Você estaria acabada, Mad. Sua carreira depende de mim e não se esqueça disso nunca. Não me sacaneie, Maddy. Eu poderia apagar a sua carreira como apago uma vela. Você não é a estrela que gosta de pensar que é. Tudo isso é porque você é casada comigo. — O jeito com que ele disse aquilo a fez se sentir enojada e triste, não pelo que ela poderia perder se ele a jogasse fora, mas pela maneira como ele falou. Ela não disse nada em resposta, e ele apertou seus seios com força, muita força e, sem outras palavras, ele a agarrou e mostrou quem tinha o controle da situação. Nunca Maddy, sempre Jack. Ela estava começando a pensar que poder e controle eram tudo o que importava para ele.

Capítulo 5

NO SÁBADO, QUANDO MADDY se levantou, Jack já estava vestido e pronto para partir para sua reunião. Ele disse a ela que estaria no Pentágono todo o dia e que não esperasse vê-lo até a hora do jantar.

— Por que você está indo lá? — perguntou ela, enquanto o observava da cama. Ele estava bonito e bem vestido, com um *blazer* e um suéter cinza de gola rulê. Estava quente lá fora, mas ele sabia que ficaria no ar-condicionado o dia inteiro e sentiria frio.

— Eles estão me chamando para algumas de suas reuniões. Ajuda a ter uma melhor perspectiva do que está acontecendo por lá. Não podemos transmitir o que eu ouço, mas é informação útil e o presidente quer que eu o ajude a pensar em como ele deve se comunicar com a mídia. Acho que posso ajudá-lo nisso. — Era exatamente o que ela suspeitara na noite anterior. Jack estava se tornando o assessor de opinião pública do presidente.

— Dizer ao povo americano a verdade pode ser uma maneira interessante de agir. Certamente seria novo e diferente — disse ela, olhando para seu marido. Às vezes ela não gostava da maneira como ele concordava em mascarar a verdade, a fim de colocar as coisas do modo correto. Ele tinha um jeito de fazer aquilo que a enervava. Maddy era uma pessoa muito mais preto-no-branco. Ou era verdade, em seu ponto de vista, ou não era. Mas Jack via um arco-íris de oportunidades e sombras sutis. Para ele, a verdade tinha um milhão de cores e significados.

— Há versões diferentes da verdade, Mad. Nós apenas queremos encontrar aquela que vai fazer com que o povo fique mais confortável.

— Isso é besteira e você sabe. Não estamos falando de relações públicas, mas da verdade.

— Penso que é por isso que estou indo para lá ficar o dia inteiro, e você não. O que você vai fazer hoje, por sinal? — Ele apenas acentuou o que havia dito a ela e as implicações daquilo.

— Não sei. Dar uma volta, acho. Relaxar. Talvez faça algumas compras. — Ela teria gostado de fazer compras com uma amiga, mas não fazia isso há anos. Ela não tinha mais tempo de cultivar amizades, Jack monopolizava todo o seu tempo livre e a mantinha bastante ocupada, e o resto do tempo ela estava trabalhando. As únicas pessoas que eles viam socialmente eram sempre ligadas ao trabalho, como os McCutchins na Virgínia no fim de semana.

— Por que você não pega o avião e vai a Nova York passar o dia? Você pode fazer compras lá. Você gostaria. — Ela assentiu enquanto pensava na sugestão.

— Talvez seja divertido. Há uma exposição no Whitney que eu gostaria de ver também. Talvez eu possa me espremer por lá. Você realmente não se importa se eu pegar o avião? — Era uma vida de fantasia e ela nunca esquecia aquilo. Ele lhe dava luxo e oportunidades que ela jamais teria sonhado serem possíveis enquanto vivia em Knoxville. Isso a fazia se lembrar do que ele dissera a ela na noite anterior, sobre ela não ter carreira nenhuma se não fosse por ele. Era duro ouvi-lo dizer aquilo, mas ela não podia negar. Tudo de bom que acontecera com ela, tinha certeza, era por causa de Jack.

Ele ligou para o piloto antes de sair, disse a ele para esperar Madeleine lá por volta das dez horas e para conseguir permissão para um vôo para La Guardia com retorno naquela noite para Washington.

— Divirta-se — disse ele com um sorriso ao sair, e ela agradeceu. Aquilo a fez se dar conta novamente de que havia pequenos sacrifícios que ela fazia por ele, mas que em troca ele lhe dava muito. Era difícil justificar até mesmo ficar aborrecida com ele.

Ela chegou ao aeroporto às dez e quinze, com seus cabelos arrumados para trás e um terno branco de linho. Seu piloto estava esperando e meia hora mais tarde eles levantaram vôo e sobrevoaram Nova York. Aterrissaram em La Guardia às onze e meia e ao meio-dia ela estava na cidade. Foi para a Bergdorf Goodman e Saks e depois andou pela Madison Avenue, parando em suas lojas preferidas. Ela não almoçou e chegou ao Whitney Museum às três e meia. Era uma vida dourada e ela amava aquilo. Jack a levava a Los Angeles também, New Orleans, San Francisco, Miami e Las Vegas para o fim de semana. Ela sabia que era mimada, mas era grata a ele por aquilo. Ela nunca perdeu de vista os muitos benefícios de sua vida com Jack, ou a carreira que ele havia dado a ela. E ela sabia que o que ele dissera era verdade, que era tudo aquilo porque era a senhora Jack Hunter. Ela acreditava totalmente no que ele dissera, que sem ele ela não seria nada. Acreditar naquilo dava a ela uma estranha espécie de humildade, que outros acreditavam ser tanto ingênua quanto interessante. Ela não tinha nada de garantido e não tinha noção de sua própria importância, apenas da dele. Ele a havia mesmo convencido de que os prêmios que ela ganhara haviam sido trabalho dele.

Ela estava de volta a La Guardia às cinco horas. Estavam autorizados a partir às seis e ela entrou em sua casa na rua R às sete e meia. Fora um dia perfeito e ela se divertira muito. Comprara um par de ternos, algumas roupas de banho e um belo chapéu novo, e estava de bom humor quando entrou com seus troféus e viu Jack sentado no sofá com um copo de vinho, vendo o jornal das sete e meia. Estava cheio de notícias do Iraque novamente, e Jack parecia interessado no que estava ouvindo.

— Oi, amor — disse ela amigavelmente. A animosidade da última semana parecia ter ido embora na noite anterior e ela estava de bom humor. Ela ficou feliz ao ver Jack e ele se virou para ela com um sorriso no primeiro intervalo do jornal.

— Como foi o seu dia, Mad? — perguntou ele, servindo-se de outro copo de vinho.

— Divertido. Fiz muitas compras e fui ao Whitney. Como foi o seu? — Era o máximo para ele brincar de assessor de opinião pública do presidente e ela sabia disso.

— Maravilhoso. Acho que conseguimos fazer algumas coisas. — Ele parecia satisfeito e se sentia muito importante, e era. Ninguém que o conhecia jamais ignorava isso, muito menos Maddy.

— Alguma coisa que você possa me contar ou é tudo segredo de Estado?

— Quase tudo. — Ela saberia pelo material que dariam a ela para reportar no noticiário. O que ela jamais saberia, nem ninguém mais, era a realidade, ou a versão original e não trabalhada. — O que vamos ter para o jantar? — perguntou ele enquanto desligava a televisão.

— Posso arranjar alguma coisa se você quiser — disse ela, deixando de lado seus pacotes. Ela ainda parecia impecável e bonita depois de seu longo dia de compras. — Ou posso pedir alguma coisa.

— Por que não saímos? Estive trancado o dia inteiro com um monte de homens. Pode ser bom ver algumas pessoas de verdade. — Ele pegou o telefone e fez reservas para eles às nove horas no Citronelle, que era o maior restaurante da moda de Washington no momento. — Vá vestir algo bonito.

— Sim, senhor. — Ela sorriu para ele e desapareceu escadas acima para seu quarto com todas as coisas que comprara em Nova York e retornou uma hora mais tarde, banhada, maquiada e perfumada, usando um vestido simples preto e sandálias de salto alto, com seu broche de diamantes e um colar de pérolas. Jack às vezes comprava-lhe belas coisas, com as quais ela ficava maravilhosa. O broche de diamantes e o anel de casamento de oito quilates eram suas jóias mais especiais. Nada mau para uma criança nascida num estacionamento de *trailers* em Chattanooga. Ela quase sempre admitia isso para ele, que a chamava de "pobre lixo branco"* quando queria realmente provocá-la. Ela não gostava, mas era verdade. Ela não podia negar, embora tivesse chegado tão longe e crescido tanto além daquilo. Era óbvio que ele achava que chamá-la assim era engraçado, embora ouvir aquelas palavras sempre a fizesse se contrair com a imagem que traziam.

— Você se arrumou muito bem — disse ele como forma de cumprimento e ela sorriu para ele. Ela amava sair com ele, ser dele e deixar o mundo inteiro vê-los. O brilho de ser casada com ele nunca se apagou para ela, mesmo agora que era uma estrela por seu próprio merecimento. As pessoas conheciam mais a ela do que a ele agora, ou era quase igual. Ele era o magnata por trás da cena, o homem que o presidente consultava para assuntos de mídia, mas ela era a mulher que outras mulheres e garotas queriam ser e o rosto com o qual muitos homens sonhavam. Ela era a presença em suas salas de estar, a voz em que eles acreditavam, a mulher que dissera a eles a verdade sobre coisas duras, sempre dando o melhor que podia, como fizera com Janet McCutchins e incontáveis outras mulheres como ela. Maddy tinha muita integridade e aquilo era evidente. E vinha num pacote

---

*"Poor white trash", expressão usada pelos americanos para chamar a classe dos brancos pobres, especialmente no Sul do país. (*N. da T.*)

muito atraente. Como Greg dizia constantemente, ela era "vistosa". E parecia mesmo vistosa agora, enquanto saíam para o restaurante jantar.

Jack foi dirigindo, o que era raro, e conversaram sobre Nova York no caminho. Era óbvio que ele não poderia dizer nada sobre suas reuniões. E uma vez no Citronelle, foram levados pelo *maître* para uma mesa bem visível. Cabeças se viraram e as pessoas comentaram quem eles eram e o quanto ela estava bonita. As mulheres olhavam para Jack também, ele era um homem bonito, com um sorriso *sexy*, olhos que percorriam tudo o que viam e tinha uma grande presença. Tudo neles exalava sucesso e poder e em Washington aquilo era importante. Dezenas de pessoas pararam em sua mesa para conversar com eles, a maior parte políticos, e um dos assessores do presidente. E a cada poucos minutos alguém chegaria hesitante e pediria um autógrafo a Maddy e ela os daria com um sorriso caloroso e conversaria por alguns minutos com eles.

— Você não fica cheia disso, Mad? — perguntou Jack enquanto servia a ela outro copo de vinho. O garçom o havia deixado gelando num balde próximo a sua mesa. Era um Château Cheval Blanc 1959. Jack era um especialista em vinhos e este era excelente.

— Não, de jeito nenhum. Acho gostoso eles saberem quem eu sou e que se preocupem o suficiente para pedir. — Ela era sempre elegante sobre aquilo e as pessoas saíam do encontro com ela sentindo como se tivessem feito uma nova amiga, e gostando dela ainda mais pessoalmente do que na TV. Aproximar-se de Jack já era mais difícil, ele era bem menos amigável.

Era quase meia-noite quando eles deixaram o restaurante, e no domingo voaram para a Virgínia para passar o dia. Jack odiava perder um minuto sequer que pudesse passar lá. Ele cavalgou por um tempo e almoçaram ao ar livre. Era um dia quente e ele comentou que seria um grande verão.

— Vamos a algum lugar? — perguntou Maddy no caminho de volta. Ela sabia que ele odiava fazer planos e gostava de decidir tudo no último minuto, apenas soltando a notícia para ela. Ele arranjaria uma folga para ela no noticiário e a levaria para algum lugar. Mas ela gostava mais quando sabia das coisas com mais antecedência. Às vezes ele só falava a ela aonde iriam no dia anterior ou na própria manhã da viagem. E ela nunca podia dizer que precisava de mais tempo. Eles não tinham filhos, e ele era seu chefe, então se decidisse que ela iria com ele, não havia ninguém para dizer que ela não podia. Ela estava sempre livre para ir com ele.

— Ainda não decidi nada sobre o verão — disse ele vagamente. Ele nunca lhe perguntava aonde queria ir, mas sempre escolhia lugares que no fim das contas ela adorava. A vida era cheia de surpresas com Jack. E quem era ela para reclamar? Sem ele, ela jamais seria capaz de ir a esses lugares. — Acho que vamos para a Europa. — Ela sabia que era tudo o que poderia obter dele, e talvez tudo de que precisasse.

— Me diga quando tiver que fazer as malas — ela provocou, como se não tivesse nada a fazer e pudesse deixar tudo de lado com uma notícia de última hora. Mas às vezes era exatamente o que ele esperava dela.

— Pode deixar — ele concordou e então pegou alguns papéis em sua maleta, o que era o sinal de que não tinha mais nada a dizer no momento.

Ela leu um livro no resto do caminho para casa, um que a primeira-dama recomendara, um trabalho sobre crimes de violência contra mulheres que era cheio de estatísticas deprimentes, mas interessantes.

— O que é isso? — perguntou ele, apontando o livro enquanto pousavam no National.

— Phyllis me indicou. É sobre crimes de violência contra mulheres.

— Como o quê, por exemplo? Cortar seus cartões de crédito? — disse ele com um sorriso e os olhos de Maddy se turvaram quando ele falou. Ela odiava quando ele menosprezava assuntos que eram importantes para ela. — Não se enrole muito nessa comissão, Mad. É uma boa imagem para você, e foi por isso que sugeri que participasse, mas não enlouqueça com isso. Você não precisa se tornar a líder da luta pelas mulheres espancadas.

— Gosto do que estão fazendo, e de onde estão chegando. É algo com o que realmente me preocupo e você sabe disso. — Ela falou baixo, mas emocionada, enquanto taxiavam na pista depois do pouso.

— Só que sei muito bem quem você é. Você pode chegar a extremos terríveis por causa de algumas coisas. Estou falando de sua imagem, Mad, não de se tornar uma Joana d'Arc. Mantenha sua perspectiva. Muito do que dizem sobre violência contra mulheres é só besteira.

— Como o quê? — disse ela, sentindo um arrepio na espinha enquanto imaginava o que ele estava realmente querendo dizer.

— Toda aquela porcaria sobre estupros em encontros e violência sexual é só porcaria e provavelmente mais da metade das mulheres que são espancadas por seus maridos ou alegadamente assassinadas por eles o mereciam.

— Você está falando sério? Não posso acreditar que você queira dizer isso. E eu? Você acha que mereci o que Bobby Joe me fez? É isso o que você pensa?

— Ele era um *punk* fajuto e um bêbado, e só Deus sabe o que você deve ter dito para provocá-lo. Muitas pessoas lutam, Mad, algumas dão uns poucos murros uns nos outros, uns ficam machucados, mas isso necessariamente não justifica uma cruzada, e esse assunto não é uma emergência nacional. Acredite-me, se você perguntasse a ela em particular, estou certo de que Phyllis está fazendo isso pelos mesmos motivos que eu quero que você faça. Parece bom. — Maddy ficou enjoada enquanto ouvia.

— Não posso acreditar no que estou ouvindo — disse ela num sussurro. — A mãe dela foi espancada por seu pai durante toda a sua vida de casada e Phyllis cresceu com aquilo. Assim como eu. Assim como muitas pessoas, Jack. E em alguns casos, surras não são suficientes, eles têm de matar as mulheres apenas para provar o quanto são violentos, e o quanto as mulheres não têm valor. Como é que isso soa para você? Como uma simples briga comum? Quando foi a última vez que você jogou uma mulher escada abaixo, ou bateu nela com uma cadeira, ou usou um ferro quente nela, ou colocou água sanitária em seus olhos, ou a queimou com brasas de cigarros? Você tem alguma idéia do que essas pessoas passam?

— Você está ficando enrolada, Mad. Essas são exceções, não a regra. Certamente há alguns malucos aqui, mas eles também matam outros caras. Ninguém jamais disse que o mundo não está cheio de gente maluca.

— A diferença é que algumas dessas mulheres vivem com seus agressores, ou até assassinos, por dez ou vinte ou cinqüenta anos e os deixam continuar a maltratá-las, e possivelmente matá-las.

— Então é a mulher que é doente, não é? Elas sempre podem colocar um ponto final nisso saindo fora, mas elas não fazem. Porra, talvez elas gostem disso. — Ela nunca se sentira tão frustrada em sua vida como quando o ouviu falar aquilo, mas ele não era apenas a voz da ignorância, era também a voz da maior parte das pessoas do mundo. E ela imaginou se poderia passar por aquilo. Ela se sentia desamparada.

— Na maioria das vezes elas ficam muito apavoradas para sair fora. A maior parte dos homens que ameaçam matar suas mulheres acabam fazendo isso. As estatísticas são devastadoras e essas mulheres instintivamente o sabem. Elas ficam muito apavoradas para se mudar, ou para fugir. Elas têm filhos, não têm para onde ir, muitas delas não têm emprego, algumas, ou a maior parte, não têm dinheiro. Sua vida é um beco sem saída e há um cara dizendo a elas que, se fizerem um movimento, ele vai matá-la ou a seus filhos, ou a todos. O que você faria num caso desses? Chamaria seu advogado?

— Não, eu tiraria o meu da reta, assim como você fez.

E então ela tentou passar uma nova idéia para ele.

— Esse tipo de abuso é um hábito. É familiar. Torna-se normal para você. Você cresce com ele, você o vê todo o tempo, eles dizem a você que você é podre e ruim e que você merece aquilo, e você acredita. É hipnotizante, faz você se sentir paralisada. Você está isolada e sozinha e assustada e não tem para onde ir. Talvez até queira morrer porque parece que este é o único caminho. — Havia lágrimas em seus olhos quando ela disse isso. — Por que você pensa que eu deixei Bobby Joe me espancar? Porque eu o amava? Achei que não tinha outra escolha e acreditei que merecia aquilo. Meus pais me disseram que eu era má, Bobby Joe me disse que era tudo minha culpa, eu não sabia mais nada até que conheci você, Jack. — Ele nunca havia levantado a mão para ela e em sua mente não espancá-la era tudo o que ele precisava para ser um bom marido.

— Apenas tenha isso em mente na próxima vez que você me fizer passar por maus momentos, Mad. Eu nunca encostei a mão em você, e nunca encostaria. Você é uma mulher de sorte, senhora Hunter. — Ele sorriu para ela e ficou de pé. Estavam no terminal e ele havia perdido o interesse no assunto que era tão importante para ela.

— Talvez seja por isso que sinto que devo isso às outras, àquelas que não têm tanta sorte, para ajudá-las — disse ela, imaginando por que se sentia tão desconfortável com o que ele acabara de dizer. Mas ele estava obviamente cansado do assunto e nenhum deles mencionou-o novamente enquanto deixavam o avião e voltavam para sua casa em Georgetown.

Eles passaram uma noite tranqüila, ela fez massa, depois ficaram lendo e fizeram amor quando foram para a cama. Maddy não sabia por que, mas seu coração não estava ali. Ela se sentia distante, estranha e deprimida e, quando se deitou na cama mais tarde, pensou nas coisas que ele dissera sobre mulheres agredidas. Tudo o que ela sabia era que algo no que ele dissera, ou a maneira como dissera, a havia machucado. E quando ela adormeceu, sonhou com Bobby Joe e acordou no meio da noite gritando. Ela quase o podia ver à sua frente, seus olhos cheios de ódio, seus punhos espancando-a. No sonho, Jack havia ficado de pé ali, sacudindo a cabeça e observando-a, e ela sabia que era tudo sua culpa enquanto ficava na mesma posição e Bobby Joe veio novamente e bateu nela.

Capítulo 6

O ESCRITÓRIO ESTAVA CHEIO de trabalho no dia seguinte. Havia quilos de coisas para ler sobre a batalha no Iraque e as mortes de americanos que haviam ocorrido durante o fim de semana. Outros cinco fuzileiros navais haviam sido mortos e um avião fora derrubado, levando com ele dois jovens pilotos. Não importava o que Jack fazia para ajudar o presidente a tentar dar um caráter positivo a tudo aquilo. Não havia meio de mudar os fatos ou a verdade deprimente de que pessoas de ambos os lados estavam indo lá para morrer.

Ela ficou no trabalho até as oito horas naquela noite, quando saiu do ar. Eles iam a um jantar de gala na casa do embaixador do Brasil, e ela trouxera um vestido de noite para poder se trocar no escritório. Mas assim que começou a se vestir, o interfone tocou em seu vestiário. Era seu marido.

— Estarei pronta em cinco minutos.

— Você vai ter de ir sem mim. Tenho uma reunião que acabou de ser marcada. — Mas desta vez ela sabia o porquê. Tinha certeza de que o presidente estava preocupado com a reação da opinião pública às mortes no Iraque desde que a batalha começara.

— Sua reunião é na Casa Branca, presumo.

— Por aí.

— Você virá mais tarde? — ela estava acostumada a ir a festas sozinha, mas gostava mais quando Jack estava com ela.

— Duvido. Nós temos algumas coisas para trabalhar. Vejo você em casa mais tarde. Se eu terminar mais cedo vou ao jantar, mas já liguei para dizer que não vou poder. Sinto muito, Maddy.

— Tudo bem. As coisas não estão indo bem no Iraque, estão?

— Vai ficar tudo bem. Vamos ter que conviver com isso. — E, se ele fizessse seu trabalho direito, convenceria a população disso, mas Maddy ainda não havia aceitado a história e nem Greg, quando falaram sobre isso. Mas eles não faziam mais editoriais nos noticiários. Suas opiniões não faziam mais parte dos programas. — Vejo você mais tarde.

Depois disso ela terminou de se vestir. Estava usando um traje rosa-claro que combinava lindamente com sua pele macia e seus cabelos negros, e brincos de topázio rosa-claro que cintilaram quando ela colocou uma estola rosa de cetim sobre seu traje de noite e saiu do escritório. Jack deixara o carro para ela e fora à Casa Branca com um carro e um motorista da empresa.

A embaixada era na Massachusetts Avenue e parecia que cerca de cem pessoas estavam lá. Eles estavam falando espanhol, português e francês e havia um samba maravilhoso tocando ao fundo. O embaixador do Brasil e sua mulher recebiam com muita elegância e estilo, e todo mundo em Washington os adorava. Quando olhou em volta, Maddy ficou feliz ao ver Bill Alexander.

— Olá, Maddy — disse ele com um sorriso caloroso enquanto vinha ficar ao lado dela. — Como vai?

— Bem. Como foi o fim de semana? — perguntou. Era como se fossem amigos agora, depois de tudo o que sabiam um do outro.

— Sem nenhum acontecimento especial. Fui a Vermont ver meus filhos. Meu filho tem uma casa lá. Foi uma reunião interessante aquele dia, não? É impressionante constatar quantos de nós são atingidos pela violência doméstica, ou crimes violentos, de um jeito ou de outro. O impressionante é que nós todos pensamos que todo mundo tem uma vida tão normal e não é bem verdade, não é mesmo? — Seus olhos eram de um azul profundo, quase da mesma cor dos dela, porém mais escuros. Seus cabelos brancos eram bem penteados e ele estava bonito em seu traje de noite. Ele tinha cerca de 1,90m de altura e Maddy parecia uma boneca ao lado dele.

— Aprendi isso há muito tempo. — Nem mesmo a primeira-dama ficara a salvo da violência em sua infância. — Eu costumava me sentir tão culpada sobre a minha juventude, e ainda me sinto às vezes, mas ao menos agora sei que acontece a outras pessoas também. Mas, de certa forma, a gente sempre acha que é nossa culpa.

— Acho que o truque está justamente em compreender que não é. Pelo menos não em seu caso. Quando voltei para Washington, a princípio senti como se todos os que me olhavam também estivessem dizendo ou pensando que eu matara Margaret. — Ela pareceu surpresa com o que ele disse e olhou para ele gentilmente enquanto fazia a próxima pergunta.

— Por que você pensaria isso?

— Porque acho que matei. Só agora me dou conta de que o que eu fiz foi muito estúpido.

— Talvez tivesse acontecido a mesma coisa de qualquer forma. Provavelmente aconteceria. Terroristas não jogam limpo, Bill. Você sabe disso.

— É um pouco difícil saber disso quando o preço a pagar é alguém que você ama. Não sei se algum dia vou realmente entender ou aceitar o que aconteceu. — Ele era tão aberto e honesto, e ela gostava ainda mais dele por causa isso. E tudo nele sugeria que era uma pessoa gentil.

— Não acho que a violência possa ser compreendida. — disse Maddy suavemente. — As coisas pelas quais passei foram bem mais simples, mas também acho que jamais irei entender de verdade. Por que alguém iria querer fazer aquilo com outra pessoa? E por que eu o deixei fazer?

— Sem opções, sem escolhas, sem saídas, sem ninguém para ajudá-la, sem nenhum lugar para ir. Isso parece familiar? — Ele perguntou pensativamente, e ela assentiu. Ele parecia ter uma perfeita compreensão da situação. Bem mais que seu marido, ou que muita gente.

— Acho que você entendeu tudo — ela sorriu para ele. — O que você pensa do que está acontecendo no Iraque? — Ela perguntou, mudando de assunto.

— É realmente uma pena que tivéssemos que voltar lá. É uma situação sem vencedores, e acho que o público vai fazer perguntas difíceis. Particularmente se começarmos a perder garotos na quantidade que perdemos neste fim de semana. — Ela concordava com ele completamente, a despeito da certeza de Jack de que sua assessoria faria as pessoas aceitarem a história e continuarem a dar suporte às ações do presidente. Jack era bem mais otimista a esse respeito do que ela. — Odiei ver-nos fazendo aquilo — Bill prosseguiu. — Acho que as pessoas têm medo de que o ganho não seja suficiente para garantir as perdas. — Ela queria dizer a ele que poderia agradecer a Jack por aquilo, mas não disse. Maddy estava feliz por saber que Bill concordava com ela. Eles conversaram um pouco mais e ele perguntou quais eram seus planos para o verão.

— Ainda não sei. Tenho uma reportagem para terminar. Mas meu marido detesta fazer planos. Ele só me diz a hora de fazer as malas, normalmente no dia em que estamos partindo.

— Bem, isso deve tornar a vida mais interessante — disse Bill com um sorriso, imaginando como ela fazia. Muitas pessoas precisavam de mais antecedência. Ele também não podia deixar de pensar em como seus filhos se sentiam com aquilo. — Vocês têm filhos?

Ela hesitou por uma fração de segundo antes de responder.

— Não, não tenho. — Mas aquilo não o surpreendeu. Ela era jovem, tinha uma carreira que exigia muito e ainda tinha bastante tempo à sua frente para ter filhos. E era difícil dizer a ele numa festa que ela não podia tê-los, que fora uma condição de Jack que ela ligasse as trompas para se casar com ela.

— Na sua idade, você tem muito tempo para pensar em crianças. — E, sabendo tudo o que sabia, ele não podia deixar de imaginar se sua infância traumática a fizera adiar os filhos. Naquele caso, ele certamente compreenderia isso.

— E o que você vai fazer no verão, Bill? — perguntou ela, mudando de assunto.

— Normalmente vamos a Martha's Vineyard. Mas achei que seria difícil para mim fazer isso agora. Emprestei a casa para minha filha passar o verão. Ela tem três filhos, eles adoram ficar lá e, se eu quiser ir, posso sempre ficar no quarto de hóspedes. — Ele parecia um homem bom e era óbvio que era muito amigo dos filhos.

Eles continuaram a conversar mais um pouco e um casal de franceses muito interessante se juntou a eles. Eram diplomatas muito jovens e, poucos minutos mais tarde, o embaixador da Argentina parou para cumprimentar Bill e eles conversaram em espanhol. Bill era fluente naquela língua. Maddy ficou surpresa, poucos minutos mais tarde, ao descobrir que Bill era seu parceiro no jantar, e pediu desculpas por monopolizar antecipadamente seu tempo.

— Não imaginei que fôssemos sentar juntos.

— Gostaria de dizer a você que arquitetei isso — ele sorriu —, mas não tenho essa influência toda. Acho que sou apenas sortudo.

— Eu também — disse ela sem constrangimento, enquanto ele puxava a mão dela para seu braço e a levava para a mesa de jantar.

Foi uma noite adorável. Ela se sentou perto do senador democrata do Nebraska, que ela não conhecia pessoalmente e que sempre havia admirado. E Bill a manteve entretida com histórias sobre os anos que passou ensinando em Princeton e Harvard. Ele obviamente havia gostado de lá e sua breve carreira de diplomata também fora interessante e gratificante, até seu fim trágico.

— E o que você pensa em fazer agora? — perguntou Maddy a ele enquanto comiam a sobremesa. Ela sabia que ele estava escrevendo um livro e que já estava quase terminando.

— Para ser honesto, Maddy, não sei. Estava pensando em ensinar novamente, mas já fiz isso. É interessante escrever o livro. Mas depois disso não sei que caminho seguir. Tive várias ofertas de instituições acadêmicas, e Harvard, claro, é uma delas. Estou realmente tentado a ir para o Leste por uns tempos, talvez ensinar em Stanford, ou passar um ano na Europa. Margaret e eu sempre adoramos Florença. Ou talvez Siena. Também fui convidado para ensinar um ano em Oxford, na cadeira de política externa americana, mas não sei se quero fazer isso, e os invernos lá são um pouco duros. A Colômbia me estragou, pelo menos em relação ao clima.

— Você tem muitas opções — disse ela admirada, mas dava para entender por que todos o queriam. Ele era inteligente, caloroso e aberto a novas idéias e conceitos pouco familiares. — E Madri, já que você fala um espanhol perfeito?

— Esta é uma opção na qual jamais pensei. Talvez eu devesse aprender a ser toureiro. — Ambos sorriram com a imagem estranha e Maddy quase sentiu pena quando se levantaram da mesa. Ele fora um parceiro de jantar maravilhoso e, no fim da noite, ofereceu-se para levá-la em casa, mas ela disse que tinha um carro e um motorista esperando por ela. — Vou aguardar ansiosamente para ver você na próxima reunião da comissão. É um grupo tão eclético e intrigante, não é? Não acho que eu tenha muito a oferecer. Não tenho muito conhecimento sobre o assunto, ao menos não nas áreas de abuso ou violência doméstica. Temo que meu contato com a violência seja pouco usual, mas me sinto orgulhoso por Phyllis ter me convidado.

— Ela sabe o que está fazendo. Acho que vamos formar uma boa equipe, quando definirmos nossa direção. Espero que tenhamos alguma atenção da mídia. As pessoas precisam ter seus olhos bem abertos para os assuntos que dizem respeito a violência e mulheres.

— Você dará uma excelente porta-voz para nós — disse ele, enquanto ela sorria novamente para ele. Conversaram por mais alguns minutos e depois ela foi para casa e encontrou Jack lendo na cama, parecendo relaxado e em paz.

— Você perdeu uma boa festa — disse ela, tirando seus brincos e seus sapatos enquanto parava para beijá-lo.

— Na hora em que terminamos, achei que você já estaria no meio do jantar. Alguém interessante lá?

— Muita gente. E encontrei Bill Alexander. Ele é um homem legal.

— Sempre achei que ele era muito aborrecido. — Jack depreciou-o e fechou seu livro com um olhar aprovador para sua mulher. Mesmo sem os brincos e sapatos ela parecia particularmente maravilhosa. — Você está linda, Mad. — Ele parecia mesmo encantado e ela se abaixou para beijá-lo novamente.

— Obrigada.

— Venha para a cama. — Ele tinha um brilho familiar nos olhos, que ela reconheceu imediatamente e, poucos minutos mais tarde, quando se juntou a ele, ele estava mais do que desejando mostrá-lo a ela. Havia alguns benefícios em não ter filhos. Eles nunca tinham de prestar atenção a mais ninguém. Tudo em que tinham de se concentrar, quando não estavam trabalhando, era um no outro.

E depois que fizeram amor, Maddy ficou em seus braços e se aninhou ali, sentindo-se confortável e satisfeita.

— Como foram as coisas na Casa Branca? — perguntou sonolenta, com um bocejo.

— Muito bem. Acho que tomamos algumas decisões sensatas. Ou o presidente tomou. Eu apenas disse a ele o que pensava e ele juntou isso com mais o que todos os outros disseram e calculou o que quer fazer. Mas ele é um homem inteligente e toma a decisão certa na maior parte das vezes. É uma posição perigosa para se ocupar.

— O pior emprego do mundo, se você quer a minha opinião. Você não poderia me pagar todo o dinheiro do mundo para estar ali.

— Você faria isso muito bem — ele provocou —, todos na Casa Branca estariam bem vestidos e seriam bonitos, a Casa Branca seria maravilhosa, todos seriam atenciosos e compassivos e pensariam no que diriam, e os membros de seu gabinete teriam os corações bem abertos. Um mundo perfeito, Mad. — Mas, apesar de parecer um cumprimento, aquilo soou como uma humilhação da parte dele, e ela não respondeu. Quando caiu no sono, esqueceu tudo e a próxima coisa que percebeu é que já havia amanhecido e ambos tinham de ir para o trabalho mais cedo.

Estavam os dois no trabalho às oito horas, e ela e Greg se sentaram e trabalharam juntos num especial que ele estava fazendo sobre dançarinos americanos. Ela prometera ajudá-lo naquilo e ainda estava em seu escritório ao meio-dia, quando ambos se deram conta da grande correria e confusão no corredor.

— O que foi agora? — perguntou Greg enquanto olhava, imaginando o que teria acontecido.

— Merda. Talvez as coisas estejam esquentando no Iraque. Jack esteve com o presidente na noite passada. Eles devem ter preparado algo. — Ambos foram para o corredor para ver o que as pessoas estavam dizendo. Maddy puxou um dos produtores associados. — Alguma coisa grande?

— Um avião que ia para Paris se espatifou em mil pedaços vinte minutos depois de levantar vôo do Kennedy. Eles dizem que a explosão pôde ser ouvida em toda Long Island. Não há sobreviventes.

Foi a versão abreviada do que havia acontecido, mas quando Greg e Maddy checavam a mesa de notícias souberam o quanto era grande. Ninguém havia assumido a responsabilidade pela explosão, mas Maddy estava certa de que havia mais coisas naquela história, embora ainda não soubessem os detalhes.

— Recebemos um telefonema anônimo de alguém que aparentemente sabia do que estava falando — disse o produtor. — Disseram que a companhia aérea sabia que houvera uma ameaça, antes de levantarem vôo. Eles devem ter sabido disso ao meio-dia de ontem e não fizeram nada. — Greg e Maddy olharam um para o outro. Aquilo era insano. Ninguém teria deixado uma coisa dessas acontecer. Era uma linha aérea americana.

— Quem é a sua fonte? — perguntou Greg franzindo as sobrancelhas.

— Não sabemos. Mas eles sabiam do que estavam falando. Nos deram um monte de detalhes que podem facilmente ser checados. Tudo o que sabemos é que a FAA recebeu algum tipo de aviso ontem e parece que não fizeram nada a respeito.

— Quem está apurando para você? — perguntou Greg, interessado.

— Você, se quiser. Alguém tem uma lista de pessoas para telefonar. A pessoa que ligou deu-nos nomes e endereços bem específicos.

Greg levantou uma sobrancelha enquanto olhava para Maddy.

— Também estou nessa — disse ela e ambos foram na direção do asssistente de produção que parecia ter a lista, enquanto ela falava. — Eu não acredito nisso. Eles não levantam vôo se há ameaças de bomba.

— Talvez o façam, só que a gente não sabe — resmungou Greg.

Pegaram a lista de nomes para telefonar e duas horas mais tarde se sentavam em lados opostos da mesa de Maddy, olhando um para o outro sem acreditar. A história era confirmada por todos os que haviam falado. Houvera uma ameaça, mas não específica. A FAA fora avisada de que haveria uma bomba num vôo para o exterior saindo do Kennedy, em algum momento nos próximos três dias. Isso foi tudo o que disseram e tudo o que sabiam, e foi tomada uma decisão executiva no nível mais alto para aumentar a segurança, mas não parar os vôos internacionais, a menos que encontrassem evidências de uma bomba ou tivessem informações mais precisas. Mas não houvera mais avisos.

— Isso é muito vago — admitiu Maddy, defendendo-os. — Talvez eles tenham pensado que era a ameaça de um desocupado. — Mas também suspeitaram de que a ameaça viera de um ou dois grupos terroristas, os quais haviam cometido atrocidades antes, então tinham boas razões para acreditar.

— Há mais coisas nisso do que a gente está conseguindo ver — disse Greg, com suspeita. — Sinto um traidor em algum lugar. Para quem diabos a gente pode ligar que possa ser uma fonte mais profunda dentro da FAA? — Eles tinham exaurido todas as suas fontes e, enquanto ficavam ali sentados pensando naquilo, Maddy teve uma idéia e levantou-se de sua cadeira com um ar decidido.

— O que foi?

— Talvez nada. Volto em cinco minutos. — Ela não disse nada a Greg, mas subiu pelo elevador privado para ver seu marido. Ele estivera na Casa Branca na noite passada e, com uma ameaça daquela magnitude, poderia ter ouvido algo, e ela queria perguntar a ele.

Ele estava numa reunião, e ela pediu a sua secretária para entrar e perguntar se ele poderia sair por um minuto, pois era importante. Ele saiu da sala de reuniões com um ar preocupado um minuto mais tarde.

— Você está bem?

— Estou. Estou trabalhando na matéria do avião que caiu. Temos uma informação de que houve um aviso não muito específico sobre a bomba, mas o vôo partiu mesmo assim. Todos eles partiram. Acho que ninguém sabia em que vôo a bomba estaria. — Ela explicou rapidamente a ele, mas ele não pareceu tão preocupado ou particularmente assustado.

— Isso acontece às vezes, Mad. Não havia nada que ninguém pudesse fazer. A ameaça parecia muito vaga e poderia ser infundada.

— Podemos dizer a verdade sobre isso agora, pelo menos se houver uma história aqui. Você ouviu alguma coisa na noite passada? — Ela estava olhando para ele intencionalmente. Algo em seus olhos disse a ela que ele não desconhecia o assunto.

— Não realmente — disse ele vagamente.

— Essa não é uma resposta de verdade, Jack. Isso é importante. Se eles foram avisados, deveriam ter interrompido os vôos. Quem tomou a decisão?

— Não estou dizendo a você que não sei nada sobre isso. Mas se eles foram avisados, falando apenas numa suposição, o que você acha que eles poderiam ter feito? Interromper *todos* os vôos internacionais do Kennedy por três dias? Cristo, eles teriam derrubado a aviação americana. Não podiam ter feito isso.

— Como você sabia que eram todos os vôos "internacionais", e que a ameaça cobria um período de três dias? Você sabia, não sabia? — E então ela subitamente imaginou se havia sido por causa daquilo que ele fora chamado para a Casa Branca de maneira tão inesperada, para aconselhá-los sobre o que dizer ao povo americano, ou talvez até mesmo o que fazer, ou não fazer, sobre aquele assunto. E como salvar seus traseiros se um avião realmente caísse em algum lugar. Mas mesmo se a decisão não fora dele, e não devia ter sido, Jack devia ter sido uma voz importante na decisão final de avisar ou não à população.

— Maddy, você não pode cancelar *todos* os vôos internacionais que saem do Kennedy durante três dias. Você sabe o que isso significa? A esse preço, você teria de interromper todos os que chegavam também, no caso de a explosão também os atingir. Esse país teria virado uma confusão e nossa economia também.

— Não acredito nisso — disse ela, subitamente furiosa. — Você e Deus sabe quem decidiram simplesmente seguir em frente com os negócios como sempre e não avisar ninguém, porque nossa *economia* seria afetada? E porque se cancelariam tabelas de vôos? Diga-me que isso não aconteceu da maneira que estou pensando que aconteceu. Diga-me que 420 pessoas não morreram para poupar a nossa indústria de aviação de um colapso. É isso o que você está me dizendo? Foi uma decisão de *negócios*? Quem diabos tomou essa decisão?

— Nosso presidente, sua tola. O que você pensa? Que eu tomo decisões como esta? Foi um assunto maior, mas a ameaça não foi suficientemente específica. Eles não podiam fazer nada a respeito, exceto checar cada avião com um pente fino antes que levantasse vôo. E se você me mencionar, Mad, eu mato você, porra.

— Não ligo a mínima para o que você vai fazer. Estamos falando de pessoas, vidas, bebês e crianças, e pessoas inocentes que entraram num avião com uma bomba porque ninguém teve peito de fechar o Kennedy por três dias. Mas, porra, Jack, deviam ter fechado!

— Você não sabe o que está falando. Você não fecha um aeroporto internacional enorme por três dias por causa uma ameaça de bomba, não se quiser se manter nos negócios.

— Eles fecham por causa de neve, pelo amor de Deus, e a economia continua bem. Por que não por causa de uma ameaça de bomba?

— Porque eles teriam parecido loucos e todos entrariam em pânico.

— Oh, certo, acho que quatrocentas vidas é um preço pequeno para pagar a fim de evitar pânico. Meu Deus, não posso acreditar no que estou escutando. Não posso acreditar que você sabia e não fez porra nenhuma!

— O que você esperava que eu fizesse? Que fosse ao JFK distribuir folhetos?

— Não, seu imbecil, você tem uma emissora de televisão. Você poderia ter dado o alerta, mesmo anonimamente, se quisesse, e os forçado a fechar o aeroporto.

— E a porta da Casa Branca estaria para sempre fechada em minha cara. Você acha que eles não saberiam quem fez algo assim? Não seja ridícula, e *não* — disse ele, agarrando seu braço e puxando-a fortemente por ele — *me chame nunca* de imbecil. Eu sabia o que estava fazendo.

— Você e os garotos com quem estava brincando na noite passada mataram 412 pessoas ao meio-dia de hoje — ela quase cuspiu as palavras nele e sua voz estava tremendo. Ela não podia acreditar que ele participara daquilo. — Por que você simplesmente não compra uma arma e começa a atirar nas pessoas? É mais limpo e bem mais honesto. Você sabe o que isso significa? Que os negócios são mais importantes que as pessoas. Significa que todas as vezes que uma mulher entrar num avião com seus filhos ela não saberá se alguém foi avisado de que havia uma bomba ali, mas que para salvar os grandes negócios ela e seus filhos são um sacrifício ambulante, porque ninguém acha que eles são importantes o suficiente para garantir uma "interrupção".

— E não são mesmo, falando em grande escala. Você é ingênua. Você não entende. Às vezes as pessoas têm de ser sacrificadas por interesses maiores. — Ela achou que ia vomitar enquanto escutava. — E eu vou lhe dizer uma coisa. Se você der um pio sobre isso, vou pessoalmente arrastar você de volta para Knoxville e deixá-la na porta de Bobby Joe. Se você disser uma porcaria de uma palavra vai ter de responder ao presidente dos Estados Unidos, e eu espero que eles enfiem você numa prisão por traição. Este era um assunto de segurança e foi tratado por pessoas que sabiam o que estavam fazendo, com a maior clareza possível. Não estamos falando de algo como mulheres loucas e choronas, ou de algum senador gordo babão. Se você abrir essa caixa de vespas, você vai ter o presidente no seu pescoço, o FBI e a FAA e todas as grandes agências deste país, e eu vou observar você afundar na lama com isso. Você *não* vai tocar nesse assunto. Você não sabe porra nenhuma sobre isso e eles vão lhe apagar rápido e enterrá-la em cerca de cinco minutos. Você não vai ganhar nunca.

Ela sabia que havia alguma verdade no que ele dissera, todos mentiriam sobre aquilo. Seria a maior operação tapa-buracos desde Watergate e, mais que certamente, o público jamais acreditaria nela. Ela era uma pequena voz num mar de muitas outras bem maiores, que não apenas atirariam nela, mas fariam com que ela ficasse desacreditada para sempre. Eles poderiam até mesmo matá-la. Pensar naquilo foi assustador, mas a idéia de desapontar o público e não falar a verdade a fazia se sentir como uma traidora. Eles tinham o direito de saber que as pessoas do vôo 263 haviam sido sacrificadas em nome de preocupações econômicas. E que para as pessoas que tomaram esta decisão eles não significavam nada.

— Você ouviu o que acabei de dizer? — perguntou Jack com um olhar terrível. Ele estava começando a assustá-la. Ele seria o primeiro a derrubá-la, antes até que os outros pudessem, se ela colocasse sua emissora em risco.

— Ouvi — disse ela, entorpecida. — E eu o odeio por isso.

— Não ligo a mínima para o que você pensa ou sente a esse respeito. Apenas tome cuidado com o que você faz, e é melhor que desta vez faça a coisa certa, ou você está acabada. Comigo e com a emissora. Está claro, Mad? — Ela olhou para ele por um longo momento e então virou-se e desceu vagarosamente as escadas de volta para seu andar. Ela nem mesmo esperou o elevador e, quando voltou para seu escritório, estava pálida e trêmula.

— O que aconteceu? Ele sabia de alguma coisa? — perguntou Greg. Ele havia percebido imediatamente onde ela havia ido e jamais a vira com aquela aparência. Ela estava mortalmente pálida e parecia doente, mas por um momento ela não disse nada.

— Não, ele não sabia — foi tudo o que ela disse e tomou três aspirinas com meia xícara de café. E, sem que aquilo os surpreendesse, dez minutos mais tarde o produtor-chefe entrou e olhou consternado para ambos antes de dar um aviso.

— Tenho que ver o que vocês vão gravar antes de ir ao ar esta noite, os dois. Qualquer coisa que se desvie do que foi aprovado, nós cortamos e vamos para os comerciais. Vocês entenderam?

— Sim — disse Greg suavemente, e ele sabia de onde viera a ordem, assim como Maddy. Greg não sabia o que se falara lá em cima, mas sabia que não era coisa boa. Só o rosto de Maddy já contava a história. Ele esperou até que o produtor saísse e então olhou para Maddy, seus olhos cheios de perguntas. — Acho que ele sabia — disse Greg em voz baixa. — Você não tem de me contar se não quiser. — Ela o olhou longa e duramente e assentiu.

— Não posso provar isso. E não podemos falar sobre isso. Todos os envolvidos vão negar.

— Acho melhor não tocarmos no assunto, Mad. Essa batata quente é bem grande. Muito grande para nós, acho. Se eles sabiam, você pode estar certa, todos os envolvidos protegeram seus traseiros. Isso é coisa de gente graúda. — Impressionou-o saber que Jack Hunter era agora considerado um deles. Ele ouvira dizer que Jack se tornara o assessor de relações públicas do presidente. Obviamente ele estava passeando nas esferas maiores.

— Ele disse que me mandaria embora do programa se eu tocasse nesse assunto. — Ela parecia menos impressionada do que Greg pensou que ela fosse ficar quando falou. — Não ligo para isso, mas odeio mentir para o público.

— Às vezes temos de fazê-lo — disse Greg, cuidadosamente —, mesmo que eu também não goste. Mas os grandes caras nos obrigam a ignorar esse assunto.

— Jack disse que eu seria jogada numa prisão ou algo tão bom quanto isso.

— Ele não está ficando um pouco malvado? — perguntou Greg com um sorriso amargo, e Maddy sorriu apesar de tudo, e depois se lembrou da forma como ele segurara seu braço e a sacudira. Ela nunca o vira tão enfurecido ou tão assustador. Mas esse era um assunto crucial.

Eles escreveram seus textos para o jornal naquela tarde, checados cuidadosamente pelo produtor. E meia hora mais tarde eles os receberam de volta com algumas correções. O trecho sobre o desastre de avião foi o mais brando possível, e os poderes lá de cima queriam que eles contassem a maior parte do tempo com seqüências de vídeo para conduzir a história.

— Cuidado, Mad — sussurrou Greg quando se sentaram no estúdio, esperando para entrar no ar, depois que a contagem regressiva começou. E ela só assentiu. Ele sabia que ela era uma guerreira e muito purista. Era como se, expondo a verdade acima de tudo, ela estivesse sendo levada a dar um mergulho suicida numa zona perigosa. Mas desta vez ele estava certo de que ela não o faria.

Ela leu a matéria sobre a queda do vôo 263 e em um momento sua voz quase falhou. Ela parecia melancólica e respeitosa enquanto falava das pessoas a bordo e do número de crianças. E os vídeos que mostraram sublinharam ainda mais a tragédia. Eles haviam acabado de mostrar as últimas tomadas de algumas gravações que alguém de Long Island fizera da explosão, e Maddy estava quase fechando quando Greg a viu cerrar as mãos sobre a mesa e olhar para além do *teleprompter*. E ele ficou aterrorizado quando a viu. Ele balbuciou as palavras "Maddy, não..." porque viu pelo monitor que estava fora do alcance da câmera, mas ela não o viu. Ela estava olhando bem para dentro da câmera, bem dentro dos rostos, dos corações e das casas do povo americano.

— Há muitos rumores sobre a queda de hoje — ela começou cautelosamente —, alguns deles muito perturbadores. — Greg pôde ver o produtor ficar de pé atrás do *set*, com um olhar de pânico. Mas eles não cortaram para os comerciais. — Há rumores de que a FAA foi advertida com antecedência de que "algum" vôo internacional misterioso e desconhecido saindo do Kennedy poderia estar carregando uma bomba, "em algum momento" desta semana. Mas não há evidências para sustentar esse rumor. Agora não sabemos nada além de que 412 vidas foram perdidas e apenas podemos supor que, se a FAA tivesse sido alertada, eles teriam divulgado a informação para a população.

Ela estava chegando no limite, mas não o cruzou, enquanto Greg segurava sua respiração e a observava continuar.

— Todos nós aqui na WBT gostaríamos de estender nossas condolências aos amigos, famílias e entes queridos daqueles que morreram no vôo 263. É uma tragédia além de qualquer medida. Boa noite. Sou Maddy Hunter.

Com isso eles cortaram para o comercial e Greg parecia pálido enquanto Maddy ficava lá sentada com um ar triste e tirava seu microfone.

— Merda, você me assustou. Achei que você ia explodir a coisa. Você quase o fez, não? — Ela tinha levantado uma questão, mas não dera a resposta. E poderia ter dado.

— Eu disse o que podia — o que não era muito e ambos sabiam. Quando ficou de pé, agora fora do alcance da câmera, ela viu o produtor na porta falando com seu marido. Jack andou na direção dela resolutamente e parou quando a alcançou.

— Você chegou muito perto do limite, não, Maddy? Estávamos prestes a cortar você a qualquer segundo. — Ele não parecia satisfeito, mas também não parecia mais zangado. Ela não o traíra, e poderia tê-lo feito. Ou ao menos poderia ter tentado, embora soubesse que eles não a teriam deixado ir muito longe.

— Eu sei — disse ela friamente, e seus olhos pareciam duas pedras azuis brilhantes quando se encontraram com os dele. Algo terrível acontecera entre eles naquela tarde e ela jamais esqueceria. — Está satisfeito? — perguntou num tom tão gelado quanto o olhar que deu a ele.

— Você salvou o seu traseiro, não o meu — disse ele quando ninguém podia ouvi-los. O produtor já havia saído e Greg havia voltado para seu escritório. — Você é que estava na linha de tiro aqui.

— O público foi enganado.

— Eles não teriam gostado nem um pouco se todos os vôos que entravam e saíam de Kennedy tivessem sido cancelados por três dias.

— Bem, estou feliz que não tenhamos causado desgosto a eles, você não está? Aposto que as pessoas do vôo 263 também estão realmente felizes. É bem melhor matar pessoas do que fazê-las ficarem com raiva — disse ela amargamente.

— Não jogue fora sua sorte, Maddy — disse ele ameaçadoramente e ela pôde ver que ele falava sério. Ela não disse nada e saiu na frente dele para seu escritório. Greg estava acabando de sair quando ela chegou.

— Você está bem? — sussurrou ele, sem saber se Jack estava perto; ele havia ficado no estúdio para falar com o produtor.

— Não muito — respondeu honestamente. — Não sei como estou. Deprimida, muito. Acabei comigo, Greg — disse ela, lutando contra as lágrimas. Ela se odiava por aquilo.

— Você não teve escolha. Deixe passar. Isso foi muito grande para você encarar. Como é que ele está? — perguntou ele, referindo-se ao marido dela. — Irritado? Ele não ficaria. Você embrulhou tudo para presente e certamente tirou a FAA da forca, e com ela todos os outros.

— Acho que o assustei — disse ela, sorrindo através das lágrimas.

— Ele não importa. Você me assustou também, merda. Achei que ia ter que colocar meu casaco sobre o seu rosto para cortar você antes que alguém a matasse. Eles fariam isso, você sabe. Eles diriam que você teve um surto psicótico, que estava abalada há meses, sob cuidados psiquiátricos, que era esquizóide, eles fariam qualquer coisa que precisassem. Estou feliz por você não ter feito algo tão estúpido.

Ela estava prestes a dizer alguma coisa quando Jack entrou no escritório.

— Pegue suas coisas, estamos indo. — Ele nem mesmo tomou conhecimento de Greg. Jack estava satisfeito com os índices de audiência de Greg, mas jamais gostara dele e nunca se importara em fingir que gostava. Agora ele falava com Maddy como se ela fosse apenas uma empregada, alguém para quem ele dava ordens e que devia obedecê-las. Ela pegou sua bolsa e saiu do escritório sem dizer uma palavra. Ela não sabia como, mas estava certa de que depois de hoje as coisas seriam diferentes entre eles. Ambos se sentiam traídos um pelo outro.

Jack a seguiu até o elevador e eles desceram em silêncio. Só quando entraram no carro ele falou novamente.

— Você chegou muito perto de acabar com sua carreira hoje. Espero que você saiba disso.

— Você e seus amigos mataram 412 pessoas. Não posso nem mesmo imaginar como deve ser sentir isso. Comparado a isso, minha carreira não significa muito.

— Fico satisfeito que você pense assim. Você estava brincando com fogo. Você foi avisada que devia ler apenas o seu roteiro.

— Achei que a morte de mais de quatrocentas pessoas merecia um pequeno comentário. Não disse nada que você pudesse objetar.

Eles ficaram sentados em silêncio novamente até chegarem em casa e então ele olhou para ela com desprezo, como que para lembrá-la de que era pouco importante.

— Faça as malas, Mad. Vamos partir amanhã.

— Para onde? — disse ela, sem interesse.

— Europa. — Como sempre, ele não deu detalhes e não perguntara a ela.

— Não vou — disse ela firmemente, determinada desta vez a lutar contra ele.

— Não perguntei a você. Apenas disse que vamos. Você vai ficar fora do ar duas semanas. Eu quero que você esfrie e se lembre de quais são as regras do jogo antes de voltar para o jornal. Elizabeth Watts vai cobrir você. Ela pode fazê-lo permanentemente, se você preferir. — Ele não estava brincando. Elizabeth Watts era a apresentadora cujo lugar Maddy havia tomado quando entrou na emissora. Ela ainda cobria Maddy durante as férias. Estava em seu contrato, embora ela ainda estivesse amargurada por ter sido tirada de seu lugar por Maddy.

— Não me importo realmente com isso, Jack — disse Maddy friamente. — Se você quiser me demitir, vá em frente. — Suas palavras eram corajosas, embora ela se sentisse tremer de terror enquanto o observava. De certa forma, embora ele nunca tivesse sido fisicamente violento com ela, sempre a assustara. O poder que ele exalava por cada poro não era dirigido apenas aos outros, mas a ela também.

— Se eu demiti-la, você vai lavar louça em algum lugar. Você devia pensar melhor nisso antes de abrir a boca. E sim, você vai comigo. Vamos para o Sul da França, Paris e Londres. E se você não fizer as suas malas, eu mesmo vou fazê-las. Quero você fora do país. Você não vai fazer comentários, entrevistas ou editoriais de nenhum tipo. Agora você está oficialmente de férias.

— Foi idéia do presidente, ou sua?

— Minha. Eu dou as ordens aqui. Você trabalha para mim. Você está casada comigo. Eu sou seu dono — disse ele com uma força que tirou sua respiração enquanto ela escutava.

— Você não é meu dono, Jack. Eu posso trabalhar para você e

sou casada com você, mas você não é meu dono. — Ela disse isso calma e firmemente, mas parecia assustada. Sempre, desde sua infância, ela odiara confrontos e conflitos.

— Vou ter que fazer as malas ou você vai? — perguntou ele, sem maiores comentários.

Ela hesitou por um longo momento e então subiu para seu quarto de vestir e tirou uma mala. Havia lágrimas em seus olhos quando subia e estava chorando abertamente enquanto atirava roupas de banho, shorts, camisetas e sapatos dentro da mala. Enquanto a fazia, ela só conseguia pensar que as coisas nunca mudavam muito. Bobby Joe podia tê-la empurrado escadas abaixo, mas Jack fizera um bom trabalho hoje sem nem mesmo tocá-la, ou quase. O que acontecia com homens como eles que os fazia pensar que eram seus donos? Era aquele o homem que escolhera ou ela tinha pedido aquilo? Não tinha se tornado muito claro para ela enquanto ela dobrava quatro vestidos de linho e colocava três pares de sapatos de salto alto na mala. Vinte minutos mais tarde ela tinha acabado e saiu para tomar um banho. Jack estava em seu banheiro, arrumando suas coisas.

— A que horas vamos sair amanhã? — perguntou ela quando o viu novamente no quarto.

— Vamos sair às sete da manhã. Vamos para Paris. — Foi tudo o que ela soube sobre a viagem, mas ela realmente não se importava agora. Ele dera as ordens e ela obedecera. Mesmo com todas as suas bravas palavras, ela provara a ambos que ele era seu dono.

— Acho que há uma vantagem em ter seu próprio avião — disse ela enquanto se deitava com ele.

— Qual é? — perguntou ele, achando que ela estava querendo começar uma conversa boba.

— Pelo menos sabemos que não haverá uma bomba nele. Isso sem dúvida é bom — disse ela e virou as costas para ele enquanto se deitava na cama. Ele não respondeu, apagou a luz e desta vez não a tocou.

Capítulo 7

ELES CHEGARAM A PARIS ÀS DEZ DA NOITE, e havia um carro esperando. A noite estava bonita e cálida quando pegaram o carro para irem ao Ritz. Chegaram lá às onze horas. A Place Vendôme estava toda iluminada, e o porteiro os reconheceu imediatamente. Mas, apesar da beleza da cena, aquilo não era nada romântico para Maddy. Pela primeira vez em muitos anos ela se sentia uma prisioneira. Jack havia passado do limite. E ela se sentia vazia e apática enquanto entrava no saguão atrás dele.

Ela normalmente adorava ir a Paris com ele, mas não desta vez. Não havia nada além de gelo e dor entre eles, e pela primeira vez em muitos anos ela teve a sensação doentia de estar sofrendo uma violência. Sabia que, embora ele não tivesse batido nela, era como se o tivesse feito. Era um lado dele que ela jamais havia encarado antes e agora pensava com que freqüência e de quantas maneiras isso havia acontecido. Ela nunca se permitira pensar nisso antes, mas agora a sensação não era diferente de quando estava em Knoxville com Bobby Joe. O ambiente era mais pomposo, mas ela se dava conta de que ainda era a mesma pessoa. Era tão infeliz quanto o fora então. As palavras de Jack na noite anterior ainda ecoavam em seus ouvidos enquanto levavam as bagagens para dentro. "Sou seu dono." E ela havia concordado com aquilo quando viera com ele.

A suíte no Ritz era tão bonita como sempre. Tinha vista para a Place Vendôme, uma sala de estar, um quarto e dois banheiros. Toda a suíte era decorada em cetim amarelo claro. E o hotel havia mandado três vasos com rosas amarelas. Ela teria amado tudo se não se sentisse tão deprimida por causa de Jack.

— Há alguma razão especial para estarmos aqui? — perguntou Maddy sem vida enquanto ele se servia de uma taça de champanhe e lhe oferecia outra. — É apenas para me manter fora do ar ou há alguma razão melhor?

— Achei que precisávamos de férias — disse ele com simplicidade, e toda a fúria do dia anterior parecia ter sumido quando ela pegou a taça de cristal. Ela não queria beber, mas precisava de algo para se anestesiar. — Sei o quanto você gosta de Paris e pensei que seria divertido.

— Depois de tudo o que você falou nos últimos dois dias, como pode dizer isso? — A idéia de que algo pudesse ser "divertido" com ele parecia absurda.

— Porque aquilo eram negócios e isso não é — disse ele calmamente. — Você se meteu em algo que era assunto de segurança nacional e não tinha nada para fazer ali. Maddy, eu estava tentando protegê-la.

— Isso é papo furado — disse ela, bebendo o champanhe. Ainda não estava disposta a perdoá-lo por suas atitudes, suas palavras ou por ele dizer que era seu dono. Mas ela não queria discutir com ele também. Estava exausta e deprimida.

— Por que simplesmente não deixamos isso para trás e aproveitamos Paris? Ambos precisamos de férias. — Ela se sentia como se precisasse de uma lobotomia, ou talvez de um novo marido. Nunca se sentira tão traída em todos aqueles anos que estiveram casados. E ela só pensava em como, ou se, eles se recuperariam. — Eu te amo, Mad — disse ele, aproximando-se dela e passando seus dedos sensualmente pelo mesmo braço que ele usara no dia anterior para sacudi-la. Ela ainda se lembrava da sensação e sabia que sempre se lembraria.

— Não sei o que dizer — disse ela honestamente. — Estou com raiva, mágoa e talvez até mesmo com um pouco de medo de você. Me sinto muito mal a respeito de tudo o que aconteceu. — Ela era sempre escrupulosamente honesta com ele, muito mais do que ele com ela.

— É por isso que estamos aqui, Mad. Para podermos esquecer nosso trabalho, nossos problemas, nossas diferenças de opinião. Nós viemos aqui — disse ele, abraçando-a e colocando seus óculos na mesa Luís XV — para sermos amantes. — Mas ela não se sentia uma amante. Ela só queria se esconder e lamber as feridas e ficar sozinha por um tempo até entender o que estava sentindo. Mas ele não a deixaria fazer aquilo. Estava beijando-a e começou a abrir seu vestido e, antes que pudesse interrompê-lo, já tinha tirado seu sutiã.

— Jack, não... eu preciso de tempo... não posso...

— Sim, você pode — disse ele, cobrindo seus lábios com os dele e quase a engolindo. Então sua boca se moveu para seus seios e seu vestido pareceu desaparecer com a roupa de baixo. Ele a deitou no chão e começou a beijá-la e acariciá-la, e sua língua era tão poderosa que, apesar de querer reunir todas as suas forças para resistir, descobriu que não podia. E, para sua grande decepção, depois de mais um momento, sabia que já não queria mais interrompê-lo. Ele a tomou ali, no chão, enquanto caíam nos braços um do outro, e o clímax foi tão rápido e poderoso que ela não o esperava. Ela era dele novamente, e ficou deitada sem respiração por um tempo, agarrada a ele, imaginando como aquilo havia acontecido e por quê.

— Bem, esta é uma boa maneira de começar umas férias — disse ela, sentindo-se tola. O amor que haviam feito fora inteiramente sensual e tão poderoso como uma espécie de onda do mar de sentimento que havia passado por cima dela, mas não houvera nada de amor naquilo. Se muito, apenas provara novamente que ele era seu dono. Mas Maddy se sentia sem forças para combatê-lo. — Não sei como aconteceu — disse ela, olhando-o enquanto ele ficava deitado nu no chão ao lado dela.

— Eu posso lhe mostrar, se você quiser. Talvez um pouco mais de champanhe ajude. — Ele se apoiou nos cotovelos enquanto ficava ali deitado e sorriu para ela. Ela não sabia se o odiava ou não, mas uma coisa era certa a respeito de Jack: ele era incrivelmente bonito e ela nunca fora capaz de resistir a ele. Ele não lhe deixava nenhuma escolha.

Ela olhou para ele tristemente e se levantou para vê-lo enquanto ele lhe dava outra taça de champanhe. Ela não queria, mas ela pegou e bebeu.

— Odiei você ontem. Foi a primeira vez que me senti assim a seu respeito — ela confessou e ele pareceu embaraçado.

— Eu sei. Esse é um jogo perigoso. Espero que você tenha aprendido a lição. — Era um aviso velado.

— Que lição eu deveria ter aprendido?

— Não colocar seu nariz onde não é chamada. Apenas se atenha ao que você sabe, Mad. Tudo o que você tem de fazer é ler as notícias. Não é seu trabalho julgá-las.

— É assim que funciona? — Ela estava um pouco bêbada e daquela vez não estava se importando.

— É como deveria funcionar. Seu trabalho é ficar bonita e ler sua parte do *teleprompter*. Deixe alguém mais se preocupar sobre como aquilo chega até lá e o que está dizendo.

— Parece muito simples — ela sorriu falsamente, mas um soluço embargou sua voz. Ela sentia como se não tivesse sido apenas rebaixada, mas diminuída como pessoa, e o fora.

— É simples, Maddy. E é simples entre nós. Eu a amo. Você é minha esposa. Não é bom para nós brigarmos ou para você me desafiar assim. Eu quero que você prometa que não fará isso novamente.

— Não posso fazer isso, Jack — disse ela honestamente. Ela não queria mentir para ele, não importava o quanto ela odiasse brigar. — Ontem foi uma questão de ética e moral profissional. Eu tenho uma responsabilidade com as pessoas que me assistem.

— Você tem uma responsabilidade comigo — disse ele num tom delicado e por um instante ela se sentiu apavorada novamente, mas sem saber por quê. Não havia nada de ameaçador nele agora, ele a estava acariciando, de uma maneira totalmente capaz de distraí-la. — Eu disse a você o que quero... quero que você me prometa que vai ser uma boa garota. — Sua língua estava viajando ao longo dos lugares mais sensuais de seu corpo, ao mesmo tempo que dizia coisas que a confundiam.

— Eu sou uma boa garota, não sou? — ela riu incontrolavelmente.

— Não, você não é, Mad... você foi uma garota má ontem, uma garota muito má, e se você fizer novamente, vou ter de puni-la... talvez eu tenha que puni-la agora... — disse ele, provocando-a, mas não soava ameaçador, só sedutor. — Não quero punir você, Mad... quero te dar prazer — e ele estava dando, quase demais. Mas ela não tinha energia para interrompê-lo, estava tão cansada e tão confusa e o champanhe a estava deixando tonta. Pelo menos daquela vez ela não se importava de ficar bêbada. Ajudava.

— Você está me dando prazer — disse ela numa voz rouca, momentaneamente esquecendo o quanto estava com raiva dele. Mas aquilo fora aquilo, agora era agora e aqui era Paris. Era difícil lembrar o quanto ficara furiosa com ele, o quanto se sentira traída e assustada. E enquanto tentava lembrar, descobriu que não podia quando ele começou a fazer amor com ela novamente, e seu corpo inteiro pareceu estar pegando fogo.

— Você vai ser uma boa garota agora? — perguntou, provocando-a, torturando-a de prazer. — Promete?

— Prometo — disse ela sem ar.

— Prometa novamente, Mad... — ele era um mestre no que estava fazendo, tinha longos anos de prática. — Prometa novamente...

— Prometo... prometo... prometo... serei boa, eu juro. — Tudo o que ela queria agora era dar prazer a ele e à distância ela sabia que se odiava por aquilo. Ela se vendera novamente, se dera novamente, mas ele era uma força muito poderosa para se resistir.

— Quem é seu dono, Mad... Quem a ama?... Eu sou seu dono... Eu te amo... diga isso, Maddy...

— Eu te amo... Você é meu dono... — Ele estava entrando e saindo dela e enquanto ela dizia aquelas palavras começou a fazer amor tão violentamente que a machucou. Ela deu um pequeno gemido de dor e tentou se afastar, mas ele a manteve presa ao chão com toda a sua vontade e continuou a entrar nela enquanto ela gemia de dor. Mas ele não ia parar e cada vez entrava mais fortemente. Ela tentou dizer alguma coisa mas ele esmagou sua boca contra a dela enquanto a apertava contra o chão o mais que podia. Então ele chegou ao clímax com um grande tremor e, assim que o fez, se afastou e mordeu seu seio. Estava sangrando quando ele finalmente parou e ela ficou muito confusa até mesmo para chorar. Ela não tinha certeza do que acontecera. Ele estava com raiva ou a amava? Estava punindo-a ou a queria com tanta força que nem mesmo sabia que a havia machucado? Ela não sabia mais se o que sentia por ele era amor, desejo ou ódio.

— Machuquei você? — Ele perguntou, parecendo inocente e preocupado. — Oh, meu Deus, Mad, você está sangrando, me desculpe, sinto muito... — Havia sangue escorrendo de seu seio esquerdo no lugar onde ele havia mordido seu mamilo, e ela sentia como se o interior de seu corpo houvesse sido socado, e fora mesmo. Talvez ele quisesse realmente dizer o que dissera, e a punira. Seus olhos estavam cheios de amor quando ele tirou um guardanapo molhado que envolvia a garrafa de champanhe e o colocou em seu mamilo. — Sinto muito, amor. Queria tanto você que fiquei louco.

— Tudo bem — disse ela, ainda se sentindo confusa e mais do que tonta. Ele a ajudou a se levantar, deixaram suas roupas no chão e entraram no quarto. Tudo o que ela queria era ir para a cama. Não tinha energia nem para tomar um banho. E sabia que, se tivesse se deixado, teria desmaiado.

Jack colocou-a na cama ainda mais gentilmente e ela sorriu para ele, enquanto o quarto girava, dando voltas suaves.

— Eu a amo, Maddy. — Ele a estava olhando e ela tentou se concentrar nele, mas o quarto estava girando muito rapidamente.

— Eu também te amo, Jack — disse ela, gaguejando, e um instante mais tarde estava adormecida, enquanto ele ficava de pé e a olhava. Ele apagou a luz e voltou para a sala, servindo-se de um copo de uísque. Ele o bebeu puro, enquanto olhava para a Place Vendôme, e parecia feliz consigo mesmo. A lição fora dada. Ela havia aprendido.

Capítulo 8

JACK LEVOU MADDY AO TAILLEVENT, ao Tour d'Argent, ao Chez Laurent e ao Lucas Carton para jantar. Jantavam fora elegantemente todas as noites e almoçavam na Rive Gauche, em pequenos bistrôs. Fizeram compras e foram a antiquários e galerias de arte. Ele comprou para ela um bracelete de esmeraldas na Cartier. Era como uma segunda lua-de-mel, e ela estava arrependida por ter ficado bêbada na primeira noite. Ela ainda tinha lembranças muito estranhas daquilo, algumas delas muito sensuais, outras com um tom sinistro, assustador e triste. Ela bebeu muito pouco depois daquilo. Não precisava. Com Jack lhe dando banhos de atenção e presentes, ela estava bêbada de romance. Ele fez tudo o que pôde para seduzi-la. E, na hora em que partiram para o Sul da França, ela já estava completamente sob o controle dele. Ele era um mestre naquele jogo.

Ficaram no Hôtel du Cap em Cap d'Antibes, numa fabulosa suíte com vista para o mar. Eles tinham um bangalô privado onde passavam os dias e que era isolado o suficiente para ele fazer amor com ela repetidas vezes. Ele estava mais amoroso e amável do que nunca. E às vezes, Maddy sentia sua cabeça girar. Era como se tudo o que ela sentira antes, a raiva, o horror, a traição, houvesse sido uma espécie de desilusão, e esta fosse a única realidade que ela conhecia. Eles ficaram lá por cinco dias e ela odiou ter que partir e ir para Londres. Eles haviam alugado um barco e ido a Saint-Tropez, feito compras em Cannes e jantado em Juan les Pins e, quando voltaram para o Hôtel du Cap à noite, ele a tirou para dançar. Era calmo, feliz e romântico. E ele nunca fizera amor com ela com tanta freqüência. Ela mal podia se sentar quando chegaram a Londres.

Londres tinha mais cara de negócios, mas ele ainda fez um esforço para ficar com ela. Levou-a para fazer compras e para jantar no Harry's Bar. Foram dançar no Annabel's, e ele comprou para ela uma pequena tiara de esmeraldas no Graff's, para combinar com o bracelete que comprara em Paris.

— Por que você está me estragando assim? — perguntou ela, sorrindo, enquanto saíam da Graff's na New Bond Street.

— Porque amo você e você é a minha apresentadora-estrela. — Ele sorriu para ela.

— Aha! Esses subornos são para você não me dar uma promoção? — Ela estava de bom humor, mas mesmo assim, embaixo daquilo tudo, estava confusa. Ele era tão amável e apesar disso antes da viagem havia sido muito cruel.

— Devem ser. Fui mandado aqui pelo contador para seduzi-la — disse ele, parecendo falsamente carrancudo, e ela sorriu com a resposta. Ela queria amá-lo e queria que ele a amasse.

— Você deve querer alguma coisa, Jack — ela provocou. E ele queria. Ele queria seu corpo dia e noite. Ela estava começando a se sentir uma máquina de sexo, e uma vez ou duas, enquanto faziam amor, ele a lembrara de que era "seu dono". Ela não gostava do termo, mas parecia que ele ficava ligado quando dizia isso a ela, então ela não dizia nada. Se significava tanto para ele, poderia deixá-lo dizer isso, embora sempre imaginasse se ele acreditava mesmo naquilo. Ele não era seu dono. Eles se amavam. E ele era seu marido. — Estou começando a me sentir como Lady Chatterley — disse ela, sorrindo, quando ele tirou suas roupas novamente na hora em que voltaram para o quarto do hotel. — Que espécie de vitaminas você está tomando? Talvez esteja tomando demais.

— Não há nada melhor que muito sexo, Mad. É bom para nós. Eu adoro fazer amor com você quando estamos de férias. — Mas ele também não deixava de fazer quando estavam em casa. Ele parecia ter um apetite insaciável por ela. E na maior parte das vezes ela gostava, exceto quando ele era bruto com ela ou passava dos limites, como fizera em Paris.

Mas ele fez aquilo novamente em sua última noite no Claridge's. Eles haviam ido dançar no Annabel's e, na hora em que voltaram para a suíte e fecharam a porta, ele a jogou contra a parede, baixou suas calças e quase a estuprou. Ela tentou fazê-lo esperar, ou ir para o banheiro com ela, mas ele a empurrou novamente contra a parede e não ia parar, e então a arrastou para o banheiro e a tomou no chão de mármore enquanto ela implorava a ele para parar. Ele a estava machucando novamente, mas estava tão excitado que não a escutou. E depois de tudo ele se desculpou e a colocou gentilmente debaixo de um banho de água quente.

— Não sei o que você faz comigo, Mad. É tudo sua culpa — disse ele, enquanto esfregava suas costas, e um momento mais tarde entrou no banho com ela. Ela olhou para ele com suspeita, preocupada se ele iria querê-la novamente, mas desta vez, quando ele começou a acariciá-la, tomou-a muito mais gentilmente. A vida com ele era um constante carrossel de prazer e dor, terror e paixão, infinita gentileza casada com algo terrivelmente brutal e cruel. Teria sido difícil explicar a qualquer pessoa, e ela ficaria embaraçada se precisasse fazê-lo. Ele às vezes a obrigava a fazer coisas que depois a faziam se sentir envergonhada. Mas ele assegurou que não havia nada de errado naquilo, eles eram casados e ele a amava. E quando ele a machucava, sempre dizia que ela o deixava muito louco e que era sua culpa. Era lisonjeiro, mas, apesar de tudo, às vezes era muito doloroso. E ela se sentia sempre confusa.

Quando por fim voaram de volta para casa, as duas semanas pareciam mais um mês inteiro de férias. Ela se sentia mais próxima dele do que estivera em muito tempo, e eles tinham feito algumas coisas engraçadas. Por duas semanas ele havia voltado toda a sua atenção para ela. Não saíra de seu lado por um minuto, mimara-a de todas as maneiras e fizera amor com ela tantas vezes que ela não conseguia mais lembrar o que haviam feito ou em que quantidade.

Na noite em que voltaram para a casa de Georgetown, Maddy sentiu como se tivesse estado numa lua-de-mel com ele, e Jack a beijou enquanto a seguia para a entrada do saguão. Ele carregou suas malas para cima, junto com a mala que ela comprara para guardar as novas coisas que comprara em Londres e Paris. Ela escutou as mensagens na secretária eletrônica enquanto Jack descia as escadas para pegar a correspondência, e Maddy ficou surpresa ao ouvir quatro mensagens de seu co-apresentador, Greg Morris. Ele parecia muito sério nos recados e ela olhou para seu relógio, mas era muito tarde para ligar para ele.

Não havia nada de interessante na correspondência e, depois de um aperitivo, ambos tomaram banho, foram para a cama e se levantaram cedo na manhã seguinte.

Eles conversaram no caminho para o trabalho, depois Maddy deixou Jack no saguão e subiu para seu escritório. Ela estava ansiosa para ver Greg e contar a ele sobre a viagem, e ficou surpresa por não vê-lo no escritório. Ela foi para sua sala, leu todas as suas mensagens e a correspondência e, como sempre, havia uma pilha de cartas de fãs. Às dez horas, como ainda não havia visto Greg, ficou preocupada. Foi até sua secretária e perguntou se Greg estava doente. Debbie olhou para ela e ficou visivelmente constrangida.

— Eu... bem... ele... acho que ninguém lhe contou — disse ela finalmente.

— Contou o quê? — perguntou Maddy, apavorada. — Aconteceu alguma coisa com ele? — Talvez ele tivesse sofrido um acidente e ninguém tivesse querido aborrecê-la enquanto estava fora.

— Ele saiu — disse ela, diretamente.

— Para onde? — Maddy não entendia o que ela estava dizendo.

— Ele não trabalha mais aqui, senhora Hunter. Achei que alguém tivesse contado a senhora. Seu novo co-apresentador começa na segunda-feira. Acho que entrará no ar sozinha. Greg saiu no dia seguinte ao que a senhora saiu de férias.

— Ele *o quê*? — Ela não podia acreditar no que estava ouvindo. — Ele teve alguma discussão com alguém e saiu do set?

— Não sei os detalhes — ela mentiu, mas não queria ser a pessoa que ia contar a ela. E não falou mais nada até que Maddy voasse para o escritório do produtor.

— Que diabos aconteceu com Greg? — perguntou, quando o produtor olhou para ela. Rafe Thompson era um homem alto e com ar cansado, que parecia ter o peso do mundo em seus ombros. E às vezes tinha.

— Ele foi embora — foi tudo o que ele respondeu.

— Eu sei isso. Para onde? E quando? E por quê? Quero respostas para essas perguntas — pediu, enquanto seus olhos se nublavam.

— Houve uma mudança no formato do programa. Ele não se encaixava. Acho que ele vai fazer esportes na NBC agora. Não sei os detalhes.

— Mentira. Isso foi o que Debbie me disse. Quem sabe os detalhes? — Mas ela já sabia a resposta e subiu para o escritório de Jack sem esperar nem mais um minuto. Entrou diretamente em seu escritório sem ser anunciada e olhou para ele por sobre a mesa. Ele havia acabado de desligar o telefone e sua mesa estava coberta de papéis, o preço a pagar por duas semanas de férias. — Você demitiu Greg? — perguntou sem preâmbulos, e ele olhou para ela por um longo momento.

— Nós tomamos uma decisão executiva — disse ele calmamente.

— O que isso significa e por que você não me contou quando estávamos na Europa? — ela se sentia como se tivesse sido enganada.

— Não queria aborrecê-la, Mad. Achei que você merecia férias de verdade.

— Eu tinha o direito de saber que você demitiu meu co-apresentador. — Aquilo explicava as quatro mensagens em sua secretária na noite anterior e o tom da voz de Greg. Ela se deu conta de que ele parecia aborrecido e não era sua imaginação. — Por que você o demitiu? Ele é excelente. E os seus índices de audiência também.

— Nós não achamos isso — disse Jack suavemente. — Ele não é tão bom como você, meu amor. Precisamos de alguém mais forte para contrabalançar com você.

— O que você quer dizer com "mais forte"? — Ela não entendia o que ele estava dizendo e estava aborrecida com a decisão e a forma com que ela havia sido tomada.

— Ele é muito delicado, muito efeminado, você o domina, e você é bem mais profissional do que ele. Sinto muito. Você precisa de alguém com um pouco mais de personalidade e muito mais experiência.

— Então quem você contratou? — perguntou ela, parecendo preocupada. Ainda estava aborrecida por causa de Greg, adorava trabalhar com ele e era seu melhor amigo.

— Brad Newbury. Não sei se você se lembra dele. Ele costumava dar notícias do Oriente Médio na CNN. Ele é maravilhoso. Acho que você vai adorar trabalhar com ele — disse Jack firmemente.

— Brad Newbury? — Maddy parecia estarrecida. — Ele não consegue fazer nem uma zona de guerra parecer interessante. De quem foi essa idéia?

— Foi uma decisão coletiva. Ele é um profissional e um repórter maduro. Achamos que é o perfeito contraponto para você.

Maddy odiava seu estilo e nunca havia gostado dele. E nas poucas vezes em que se encontraram ele fora arrogante e condescendente com ela.

— Ele é seco, estúpido e não tem nenhum charme no ar — disse ela, parecendo nervosa. — Pelo amor de Deus, ele vai botar todo mundo para dormir. Ele fez até mesmo o conflito no Oriente Médio parecer chato.

— Ele é um repórter muito experiente.

— E Greg também. Nossas audiências nunca estiveram tão altas.

— *Suas* audiências nunca estiveram tão altas, Mad. As dele estavam começando a cair. Não quis preocupar você, mas ele teria levado você para baixo com ele.

— Eu simplesmente não entendo — disse ela — e não sei por que você não me contou.

— Porque não queria aborrecê-la. Isso é trabalho, Maddy. Negócios. Temos que ficar de olho na bola aqui. — Mas ela ainda estava deprimida com tudo aquilo quando voltou para seu escritório e ligou para Greg.

— Não posso acreditar nisso, Greg. Ninguém me contou. Pensei que você estivesse doente ou algo assim quando não chegou para trabalhar às dez horas. Que diabos aconteceu depois que eu saí? Você brigou com alguém?

— Não que eu saiba — disse ele, ainda parecendo devastado. Ele adorava trabalhar com ela e ambos sabiam que o programa era um sucesso. Mas ele entendera melhor que ela o que acontecera. — Na manhã seguinte à que você partiu, Tom Helmsley — que era o produtor-executivo do programa — me chamou e me disse que estavam me mandando embora, me demitindo, mais exatamente. Ele disse que nós tínhamos ficado muito informais, muito próximos, e estávamos começando a parecer Abbott e Costello para os nossos superiores.

— De onde diabos veio isso? Quando foi a última vez que fizemos uma piada no programa?

— Não muito tempo atrás, mas acho que a palavra-chave aqui é *próximos*. Acho que alguém sente que somos muito amigos, muito próximos. Droga, Maddy, você é minha melhor amiga. Acho que tem alguém em sua vida que não gosta disso. — Ele não queria dizer as palavras, mas era como se as tivesse dito.

— Você quer dizer Jack? Greg, isso é loucura. — Ela não podia acreditar naquilo. Não havia razão para demiti-lo e Jack jamais teria colocado em risco a audiência do programa por razões pessoais. Mas Brad Newbury era certamente uma escolha estranha. Ela pensou se Greg queria dizer que Jack estava com ciúmes dele, mas ela não achava isso.

— Pode parecer loucura para você, Mad. Mas isso se chama isolamento. Você já pensou alguma vez nisso? Quantos amigos você tem? Quantas vezes ele deixa você sair com outra pessoa? Ele não tinha escolha comigo, nós trabalhávamos juntos. Mas cuidou disso, não é mesmo? Pense nisso.

— Por que ele iria querer me isolar? — Ela parecia confusa e Greg ponderou o quanto deveria dizer a ela. Ele tinha notado isso fazia tempo, mas obviamente ela não, e ele presumia que ela se recusava a pensar naquilo.

— Ele quer isolar você, Mad, porque ele quer controlar você. Ele dirige a sua vida, toma todas as decisões para você, ele nunca consulta você sobre o programa. Ele nem mesmo contou a você até a noite anterior que vocês iam para a Europa. Ele trata você como uma boneca, pelo amor de Deus. E quando ele não gosta do que você faz, diz que você veio do "pobre lixo branco" e que vai voltar para um *trailer* se ficar sem ele. Quantas vezes ele lhe disse que sem ele você não seria nada? Você sabe que espécie de papo furado é esse? Sem *você*, ele teria a menor audiência de noticiários em qualquer emissora. Se você deixasse a WBT, seria rapidamente chamada para qualquer emissora maior que você quisesse. Agora, o que isso tudo parece para você, Mad? Um marido amoroso ou algo bem mais familiar? — Ela jamais se permitira pensar naquilo tudo antes, mas, escutando-o, subitamente ficou apavorada. E se ele realmente quisesse isolá-la? E imediatamente lembrou-se de todas as vezes que ele lhe dissera que era "seu dono". Aquilo a fez estremecer.

— Parece um comportamento agressor, não? — disse ela, quase inaudivelmente.

— Agora há uma luz em você. Então, o que mais é novidade? — respondeu Greg. — Você está me dizendo que isso nunca soou familiar para você? A única coisa que ele não faz é chutar você nos sábados à noite, mas ele não precisa fazer isso, ele controla você de todas as outras maneiras. E quando você se comporta mal e ele não gosta do que você faz, ele a leva para a Europa, a tira do ar por duas semanas e me demite. Eu diria que você está casada com um monstro controlador. — Ele não quis dizer "agressor", mas aquilo significava a mesma coisa.

— Talvez, Greg — disse ela, despedaçada entre defender Jack e concordar com seu co-apresentador. Ele não pintara um quadro bonito, e ela não discordava dele. Apenas não sabia o que fazer.

— Sinto muito, Mad — disse ele suavemente. Ela significava muito para ele e durante muito tempo tempo odiara as coisas que Jack fazia com ela. E o que partia seu coração era que Maddy parecia não perceber. Mas Greg percebia. E tinha certeza de que aquilo era parte do motivo pelo qual havia sido despedido. Era muito perigoso deixá-lo ficar perto de Maddy. — O que ele está fazendo com você é abuso.

— Parece que sim — admitiu ela, tristemente. — Mas não tenho certeza. Talvez estejamos reagindo de forma exagerada, Greg. Ele não me bate — ela sabia que aquilo não era tudo, só que simplesmente não queria ver ou escutar. Mas era difícil evitar.

— Você acha que ele a respeita?

— Acho que ele me ama — respondeu imediatamente, ainda mais depois de sua recente viagem à Europa. — Acho que ele quer o que é melhor para mim, mesmo se não estiver sempre certo na maneira como faz isso.

Greg discordava dela e tudo o que ele queria era que ela pensasse e olhasse mais de perto a vida que levava com Jack.

— Acho que mesmo os homens que abusam das mulheres as amam. Você acha que Bobby Joe a amava?

— Não, não acho. — Ela não podia acreditar que Greg estava comparando Jack a ele. Era um pensamento apavorante e ela não queria escutar aquilo. Uma coisa era achar que Jack tinha comportamento abusivo, e outra escutar Greg dizer isso a ela. Aquilo tornava o terror do abuso muito real para ela novamente.

— Bem, talvez Bobby Joe não a amasse. Mas pense sobre algumas das coisas que Jack faz com você. Ele a movimenta como se fosse uma coisa, um objeto que ele comprou e pelo qual pagou. O quanto ele adora dizer que sem ele você não seria nada? E ele quer que você acredite nisso. — Pior ainda, ela acreditava. E Greg sabia. — Maddy, ele quer que você pense que ele é seu dono. — Quando ele disse isso, ela sentiu um calafrio percorrer sua espinha. Aquelas haviam sido exatamente as palavras que Jack dissera na Europa.

— Por que você está dizendo isso?

— Porque ele não está me agredindo e nem é meu dono. Maddy, eu quero que você faça algo para mim. — Ela achou que ele ia pedir a ela para falar com Jack para ter seu emprego de volta, e ela gostaria de fazer aquilo, embora achasse que Jack não a escutaria.

— Farei qualquer coisa que você quiser — prometeu.

— Vou lembrá-la disso. Quero que você vá a um grupo de mulheres agredidas.

— Que besteira. Não preciso disso — ela ficou surpresa com a sugestão.

— Quero que você decida depois de ir até lá. Acho que você não faz idéia do que está acontecendo com você ou de quem está fazendo isso. Quero que você me prometa que vai procurar um grupo. Vou encontrar um para você. — Era exatamente o que ela tentara fazer por Janet McCutchins, mas Janet estava coberta de marcas e Maddy, não. — Acho que isso vai abrir os seus olhos, Mad. Eu posso até ir com você.

— Está bem... talvez... se você encontrar algum. E se alguém me reconhecer?

— Você pode dizer que foi para me dar apoio. Maddy, minha irmã passou por isso. Ela tentou o suicídio duas vezes antes de se dar conta do que estava acontecendo. Eu também fui com ela. Era como uma reprise do filme *À meia-luz,* e ela tinha quatro filhos.

— O que aconteceu a ela?

— Ela se divorciou e está casada com alguém muito bacana agora, mas precisou de três anos de terapia para chegar lá. Ela pensava que, só porque ele não batia nela como meu pai fazia com minha mãe, ele era um herói. Nem todas as formas de violência deixam marcas. — Ela sabia disso, mas parte dela ainda queria acreditar que o que Jack fazia era diferente. Ela não queria se sentir uma vítima ou acreditar que Jack tinha comportamento abusivo.

— Acho que você está louco, mas eu te adoro. O que você vai fazer agora, Greg? — Ela estava preocupada com ele e tentava não pensar no que ele dissera a respeito de Jack. Era ameaçador demais para ela. Ela já havia começado a tentar se convencer de que Jack não tinha um comportamento abusivo de verdade. Greg estava aborrecido e confuso, ela disse a si mesma.

— Vou cobrir esportes na NBC. Eles me fizeram uma ótima oferta e começo em duas semanas. Você já sabe quem eles vão colocar para trabalhar com você?

— Brad Newbury — disse ela, parecendo deprimida com aquilo. Ela ia sentir mais a falta de Greg do que podia dizer a ele. E talvez fosse melhor ir a um grupo de mulheres agredidas com ele, apenas para poder vê-lo. Tinha certeza de que Jack não iria deixá-la se encontrar com ele socialmente. Ele encontraria uma maneira de tirar Greg de sua vida completamente, "para seu próprio bem", e tornar impossível para ela vê-lo. Ela conhecia bem seu marido.

— O cara da CNN? — Greg perguntou com descrédito quando ela mencionou o nome de Brad. — Você deve estar brincando. Ele é horrível.

— Acho que nossa audiência vai por água abaixo sem você.

— Não, não vai. Eles têm você. Vai ficar tudo bem, garota. Apenas pense no que eu disse. Isso é tudo o que quero que você faça. Pense nisso. — Fazer o noticiário com Brad era o menor de seus problemas.

— Vou pensar — disse ela, mas sem muita convicção. E durante o resto da manhã, sempre que pensava em Greg se sentia ansiosa. As coisas que ele dissera haviam tocado um nervo em algum lugar, e ela estava fazendo tudo o que podia para negar isso. Quando Jack dizia que era seu "dono", tudo o que ele queria dizer era que a amava com paixão. Mas, agora que pensava sobre isso, até mesmo o sexo entre eles tinha uma qualidade estranha, especialmente nos últimos tempos. Ele a havia machucado mais de uma vez e em Paris o fizera com muita força. Levara uma semana para seu mamilo cicatrizar e, quando fez amor com ela no chão de mármore do Claridge's, machucara suas costas e ela ainda sentia dor. Mas aquilo não fora intencional, ele era apenas insaciável e muito sexualizado, e a desejava. E não gostava de fazer planos. Era comportamento abusivo levá-la a Paris para ficar no Ritz, mesmo sem qualquer aviso? E ele comprara para ela um bracelete na Cartier e um anel na Graff's. Greg estava louco e provavelmente chateado por ter sido demitido, o que era compreensível. E a coisa mais louca de todas era comparar Jack a Bobby Joe. Eles não tinham absolutamente nada em comum, e Jack a salvara dele. Mas a única coisa que ela não podia compreender era por que se sentia mal sempre que pensava nas coisas que Greg dissera a ela. Ele a tinha deixado incrivelmente nervosa. Mas só pensar em agressão já fazia aquilo com ela.

Ela ainda estava assustada com as palavras de Greg quando foi para a comissão da primeira-dama na segunda-feira e se sentou perto de Bill Alexander. Ele estava bronzeado e disse que, desde seu último encontro, visitara novamente seu filho em Vermont e sua filha em Martha's Vineyard, durante o fim de semana.

— Como está indo o livro? — ela sussurrou quando a reunião começou.

— Devagar, mas bem — ele sorriu para ela, admirando-a, como todos o faziam. Ela estava usando uma camiseta masculina de algodão azul e calças de linho brancas, e parecia fresca e bela.

A primeira-dama convidara uma palestrante para falar sobre comportamento abusivo. Seu nome era Eugenia Flowers. Ela era psiquiatra, especializada em vítimas de abuso, e apoiava a causa de numerosas mulheres. Maddy ouvira falar dela, mas nunca a conhecera. A dra. Flowers percorreu o aposento com o olhar, falando com cada um deles de onde estava sentada. Era elegante, calorosa e parecia uma vovó, mas seus olhos eram penetrantes e ela parecia saber exatamente o que dizer a cada um. Fez perguntas a todos sobre o que pensavam que era o comportamento abusivo, e a maior parte disse quase a mesma coisa, que significava bater ou machucar ou espancar a vítima.

— Bem, isso é verdade — ela concordou amavelmente —, estes são os comportamentos óbvios. — E então ela listou muitos outros, alguns deles tão pervertidos e obscuros que fez todos se encolherem ao pensarem naquilo. — Mas e as outras formas? O que vocês acham que pode ser? Agressores usam muitos disfarces. O que vocês acham de controlar uma pessoa, todos os seus atos e movimentos, todos os seus pensamentos? Destruir sua confiança, isolá-la, assustá-la? Talvez apenas dirigir muito rápido numa situação perigosa até que a aterrorize? Ou ameaçá-la? Desrespeitá-la? Fazer alguém acreditar que branco é preto e preto é branco, até que se confunda completamente, ou tirar dinheiro dela, ou dizer a ela que não seria nada sem ele, que ele é seu "dono"? Tirar sua vontade própria ou forçá-la a fazer escolhas reprodutivas que não quer ou a ter bebês um atrás do outro, ou a fazer abortos constantes, ou talvez não permitir que tenha filhos? Algum desses comportamentos soa como abusivo para vocês? Bem, eles são. São formas clássicas, na verdade, e são tão dolorosas, tão perigosas, tão letais como aquele tipo que deixa marcas. — Maddy achou que não ia conseguir respirar quando escutou aquilo. Ela ficou mortalmente pálida e Bill Alexander notou, mas não disse nada.

"Há muitos tipos de violência contra as mulheres — continuou a palestrante —, algumas delas óbvias, todas elas perigosas, algumas mais traiçoeiras do que outras. As mais traiçoeiras são as mais sutis, porque as vítimas não apenas acreditam nelas, mas se culpam por elas. Se o agressor é esperto o suficiente, pode usar todas elas, e convencer sua vítima de que foi tudo culpa sua. Uma vítima de abuso pode ser levada ao suicídio, ao uso de drogas, à depressão ou mesmo ao assassinato. Abuso de qualquer tipo, em qualquer época, é potencialmente fatal para a vítima. Mas as formas sutis são as mais difíceis de combater, porque é difícil enxergá-las. E, pior de tudo, a vítima está a maior parte do tempo tão convencida de que é tudo culpa sua que sempre procura mais e ajuda o agressor, porque sente que deve isso a ele, e se sente tão culpada, tão má e tão sem valor que acha que sabe que ele está certo e que ela merece aquilo. Ela acredita que não seria nada sem ele. — Maddy achou que ia desmaiar enquanto escutava. A mulher estava descrevendo seu casamento com Jack em detalhes. Ele nunca encostara a mão nela, exceto quando sacudira seu braço, mas tinha feito tudo o que a mulher havia descrito e Maddy queria sair dali correndo e gritando. Ao invés disso, ela se sentia paralisada na cadeira.

A mulher continuou por meia hora e então a primeira-dama abriu a sessão de perguntas. Muitas delas eram sobre o que podia ser feito para proteger essas mulheres não apenas dos agressores, mas delas mesmas, e como fazer com que aquilo parasse.

— Bem, primeiro elas têm de reconhecer isso. Elas têm de querer. Mas, assim como as crianças agredidas, muitas dessas mulheres protegem seus agressores, negando tudo e culpando a si mesmas. É muito doloroso, na maior parte das vezes, admitir o que está acontecendo com elas e dizer isso ao mundo. O que elas sentem é vergonha, porque acreditam em tudo o que foi dito pelo agressor. Então, primeiro vocês têm de ajudá-las a enxergar isso e depois ajudá-las a querer sair da situação de abuso, e isso nem sempre é fácil. Elas têm vidas, têm filhos, têm casas. Você está pedindo a elas que arranquem as raízes e saiam correndo de um perigo que elas não podem ver e que nem mesmo estão certas de que seja um perigo real. O problema é que é tão real e tão perigoso como uma arma apontada para elas, mas muitas não sabem disso. Algumas sabem, mas a maior parte das vezes estão tão apavoradas quanto as outras. E estou falando sobre mulheres inteligentes, educadas, às vezes até excelentes profissionais, que vocês podem pensar que deveriam saber o que está acontecendo. Mas ninguém está isento de ser uma vítima de abuso. Pode acontecer com qualquer um e acontece nos melhores empregos, nas melhores escolas, com rendas altas ou baixas. Às vezes acontece com mulheres bonitas e inteligentes que ninguém pode acreditar que se deixariam entrar nisso. Às vezes elas são os alvos mais fáceis. Mulheres mais vividas têm menos capacidade de cair na conversa fiada. Estas normalmente são expulsas de casa. As outras são torturadas mais sutilmente. A agressão não conhece cor, não conhece raça, não conhece vizinhança ou leis socioeconômicas. Atinge todo mundo. Pode acontecer a qualquer um de nós, particularmente se tivermos um passado que nos predispõe a isso.

"Por exemplo, uma mulher que viu violência doméstica em casa quando criança, quer dizer, que tenha tido um pai fisicamente agressivo, pode pensar que um homem que nunca bate nela fisicamente é um grande cara, mas ele pode ser dez vezes mais abusivo do que seu pai, mais sutil e bem mais perigoso. Ele pode controlá-la, isolá-la, ameaçá-la, aterrorizá-la, insultá-la, depreciá-la, desrespeitá-la, não deixá-la ter afeto ou dinheiro. Abandoná-la ou ameaçar tirar seus filhos. Mas ela não terá nenhuma marca e ele dirá que é uma mulher de sorte e, o que é pior, ela acreditará. E nunca será possível colocá-lo na cadeia, porque quando você confronta o canalha pelo que fez a ela, ele vai dizer que ela é maluca, burra, desonesta, psicótica e está mentindo sobre ele. E, pior ainda, ela provavelmente acredita nisso. Essas mulheres têm de ser cuidadosamente puxadas para fora desses relacionamentos e retiradas da ponta do despenhadeiro para um local seguro. Mas elas vão lutar contra você durante todo o caminho, defender o homem até a morte e seus olhos vão se abrir muito devagar.

Maddy achou que ia começar a chorar antes mesmo que a reunião terminasse, e tentou ao máximo manter-se exteriormente calma até que fosse hora de partir. Seus joelhos estavam tremendo quando ela finalmente ficou de pé. Bill Alexander olhou para ela e imaginou se estaria sofrendo com o calor. Ele a vira ficar pálida meia hora antes e ela estava quase verde na hora em que terminou.

— Você gostaria de um copo d'água? — perguntou gentilmente. — Foi um encontro interessante, não? Embora eu não saiba direito o que devemos fazer para ajudar as mulheres nesse tipo de situação, exceto talvez educá-las e apoiá-las. — Maddy sentou-se novamente e assentiu. O aposento estava começando a girar enquanto ela escutava o que ele dizia e felizmente ninguém mais notara que ela estava se sentindo mal quando ele foi buscar um copo de água para ela.

Ela ainda estava sentada ali, esperando por ele, quando a palestrante convidada veio falar com ela.

— Sou uma grande admiradora sua, senhora Hunter — disse ela sorrindo para Maddy, que foi incapaz de se levantar, e sorriu fracamente para ela. — Assisto ao seu jornal todas as noites. É meu único meio de saber o que está acontecendo no mundo. Gostei particularmente de seu editorial sobre Janet McCutchins.

— Obrigada — disse Maddy com os lábios secos, ao mesmo tempo que Bill aparecia com um copo de papel cheio de água. Ele não pôde deixar de imaginar se ela estava grávida. A palestrante observou-a tomar um gole e seus olhos pareciam bons e calorosos enquanto observava Maddy com atenção. Maddy ficou de pé quando terminou e não quis admitir para ninguém o quanto suas pernas estavam bambas. Ela estava começando a pensar em como ia andar até lá fora para pegar um táxi, e Bill pareceu sentir sua agonia.

— Você quer uma carona para algum lugar? — perguntou com cavalheirismo, e Maddy, sem pensar, concordou.

— Tenho que voltar para o escritório. — Ela não tinha nem certeza se poderia entrar no ar e por um momento imaginou se havia sido algo que comera. Mas no fundo ela sabia que não. Era alguém com quem ela tinha se casado.

— Gostaria de encontrá-la algum dia — disse a dra. Flowers quando Maddy se despediu dela e da primeira-dama. Ela deu um cartão a

Maddy, que agradeceu e saiu, enfiando o cartão no bolso de sua blusa. Junto com o que Greg dissera, ela tinha tido uma dose dupla daquilo, e não tinha certeza se era um pesadelo ou realidade. Mas, o que quer que fosse, a atropelara como um trem de carga. E ela parecia arrasada quando desceu no elevador com Bill. Ele havia estacionado seu carro do lado de fora e ela o seguiu em silêncio.

Ele abriu a porta para ela e Maddy entrou. No minuto seguinte ele manobrou suavemente e olhou para ela, preocupado. Ela parecia horrível.

— Você está bem? Achei que você fosse desmaiar lá. — Ela assentiu e não disse nada por um instante. Ficou pensando em mentir para ele e dizer que estava gripada, mas subitamente não conseguia. Ela se sentia totalmente perdida e absolutamente sozinha, como se tudo em que ela havia acreditado como verdade absoluta tivesse sido arrancado dela, e se sentia órfã. Ela nunca se sentira tão aterrorizada ou tão vulnerável como naquele momento. Lágrimas começaram a escorrer pelo seu rosto enquanto ele gentilmente estendia a mão e tocava seu ombro. E, sem querer, ela começou a soluçar, e não conseguia parar.

— É muito chato ouvir essas coisas — disse ele com delicadeza e instintivamente colocou seu braço em torno dela e a abraçou. Ele não sabia o que fazer, mas era aquilo que as pessoas tinham feito por ele quando ele estava perturbado com sua esposa, e o que teria feito por seus filhos na mesma situação. Não havia nada sensual ou não apropriado no que fazia. Ele apenas a abraçou enquanto ela chorava, até que seus soluços finalmente diminuíram e ela olhou para ele. O que ele viu nos olhos dela era puro terror. — Estou aqui, Maddy. Nada de ruim vai acontecer com você. Você está bem agora. — Mas ela sacudiu a cabeça e começou a chorar novamente. Nada estava bem, nada estivera bem durante anos e talvez nunca estivesse. Ela subitamente se deu conta do quanto estivera em perigo, do quanto humilhada e o quanto isolada de qualquer um que pudesse ver aquilo ou pudesse tê-la ajudado. Sistematicamente, Jack havia eliminado todos os seus amigos, até Greg, e ela era sua presa solitária e desprotegida. Subitamente tudo o que ele havia feito e dito para ela ao longo dos anos, inclusive recentemente, tomou um significado novo e intensamente ameaçador. — O que posso fazer para ajudá-la? — Bill perguntou enquanto ela se agarrava a ele e chorava, como nunca fora capaz de fazer com qualquer homem em sua vida, começando por seu pai.

— Meu marido faz todas aquelas coisas que aquela mulher falou hoje. Alguém disse exatamente a mesma coisa para mim alguns dias atrás e eu nunca havia percebido. Mas quando ela começou a falar sobre isso, eu soube... ele me isolou completamente e abusou de mim nos últimos sete anos, e eu achei que ele era um herói porque não me batia. — Ela se encostou no banco e encarou Bill com choque e incredulidade, e ele pareceu desesperadamente preocupado com ela.

— Você tem certeza?

— Absoluta. — Ele havia até mesmo abusado dela sexualmente, ela se dava conta agora. Ele não foi violento por acidente ou porque era apaixonado demais por ela. Aquilo era outra maneira de humilhá-la e controlá-la. Era uma maneira aparentemente aceitável de machucá-la, e ele o fizera durante anos. Era incrível para ela agora que jamais tivesse entendido aquilo. — Não posso começar a contar a você as coisas que ele tem feito comigo. Acho que ela não deixou de falar nenhuma delas. — Seus lábios tremeram quando ela olhou para Bill. — O que vou fazer agora? Ele diz que não sou nada sem ele. Ele às vezes me chama de "pobre lixo branco" e diz que sem ele vou acabar voltando para um *trailer*. — Era exatamente o que Eugenia Flowers havia acabado de descrever para eles, e Bill olhou para ela totalmente espantado.

— Ele está brincando? Você é o maior nome do jornalismo em todo o país. Você poderia conseguir um emprego em qualquer lugar. A única maneira de você ir para um *trailer* novamente é se quiser comprar um. — Ela sorriu com a observação e ficou olhando pela janela por um longo momento. Era como se sua casa houvesse acabado de se incendiar e ela não tivesse idéia de onde ia viver. Ela nem mesmo podia pensar em ir para casa, para Jack, e encará-lo, agora que tinha um claro retrato do que ele fizera a ela. Mas ainda era difícil acreditar. Silenciosamente ela disse a si mesma que talvez ele não quisesse, que talvez ela estivesse errada.

— Não sei o que fazer — disse ela baixinho — ou o que dizer a ele. Apenas gostaria de perguntar por que ele age dessa maneira.

— Talvez ele não saiba fazer nada diferente — disse Bill, com justiça —, mas isso não é desculpa para agredi-la. O que posso fazer para ajudar? — Ele queria, mas estava tão perdido quanto ela.

— Tenho que pensar no que vou fazer — disse ela, pensativa, enquanto ele virava a chave na ignição e se voltava para ela novamente.

— Você gostaria de parar para tomar um café? — Era tudo em que ele podia pensar para tentar acalmá-la.

— Eu gostaria. — Ele fora um verdadeiro amigo e ela estava grata por isso. Ela podia sentir seu calor e sua sinceridade, e se sentia a salvo sentada assim próxima a ele. Ela se sentira em paz e segura quando ele colocara seus braços em torno dela. Ela sabia instintivamente que aquele era um homem que jamais a machucaria. E, quando pensou em Jack, entendeu a diferença. Havia sempre um ângulo nele, uma faceta, ele sempre dizia coisas que a colocavam para baixo e a faziam sentir como se fosse menos do que ele e ele estivesse fazendo um grande favor a ela. Bill Alexander agia como se estivesse grato por ter a oportunidade de ajudá-la, e ela sentia, corretamente, que poderia ser honesta com ele.

Eles pararam num pequeno café e ela ainda parecia pálida quando se sentaram numa mesa de canto. Bill pediu chá e ela pediu um *cappuccino*.

— Sinto muito — disse ela, desculpando-se —, não queria envolvê-lo em meus dramas pessoais. Não sei o que aconteceu. O que ela disse acabou comigo.

— Talvez tivesse que acontecer. O destino fez com que ela fosse lá. Maddy, o que você vai fazer agora? Você não pode continuar a viver com um homem que abusa de você. Você ouviu o que ela disse, é como ter uma arma em sua cabeça. Você pode não ver claramente ainda, mas está correndo perigo.

— Acho que estou começando a entender isso. Mas não posso simplesmente deixá-lo.

— Por que não? — para ele, parecia simples. Ela tinha de deixá-lo de maneira que Jack não a pudesse machucar mais tarde. Aquilo estava claro para ele, se não estava para Maddy.

— Eu devo a ele tudo o que sou e tenho. Ele me fez ser o que sou. Eu trabalho para ele. E depois, para onde eu iria? O que eu faria? Se eu o deixar, tenho que deixar meu emprego também. Não saberia onde ir ou o que fazer. Além do mais — disse ela enquanto as lágrimas enchiam seus olhos —, ele me ama.

— Não estou tão certo disso quanto você — disse Bill firmemente. — Não é amor tratar alguém da maneira que a dra. Flowers descreveu. Você realmente acha que ele a ama?

— Não sei — disse ela, arrasada por emoções conflitantes de terror e remorso. Ela se sentia culpada pelo que estava pensando e dizendo sobre ele. E se ela estivesse errada? E se no caso de Jack fosse diferente?

— Acho que você está com medo e está negando novamente. E você, Maddy, você o ama?

— Achei que amasse. Meu último marido quebrou meus dois braços e minha perna uma vez. Ele me torturava e me empurrou escada abaixo. Ele colocou um cigarro aceso nas minhas costas uma vez. — Ela ainda tinha a cicatriz, embora mal se pudesse vê-la. — E Jack me salvou dele. Ele me levou para Washington numa limusine e me deu um emprego, uma vida. Ele se casou comigo. Como posso deixá-lo?

— Porque ele não é um cara legal, pelo que você falou. É apenas mais sutil e menos óbvio do que seu primeiro marido, mas você ouviu a dra. Flowers. É tão letal quanto o outro. E ele não estava lhe fazendo um favor quando se casou com você. Você é a melhor coisa que aconteceu a ele e um prêmio que ele ganhou para a empresa. Ele não é um filantropo, é um homem de negócios e sabe exatamente o que está fazendo. Você ouviu a doutora. Ele está controlando você.

— E se eu partir?

— Ele pode substituir você no jornal por alguém e continuar torturando outra pessoa. Você não pode curá-lo, Maddy. Você tem de se salvar. Se ele quiser mudar, ele pode se tratar. Mas primeiro você tem que sair fora, antes que ele encontre outro meio de machucá-la ou que você fique tão desmoralizada que não consiga sair. Agora você viu. Sabe o que está acontecendo. Você tem de se salvar e não pensar em mais ninguém. Você está arriscando sua vida e seu bem-estar. Pode não ter cicatrizes desta vez, mas se ele está fazendo tudo o que você diz, você não pode se permitir perder um minuto. Saia de perto dele.

— Ele vai me matar se eu o deixar. — A última vez que ela dissera aquilo fora nove anos antes, mas subitamente soube que era tão verdade quanto agora. Jack tinha investido muito nela e não ia reagir com doçura a sua partida ou seu desaparecimento.

— Você tem de ir para algum lugar seguro. Você tem família?

Ela sacudiu a cabeça. Seus pais haviam morrido anos atrás e ela perdera contato com seus parentes em Chattanooga. Ela podia ficar com Greg, mas era provavelmente o primeiro lugar onde Jack a procuraria. Aí ele culparia Greg por sua partida e ela não queria colocá-lo em perigo. Não tinha outros amigos de verdade. Jack cuidara disso. E parecia ridículo alguém tão conhecido como ela ficar numa casa de segurança. Mas talvez ela tivesse de fazer isso. — E se você ficar com minha filha e sua família em Vineyard? Ela tem mais ou menos a sua idade e há um quarto para você lá. E ela tem crianças adoráveis. — Ouvir aquilo fez Maddy pensar sobre o que Jack fizera, e Bobby Joe antes dele. Ela fizera seis abortos enquanto estava casada com Bobby Joe, os dois primeiros porque ele dissera que não estava preparado para ter filhos, e os outros porque ela não queria ter filhos dele, ou dar à luz uma criança que gerara com ele. E Jack insistira para que ela ligasse suas trompas quando se casaram. Os dois cuidaram para que ela jamais tivesse filhos. Ambos a haviam convencido de que era a melhor coisa para ela, e ela acreditara neles. Não apenas se sentia subitamente devastada, mas incrivelmente burra por tê-los escutado. Ambos a haviam privado da oportunidade de ter filhos.

— Não sei o que pensar, Bill, ou para onde ir. Preciso de algum tempo para pensar sobre isso.

— Talvez você não possa se permitir isso — disse ele, pensando em tudo o que a dra. Flowers dissera. Se ela estava certa, Maddy precisava agir rapidamente. Não havia sentido em esperar mais. — Não acho que você deva gastar muito tempo tomando essa decisão. Se ele procurar ajuda, se as coisas mudarem, se você conseguir fazer isso, sempre pode voltar mais tarde.

— E se ele não deixar?

— Então significa que ele não mudou e você não o quer. — Era exatamente o que ele diria para sua filha. Queria fazer o que fosse possível para protegê-la e ajudá-la, e ela estava grata por aquilo. — Quero que você pense um pouco sobre isso e aja rápido. Ele também pode se dar conta de que as coisas mudaram e você está prevenida. Se ele sentir isso, pode achar que está em perigo e tornar as coisas piores para você. Esta não é uma boa situação para você estar. — Nenhuma delas era, e ela sabia daquilo. E quando olhou para seu relógio, deu-se conta de que tinha de estar na sala de maquiagem em dez minutos, e se desculpou com Bill, dizendo que tinha de voltar ao trabalho.

Eles saíram poucos minutos depois e ele a levou de carro para o escritório. Mas, antes de deixá-la, virou-se para ela com uma expressão preocupada:

— Vou ficar doente de preocupação por você até que faça alguma coisa. Prometa-me que não vai tentar ignorar isso. Você acordou e agora tem de fazer algo construtivo com isso.

— Prometo — disse ela, sorrindo para ele, mas ainda não tinha idéia do que fazer.

— Vou ligar para você amanhã — disse ele com firmeza — e quero ouvir algum progresso. Ou eu mesmo vou seqüestrá-la e levá-la para minha filha.

— Isso parece bom. Como posso agradecer? — disse ela, sentindo-se realmente muito grata. Ele fora como um pai para ela, e agora era como se fossem amigos. Ela acreditava nele totalmente e nunca pensou por um momento que ele pudesse divulgar o que confidenciara a ele. Mas ele assegurou isso a ela antes que ela partisse.

— A única maneira que você tem de me agradecer, Maddy, é fazer alguma coisa. Estou contando com você. E estou sempre aqui, se precisar. — Ele rabiscou seu número num pedaço de papel e ela enfiou-o em sua bolsa, agradeceu novamente, beijou-o no rosto e correu preocupada para o prédio. Seria seu primeiro dia no ar com Brad Newbury e ela tinha de se trocar, fazer o cabelo e se maquiar. E, assim que ela saiu do carro, Bill ficou observando-a, apavorado com tudo o que ela havia dito. Era difícil imaginar que uma mulher como ela poderia ser ameaçada por alguém, ou acreditar que ficaria sem amigos, sem trabalho e abandonada num *trailer* se deixasse seu marido. Aquilo estava muito distante da verdade, mas apenas Maddy não sabia. Ela provava tudo o que Eugenia Flowers dissera sobre abuso psicológico, e aquilo o preocupava. E, enquanto ele saía com o carro, Maddy estava a caminho da maquiagem.

Ela encontrou Brad Newbury lá e olhou para ele enquanto penteavam seus cabelos e faziam sua maquiagem. Ele parecia incrivelmente pomposo e ela ainda não podia acreditar que Jack o contratara para trabalhar com ela. Mas fez um esforço para ser agradável enquanto conversavam e ele a observava fazendo o cabelo. Ele tinha dito que estava satisfeito por trabalhar com ela, mas agia como se estivesse fazendo um grande favor. E ela disse polidamente que estava aguardando ansiosamente por aquela oportunidade. Mas aquilo apenas a fez sentir ainda mais falta de Greg. Ela ficou pensando nele e depois em Bill Alexander quando voltou ao escritório para colocar seu vestido. Ela não tinha idéia do que ia fazer a respeito de Jack agora. Mas não tinha tempo de pensar. Estaria entrando no ar em menos de três minutos. E sentou-se à mesa na hora certa. Ela teve tempo apenas de tomar fôlego antes que começassem a contagem regressiva.

Assim que entraram no ar, ela apresentou Brad e eles começaram o jornal. Ele tinha um estilo técnico e seco e, enquanto trabalhavam, ela teve de reconhecer que ele era inteligente e culto, mas seu estilo era tão diferente do dela que pareciam totalmente fora de sincronia, contrastando um com o outro. Ela era calorosa, pessoal e tinha os pés no chão, enquanto ele era pouco amigável e distante. Não havia nenhum resquício da harmonia e da facilidade que ela tivera para lidar com Greg. Ela não pôde deixar de imaginar o que a audiência diria.

Saíram do ar e conversaram por um tempo até que entrassem no ar novamente. Desta vez foi um pouco melhor, mas não o suficiente para impressionar ninguém. A transmissão pareceu sem sabor e o produtor estava carrancudo quando ela saiu do *set*. Ela recebeu um recado de Jack dizendo que teria reuniões até tarde naquela noite e ia deixar o carro para ela. Mas por fim ela decidiu andar alguns quarteirões e depois pegar um táxi. Era uma noite quente e ainda estava claro lá fora, mas ela teve a sensação engraçada de que alguém a estava observando e decidiu que estava paranóica. Fora um dia tão aborrecido que sua imaginação estava correndo solta. E talvez a respeito de Jack também. Ela estava começando a questionar a conclusão a que chegara e se sentia desleal com ele tendo dito o que dissera a Bill. Talvez Jack não fosse nenhuma das coisas de que ela o acusava. Havia muitas explicações para seu comportamento.

Quando ela saiu do táxi, viu dois policiais próximos a sua casa e um carro sem placa na rua, e imaginou o que teria acontecido. No caminho para a casa, ela parou e perguntou a eles o que estavam fazendo.

— Apenas dando uma olhada na vizinhança — eles sorriram e ela entrou. Mas duas horas mais tarde ela viu que ainda estavam lá e mencionou isso a Jack quando ele chegou, à meia-noite.

— Eu também os vi. Aparentemente um dos vizinhos está tendo algum problema de segurança. Eles disseram que ficariam lá por um tempo e pediram para não nos preocuparmos. Talvez o juiz da Suprema Corte que mora nesta rua esteja sofrendo alguma ameaça de morte. De qualquer maneira, isso torna a vizinhança ainda mais segura para nós. — Mas então ele a censurou por não pegar o motorista e por usar um táxi. Ele disse a ela que queria que ela usasse seu carro e o motorista sempre que saísse.

— Não foi nada. Eu queria andar — disse ela, mas subitamente se sentiu estranha com ele. Se ele era tudo o que ela pensava, nem sabia o que dizer a ele. E se sentiu culpada novamente. Ele tinha sido tão delicado sobre o carro.

— Como foi hoje à noite com Brad? — perguntou ele quando veio para a cama. E subitamente ela estremeceu, imaginando se ele ia fazer amor com ela. Tudo o que ela sabia era que não queria fazer.

— Muito solto, eu achei. — Ela respondeu sobre seu novo co-apresentador. — Ele é bom, mas não muito bom de se assistir. Eu assisti ao *tape* do jornal das cinco, e não há vida no programa.

— Então trate de colocar alguma — disse ele asperamente, jogando a responsabilidade em seus ombros. E ela se viu olhando para ele como se fosse um completo estranho. Ela nem mesmo sabia o que dizer ou o que era verdade agora. Ele tinha um comportamento abusivo com ela ou apenas gostava de ter o controle das coisas, de controlar sua vida porque se preocupava com ela? O que exatamente ele havia feito de tão ruim? Dar a ela uma carreira fabulosa, uma casa adorável, carro e motorista para ir ao trabalho, belas roupas, jóias maravilhosas, viagens à Europa e um avião a jato que ela podia usar para fazer compras em Nova York sempre que quisesse? Ela estava louca ou então por que tinha imaginado que ele era tão agressivo? Ela estava dizendo a si mesma que havia imaginado tudo aquilo e que fora desleal de sua parte até mesmo pensar sobre aquilo quando ele desligou a luz e se virou vagarosamente para ela com uma expressão estranha. Ele estava sorrindo, estendeu a mão gentilmente, tocou seu seio e então, antes que ela pudesse fazê-lo parar, a agarrou tão fortemente que a fez engasgar, e ela implorou que parasse.

— Por quê? — perguntou, parecendo cruel, e então sorriu para ela. — Por que, neném? Diga-me por quê. Você não me ama?

— Eu te amo, mas você está me machucando... — Havia lágrimas em seus olhos quando ela falou. Ele arrancou sua camisola e revelou o resto de seu corpo, e então mergulhou entre suas pernas e a fez gemer de excitação. Era o mesmo jogo que jogara com ela antes, o de alternar dor e prazer. — Não quero fazer amor hoje — ela tentou dizer, mas ele não a escutou. Agarrou seus cabelos e puxou sua cabeça para trás com força, beijou seu pescoço tão sensualmente que todo o seu corpo latejou e então penetrou nela com tanta força que ela pensou que a rasgaria por dentro. Ele a penetrou tão fortemente que a fez gritar mas, enquanto ela o arranhava para fazê-lo parar, ele se tornou gentil novamente, e ela se deitou em seus braços e chorou desesperada quando ele estremeceu violentamente dentro dela.

— Eu amo você, neném — ele sussurrou em seu pescoço enquanto ela pensava o que aquela palavra significava para ele, ou como ela jamais poderia escapar dele. Havia algo violento e aterrorizante naquele amor. Era uma maneira sutil de aterrorizá-la, que ela conhecia antes mas jamais reconhecera. Só que agora sabia o que era, e o que ela mais sentia no amor dele era perigo. — Eu te amo — disse ele novamente, parecendo sonolento agora.

— Eu também te amo — ela sussurrou de volta, enquanto as lágrimas escorriam de seus olhos e ela pensou que aquilo fora o pior de tudo.

Capítulo 9

AINDA HAVIA DOIS POLICIAIS do lado de fora quando Jack e Maddy saíram para trabalhar no dia seguinte, e a segurança parecia ainda mais rígida do que o usual quando eles chegaram ao escritório. Estavam pedindo credenciais a todo mundo, e ela teve de passar no detector de metais três vezes antes que ficassem satisfeitos com o fato de que o alarme tivesse tocado devido apenas a seu bracelete.

— O que está acontecendo? — perguntou a Jack.

— Apenas rotina, acho. Alguém deve ter reclamado que estamos ficando negligentes. — Ela não pensou mais naquilo e subiu as escadas para se encontrar com Brad. Eles haviam concordado em passar algum tempo juntos e trabalhar em sua apresentação. Seus estilos eram tão diferentes que Maddy pedira alguns ensaios para que pudessem ficar mais confortáveis um com o outro. Havia mais no noticiário do que apenas ler o *teleprompter*, ao contrário do que Jack dizia.

Ela ligou para Greg depois, para contar a ele sobre o encontro com a dra. Flowers, mas ele não estava. E ela decidiu sair e comer um sanduíche. Era uma tarde gloriosa e havia uma brisa que suavizava o calor tão típico de Washington no verão. E novamente, quando ela saiu, teve a sensação de estar sendo seguida. Mas quando se virou e olhou, não viu nada suspeito. Tudo o que viu foram dois homens passeando atrás dela, sorrindo e conversando. Assim que ela voltou ao escritório, Bill ligou para ela.

Ele queria saber como ela estava e se havia tomado alguma decisão.

— Não sei — confessou. — Talvez eu esteja errada. Talvez ele seja apenas difícil. Sei que isso parece maluquice. Mas eu o amo e sei que ele me ama.

— Você é o melhor juiz disso — disse Bill calmamente —, mas depois de ouvir a dra. Flowers ontem, não posso deixar de imaginar se você está voltando a negar tudo. Talvez você devesse ligar para ela e ver o que ela pensa.

— Ela me deu o cartão, eu estava pensando nisso.

— Ligue para ela.

— Vou ligar. Prometo. — Ela agradeceu novamente pelo dia anterior e prometeu ligar no dia seguinte, apenas para tranqüilizá-lo. Ele era um homem agradável e ela estava agradecida por sua amizade e preocupação.

Durante o resto da tarde ela trabalhou nas matérias em andamento e o jornal das cinco foi um pouco melhor com Brad, mas não muito. E ela ficou irritada com o fato de ele ser tão desajeitado. O que ele disse foi inteligente, mas a maneira como falou o fez parecer um noviço. Ele nunca havia sido um co-apresentador e, apesar de sua inteligência, não tinha absolutamente nenhum charme, carisma ou estilo.

Ela ainda estava chateada com isso quando deixou o trabalho. Jack estava indo para a Casa Branca para uma reunião. Ele disse a ela para pegar o carro e trancar as portas quando chegasse em casa, o que pareceu uma bobagem para ela. Ela nunca as deixava abertas. E com policiais estacionados próximo a sua casa, estavam mais a salvo do que nunca. Era uma noite tão gostosa que ela fez o motorista parar antes da casa e andou os últimos poucos quarteirões em Georgetown. Estava na hora do pôr-do-sol e ela se sentiu mais feliz e relaxada do que no dia anterior. Estava pensando em Jack quando chegou à última esquina e, de lugar nenhum, saiu uma mão. Antes que ela pudesse se mover, alguém a agarrou e a puxou para os arbustos. Ela nunca havia sido segurada com tanta força e não pôde ver o rosto de quem a agarrava por trás e segurava seus braços. Ela começou a gritar, mas ele colocou a mão sobre sua boca. Ela lutou como uma tigresa e chutou-o fortemente na perna com um pé, enquanto tentava manter o equilíbrio com o outro. E continuou a lutar, sentindo o pânico crescer dentro dela. Então, enquanto ela lutava com ele, ambos perderam o equilíbrio e caíram, e num instante ele estava sobre ela, agarrando a sua saia e tentando empurrá-la com uma das mãos enquanto tentava puxar as calças dele com a outra. Mas ele precisava das duas mãos para completar o que queria, o que deixou livre a boca de Maddy novamente, e ela gritou o mais alto que pôde. Subitamente ela ouviu pessoas correndo em volta dela e, assim que ele puxou suas calças para baixo e começou a abrir o zíper, alguém o arrancou para longe dela. Ele quase voou no ar com tanta força e Maddy ficou deitada no chão por um instante, arfando. Logo havia policiais e luzes piscando por toda parte. Alguém a ajudou a ficar de pé enquanto ela puxava suas roupas e tomava ar. Seus cabelos estavam embaraçados e sua saia suja, mas ela estava intacta e tremia quando um dos policiais a segurou.

— A senhora está bem, senhora Hunter?

— Acho que sim. — Eles a estavam colocando no banco de trás de uma van e ela tremia muito quando os olhou. — O que aconteceu?

— Nós o pegamos. Eu estava certo de que conseguiríamos. Era apenas uma questão de tempo antes que ele mostrasse as garras. Ele é um filho-da-puta doente, mas vai voltar para a prisão por causa disso. Nós não podíamos fazer nada até que ele a agarrasse.

— Vocês o estavam observando? — Ela pareceu surpresa, pois tinha presumido que fora um ataque casual.

— Desde que ele começou a mandar cartas para a senhora.

— Cartas? Que cartas?

— Uma por dia desde a última semana, acho. Seu marido se encontrou com o tenente. — Ela assentiu, não querendo parecer tão estúpida quanto se sentia e imaginando por que Jack não dissera nada sobre aquilo a ela. O mínimo que ele poderia ter feito era avisá-la. E subitamente ela se lembrou das coisas que ele dissera sobre querer que ela pegasse o carro e fechasse as portas quando chegasse em casa. Mas ele não dissera por quê; então ela se sentira perfeitamente segura andando os últimos quarteirões para casa, diretamente para os braços de seu caçador.

Ela ainda estava trêmula quando Jack chegou em casa naquela noite, e ele já sabia o que tinha acontecido. A polícia ligara para ele na Casa Branca para dizer que o caçador fora capturado.

— Você está bem? — perguntou, parecendo preocupado. Ele havia até deixado a reunião um pouco mais cedo, encorajado pelo presidente, que ficara preocupado com a ligação da polícia e aliviado por Maddy não ter se machucado seriamente.

— Por que você não me contou? — Maddy parecia pálida quando questionou seu marido.

— Não quis assustá-la — disse ele simplesmente.

— Você não acha que eu tinha o direito de saber? Vim andando para casa hoje, e foi assim que ele me pegou.

— Eu disse a você para pegar o carro — disse ele, parecendo tanto irritado quanto preocupado.

— Não sabia que estava sendo ameaçada, pelo amor de Deus. Jack, não sou uma criança. Você devia ter me contado.

— Não vi motivo. A polícia estava observando você aqui, e eles aumentaram a segurança no trabalho. — Aquilo explicava a sensação que tivera nos últimos dois dias, de estar sendo seguida. E estava mesmo.

— Não quero você tomando todas as decisões por mim.

— Por que não? — perguntou ele. — Você não poderia tomá-las sozinha, se eu deixasse. Você precisa ser protegida.

— Obrigada por isso — disse ela, tentando parecer agradecida, mas sentindo-se asfixiada —, porém sou uma mulher adulta, tenho o direito de tomar decisões e fazer escolhas. Preciso de amigos. E mesmo que você não goste das decisões que eu tome, tenho o direito de tomá-las.

— Não se elas forem erradas. Por que você ficaria preocupada com isso? Eu venho tomando todas as decióes por você nos últimos nove anos. O que mudou?

— Talvez eu tenha amadurecido. Não significa que não te amo.

— Eu também te amo, o que é o motivo pelo qual a protejo de ser tola. — Ele absolutamente não concordaria com o fato de que ela tinha o direito de ter ao menos alguma independência. Ela estava tentando argumentar com ele, provar que o que ela temia não era verdade, mas ele não estava querendo abrir mão do controle que tinha sobre ela e sobre sua vida. — Você é uma mulher bonita, Mad, isso é tudo o que você é, coração. Deixe-me pensar por você. Tudo o que você tem de fazer é ler as notícias e parecer bonita.

— Não sou uma idiota, Jack — ela parecia zangada quando disse isso e ainda estava tremendo por causa do que acontecera naquela noite. — Posso fazer mais do que apenas pentear meus cabelos e ler o noticiário. Pelo amor de Deus, você acha que sou uma imbecil?

— Esta é uma pergunta difícil — ele sorriu zombeteiramente quando ela falou isso, e pela primeira vez em sua vida ela teve vontade de esbofeteá-lo.

— Você está me insultando!

— Estou falando a verdade. Pelo que me lembro, Mad, você nunca foi à faculdade. De fato, nem sei se você terminou o segundo grau. — Era o último golpe, insinuar que ela era muito burra e pouco instruída para pensar. Ele disse isso para humilhá-la, mas desta vez só a fez sentir raiva. Ele já dissera coisas piores antes e ela nunca lutara por causa disso.

— Isso não o impediu de me empregar, impediu? Ou de ter os melhores índices de audiência na empresa, graças ao meu trabalho.

— Eu disse a você. As pessoas respondem a rostos bonitos. Agora, vamos para a cama?

— O que isso significa? Que você está excitado e se sentindo "apaixonado" novamente? Eu já fui machucada uma vez esta noite.

— Preste atenção, Maddy. — Ele deu um passo para mais perto dela e ela pôde ver fúria em seus olhos. Ela estava tremendo, mas não recuou. Ela estava cansada de sofrer abusos dele, fosse qual fosse o nome que ele desse àquilo. Mas a paixão não a convencia mais. — Você está fora de si — ele sibilou em seu rosto.

— Você também, quando me machuca.

— Eu não te machuco. Você quer e adora isso.

— Eu amo você, mas não gosto da maneira como me trata.

— Com quem você andou conversando? Aquele pequeno *punk* negro com quem você trabalhava? Você sabia que ele é bissexual ou isso é uma surpresa para você? — Ele estava tentando humilhar Greg e chocá-la, mas ela ainda estava ultrajada.

— Sim, eu sabia, é algo normal. E não é da minha conta, nem da sua. Foi por isso que você o demitiu? Se foi, espero que ele jogue na sua cara um processo de discriminação, porque você merece.

— Eu o demiti porque ele era uma influência podre para você. Havia rumores sobre vocês dois. Eu a poupei do embaraço de discuti-los com você e o chutei para fora, onde é o lugar dele.

— O que você diz é horrível. Você sabe que nunca o traí.

— Isso é o que você diz. Mas só para garantir, achei melhor eliminar a tentação.

— Foi por isso que você contratou aquela múmia cheia de pompa que nem mesmo consegue ler as notícias? Ele está usando um *teleprompter* do tamanho de um quadro de avisos. E vai fazer seus índices de audiência descerem pela privada.

— Se eles descerem, neném, você vai com eles. Então é melhor que você espere que ele coloque alguma animação em seu desempenho e bem rápido. Você deveria carregá-lo, assim como fazia com o seu pequeno namorado negro. Porque, se os índices de audiência caírem, você provavelmente vai perder o emprego e então poderá vir para casa e lavar o chão, porque não há nada mais que você saiba fazer, há? — Ele estava dizendo coisas horríveis e toda a sua pretensão de amá-la estava indo por água abaixo. Só escutar o que ele dizia a deixava com vontade de bater nele.

— Por que você está fazendo isso, Jack? — Havia lágrimas em seus olhos quando ela perguntou, mas ele não parecia estar preocupado quando andou até ela, agarrou seus cabelos e puxou-os para ter a sua atenção.

— Estou fazendo isso, seu bebê chorão, porque você precisa se lembrar quem é que manda aqui. Você parece ter esquecido. Eu não quero escutar mais nenhuma de suas ameaças ou exigências. Vou dizer a você o que quero, quando quero e se quero. E se eu não disser a você porra nenhuma, não é da porra da sua conta. Tudo o que você tem de fazer é seu trabalho, ler as notícias, uma vez ou outra fazer uma reportagem especial e vir para a cama à noite sem se queixar do quanto eu a machuco. Você nem mesmo sabe o que é ser machucada e devia rezar para nunca descobrir. Você tem sorte que eu ainda me incomode em foder com você.

— Você é nojento — disse ela, sentindo-se doente ao escutar aquilo. Ele não tinha nenhum respeito por ela e certamente o que sentia não era amor. Ela queria dizer que ia embora, mas tinha medo. E a polícia havia ido embora, agora que haviam pegado seu perseguidor. Ela subitamente sentiu medo de Jack e sabia que ele estava percebendo isso.

— Estou cansado de escutar você, Mad. Agora vá para a cama e fique lá. Eu vou comunicar a você o que farei a respeito. — Ela ficou tremendo na frente dele por um longo momento e pensou em recusar-se a ir para a cama com ele, mas achou que seria pior se fizesse aquilo. O que uma vez fora um estilo um pouco bruto de fazer amor vinha se transformando em algo cada vez mais violento, desde que ela o desafiara com a história sobre Janet McCutchins. Ele a estava punindo.

Ela subiu as escadas e foi para a cama sem uma palavra, rezando para que ele não fizesse amor com ela. E por algum milagre, quando finalmente veio para a cama, ele se virou sem falar nada. E Maddy sentiu um enorme alívio.

Capítulo 10

MADDY NÃO FOI TRABALHAR com Jack no dia seguinte. Ele teve de sair mais cedo, ela disse que tinha que dar alguns telefonemas antes de ir para o trabalho e ele não fez nenhuma pergunta. Não houve qualquer menção à noite anterior, ele não pediu desculpas e ela não disse nada. Mas assim que ele saiu, Maddy ligou para o consultório de Eugenia Flowers e marcou uma hora. A psiquiatra concordou em vê-la no dia seguinte e ela imaginou como poderia passar mais uma noite com Jack. Estava claro agora que ela tinha de fazer algo antes que ele realmente a machucasse. Já não parecia suficiente para ele humilhá-la e chamá-la de "pobre lixo branco". Ele estava começando a abusar dela abertamente e ela estava começando a pensar que tudo o que ele sentia por ela era ódio e desprezo.

E assim que ela chegou à emissora, Bill telefonou.

— Como você está?

— Não muito bem — disse ela com honestidade. — As coisas parecem estar ficando um pouco mais violentas.

— E vão ficar ainda piores se você não sair de lá, Maddy. Você ouviu o que a dra. Flowers disse.

— Vou vê-la amanhã. — E então ela contou sobre o perseguidor. Ela sabia que a história ia sair no jornal naquela tarde e teria de identificar o suspeito na polícia.

— Meu Deus, Maddy, ele podia tê-la matado.

— Ele tentou me estuprar. Aparentemente Jack sabia tudo sobre ele, mas não me contou. Ele não me acha inteligente o suficiente para tomar decisões, já que nunca fui à faculdade.

— Você é uma das mulheres mais inteligentes que conheço, Maddy. O que você está fazendo?

— Não sei. Estou assustada — ela admitiu. — Tenho medo do que vai acontecer se eu sair de lá.

— Eu tenho medo do que vai acontecer se você não sair. Ele poderia matá-la.

— Ele não vai fazer isso. E se eu nunca mais conseguir outro emprego? E se eu tiver mesmo de voltar para Knoxville? — Ela parecia em pânico. Seus pensamentos giravam rapidamente.

— Isso não vai acontecer. Você vai ter um emprego melhor. Knoxville acabou para você, Maddy. Você tem de acreditar nisso.

— E se ele estiver certo? E se eu for muito burra para ser contratada por qualquer outra pessoa? Ele está certo, eu nunca fui à faculdade. — Ele a fazia se sentir uma fraude.

— E daí, pelo amor de Deus? — Aquilo o frustrava. Ela tornava impossível ajudá-la. — Você é bonita, jovem e talentosa. Você tem a maior audiência no programa. Maddy, mesmo se ele estivesse certo e você tivesse de lavar o chão, o que jamais vai acontecer, você ainda ficaria melhor saindo de lá. Ele a trata como lixo, e pode machucá-la.

— Ele nunca me machucou antes — mas aquilo não era inteiramente verdade também. Ele não a machucara tanto quanto Bobby Joe, mas ela tinha uma cicatriz no lugar onde Jack mordera o bico de seu seio em Paris. Sua forma de violência era apenas mais sutil e mais perversa do que a de seu primeiro marido, mas igualmente prejudicial à sua mente.

— Acho que a dra. Flowers vai dizer a você a mesma coisa que eu. — Eles conversaram por alguns minutos mais e ele a convidou para almoçar, mas ela tinha de ver a fila de suspeitos na hora do almoço.

Quando Greg ligou para ela mais tarde ele disse as mesmas coisas que Bill.

— Você está brincando com fogo, Mad. O filho-da-puta está louco e um desses dias ele vai te pegar. Não espere isso acontecer. Tire o seu da reta logo. — Mas por alguma razão ela estava paralisada de dúvida e não conseguia fazer aquilo. E se ele ficasse realmente com raiva dela? E se ele a amasse? Depois de tudo o que fizera por ela, ela não podia abandoná-lo assim. Era um caso clássico de agressor e agredida, como a dra. Flowers dissera a ela ao telefone, mas ela também compreendia que Maddy estivesse imobilizada de medo. A dra. Flowers não a pressionava da maneira como Bill e Greg faziam. Ela sabia que Maddy tinha de esperar até que estivesse pronta. E Maddy se sentiu aliviada depois de falar com ela. Ela estivera pensando em sua conversa e na hora que haviam marcado quando saiu para o almoço. E, no caminho de volta do almoço, Maddy estava distraída. Quando entrava no prédio, percebeu que nunca vira a jovem mulher que a observava do outro lado da rua. Ela era bonita e jovem, usava minissaia preta e saltos altos e não tirava os olhos de Maddy.

Ela estava lá novamente no dia seguinte, quando Maddy saiu para almoçar com Bill. Ela se encontrou com ele lá embaixo e foram almoçar no 701, na Pennsylvania Avenue, sem fazer segredo disso. Eles não tinham nada a esconder. Estavam participando juntos da comissão da primeira-dama e Maddy sabia que nem mesmo Jack faria objeção.

Eles tiveram um almoço muito agradável e falaram sobre diversos assuntos. E ela contou sobre sua conversa com a dra. Flowers e o quanto ela fora compreensiva.

— Espero que ela a ajude — disse Bill, parecendo preocupado. Ele podia ver que ela estava numa situação muito perigosa, e estava assustado por ela.

— Eu também. Algo mudou entre mim e Jack — ela explicou, como se estivesse tentando explicar a si mesma e ainda não conseguisse. Mas agora havia uma crueldade em seu relacionamento com Jack que nunca estivera lá antes. A dra. Flowers dissera que era porque ela sentia que estava se afastando dele, e ele ia fazer tudo o que pudesse para aterrorizá-la e trazê-la de volta ao seu controle. Quanto mais independente e saudável ela se tornasse, menos ele gostaria. A dra. Flowers a alertara para tomar cuidado. Mesmo agressores não violentos podiam mudar de tática a qualquer momento, e Maddy já sentira aquilo em Jack algumas vezes.

Ela e Bill falaram sobre aquele assunto por um longo tempo, e ele disse que estava indo para Vineyard na semana seguinte, mas odiava ter de deixá-la.

— Vou deixar o telefone de lá antes de ir. E se algo acontecer, sempre posso voltar — era como se ele se sentisse responsável por ela agora, particularmente desde que soubera que ela não tinha nenhum amigo para apoiá-la, exceto Greg, que havia ido para Nova York por causa do novo trabalho.

— Ficarei bem — disse ela, sem parecer muito convincente, mas não queria ser um peso para ele com seus problemas.

— Gostaria de acreditar nisso. — Ele ia ficar fora por duas semanas e estava querendo terminar seu livro enquanto estivesse lá. Ele também estava esperando ansiosamente para velejar com seus filhos. Era um marinheiro ávido. — Quero que você vá até lá algum dia. Acho que você gostaria. Vineyard é adorável.

— Eu adoraria. Deveríamos ir à fazenda na Virgínia por alguns dias, mas Jack está muito envolvido com o presidente esses dias e nós nunca vamos a lugar algum, tirando nossa última viagem para a Europa.

Enquanto a ouvia falar, Bill se espantou com a idéia de como um homem que tinha uma rede de televisão e era tão próximo ao presidente podia ser um agressor, e como uma mulher que era literalmente uma estrela por seu próprio mérito, bem-sucedida, bem paga, bonita e inteligente, podia deixá-lo fazer isso. Aquele era um verdadeiro flagelo que não tinha respeito por classe social, dinheiro, poder ou educação, exatamente como a dra. Flowers dissera.

— Espero que, quando voltar, você tenha feito algum movimento e saído de lá. Vou ficar preocupado com você até que faça isso — disse ele e olhou seriamente para ela. Ela era tão adorável e decente, e tinha tanto calor, charme e integridade que ele não podia entender como qualquer pessoa podia fazer aquilo com ela. Ele gostava da companhia dela e já se acostumara a falar com ela todos os dias. Sua amizade estava se tornando rapidamente uma ligação muito forte entre eles.

— Se sua filha vier vê-lo em Washington, adoraria conhecê-la — disse Maddy, calorosamente.

— Acho que você gostará dela — disse ele, sorrindo. Era estranho para ele se dar conta de que Maddy e sua filha tinham a mesma idade, mas que seus sentimentos por Maddy estavam vagarosamente evoluindo para algo diferente. Ele a via agora mais como mulher do que como criança e de certa forma ela era ainda mais cosmopolita e sofisticada do que sua filha. Maddy fora exposta a muitas outras coisas, algumas delas não muito agradáveis. Mas ela parecia mais uma amiga e companheira para ele do que uma contemporânea de sua filha.

Eram três da tarde quando eles saíram do restaurante e, quando Maddy voltou ao trabalho, havia uma bonita garota com longos cabelos negros e minissaia de pé no saguão. Ela olhou diretamente para

Maddy e esta teve a estranha sensação de que havia algo familiar nela, mas não conseguia identificar o que era. A garota olhou novamente para ela e então se virou, como se quisesse ver Maddy mas não quisesse ser reconhecida por ela. E assim que Maddy subiu as escadas ela perguntou ao guarda em que andar era o escritório da senhora Hunter. Mas, em vez de dizer a ela, o guarda a dirigiu ao escritório de Jack. Estas eram as instruções básicas. Qualquer pessoa que perguntasse pela senhora Hunter ia direto para seu marido, e todos eram filtrados por ele, embora Maddy não soubesse disso. Ninguém jamais contara a ela. E aquilo não chocava ninguém que perguntava por ela. Era, afinal de contas, um processo de filtragem razoável.

A garota de minissaia subiu pelo elevador e uma secretária perguntou se podia ajudá-la.

— Gostaria de ver a senhora Hunter — disse ela com voz clara. Ela parecia ter cerca de vinte anos.

— É assunto pessoal ou profissional? — perguntou a mulher, escrevendo um recado. O nome da garota era Elizabeth Turner.

— Pessoal — disse ela, hesitando apenas um instante antes de responder.

— A senhora Hunter não está recebendo ninguém hoje, ela está muito ocupada. Talvez você queira explicar a natureza do seu assunto para mim, ou deixar um recado, e eu cuidarei para que chegue até ela. — A garota assentiu e pareceu bastante desapontada. Mas pegou o pedaço de papel que a secretária estendeu para ela e escreveu um recado rápido, que devolveu à mulher na mesa poucos minutos mais tarde. A secretária o abriu, deu uma olhada e logo olhou de volta para a garota, levantando-se e parecendo um pouco nervosa. — Você poderia esperar um minuto, por favor, senhorita... er... Turner. — A garota assentiu e a secretária desapareceu, entregando o recado a Jack menos de um minuto mais tarde. Ele olhou para o recado e para a secretária, furioso.

— Onde ela está? Que merda ela está fazendo aqui?

— Ela está na recepção, senhor Hunter.

— Traga-a aqui. — Sua mente estava a mil enquanto ele tentava decidir o que fazer. Só esperava que Maddy não a tivesse visto. Mas ela não a reconheceria de qualquer forma, então talvez não fizesse diferença.

A garota foi introduzida um momento mais tarde e Jack ficou olhando para ela. Seus olhos estavam frios e duros, mas o sorriso que ele usou quando a saudou falou mais alto. Maddy não sabia absolutamente nada sobre a garota.

Capítulo 11

MADDY SAIU SILENCIOSAMENTE para seu encontro com a dra. Flowers. A única pessoa que sabia que ela estava indo lá era Bill Alexander. A doutora parecia uma vovó muito calma quando Maddy entrou, exatamente como parecera no dia em que se conheceram na Casa Branca.

— Como está você, minha querida? — disse ela calorosamente. Maddy havia explicado sua situação com Jack rápida e sucintamente quando ligara para ela antes, mas não tivera tempo de entrar em todos os detalhes.

— Aprendi muito com você naquele dia — disse Maddy assim que se sentou em uma das confortáveis poltronas de couro da médica. Ela tinha um escritório aconchegante, parecia que tinha comprado tudo numa loja de móveis usados. Nada combinava, as cadeiras eram usadas e todas as pinturas pareciam ter sido feitas por seus filhos. Mas era tudo limpo e caloroso, e Maddy se sentiu surpreendentemente em casa. — Sou o produto de um lar de abuso, meu pai espancava minha mãe todos os fins de semana, quando ficava bêbado. E eu me casei com um homem, aos dezessete anos, que fazia a mesma coisa comigo — disse ela em resposta às perguntas da dra. Flowers sobre seu passado.

— Sinto muito ouvir isso, minha querida. — A dra. Flowers parecia penalizada e preocupada, mas o tom de avó contrastava agudamente com seus olhos, que pareciam entender e ver tudo. — Sei o quanto isso pode ser doloroso, não apenas fisicamente, e o tipo de cicatrizes que pode deixar. Quanto tempo vocês foram casados?

— Nove anos. Não saí de lá até que ele quebrasse minha perna e os dois braços. E fiz seis abortos.

— Presumo que você se divorciou dele. — Os olhos que tudo sabiam penetravam fundo em Maddy.

Maddy assentiu, parecendo pensativa. Só falar sobre aquilo trazia de volta memórias inquietantes. Ela podia ver Bobby Joe em sua mente, do mesmo jeito que estava no dia em que o deixara. — Eu fugi. Nós vivíamos em Knoxville. Jack Hunter me salvou. Ele comprou a estação de televisão onde eu trabalhava e me ofereceu um trabalho aqui. Ele foi me buscar em Knoxville com uma limusine. E assim que cheguei aqui, me divorciei de meu marido. Jack e eu nos casamos dois anos mais tarde, um ano depois que meu divórcio foi concluído.

A dra. Flowers estava interessada em mais que palavras e ouvia bem mais do que as pessoas falavam. Ela trabalhava com mulheres agredidas há quarenta anos e conhecia todos os sinais, às vezes antes mesmo que suas pacientes os reconhecessem. Houve um longo silêncio enquanto ela observava os olhos de Maddy.

— Conte-me sobre seu atual marido — disse a dra. Flowers, suavemente.

— Jack e eu estamos casados há sete anos e ele tem sido bom comigo. Muito bom. Ele fez minha carreira e nós vivemos com opulência. Temos uma casa, um avião, eu tenho um ótimo trabalho graças a ele, uma fazenda na Virgínia, que na verdade é dele... — Sua voz tremeu enquanto a dra. Flowers a observava. Ela já sabia as respostas para as perguntas que não haviam sido feitas.

— Vocês têm filhos?

— Ele tem dois filhos de um primeiro casamento e não queria mais crianças quando nos casamos. Falamos muito sobre isso e ele decidiu... *nós* decidimos que eu devia ligar as trompas.

— Você está satisfeita com essa decisão ou se arrepende?

Era uma pergunta honesta e merecia uma resposta honesta.

— Às vezes. Quando vejo bebês... gostaria de ter tido um. — Subitamente seus olhos se encheram de lágrimas. — Mas Jack estava certo, eu acho. Nós realmente não temos tempo para crianças.

— Tempo não tem nada a ver com isso — disse a dra. Flowers suavemente. — É uma questão de desejo e necessidade. Você sente como se *precisasse* de um bebê, Maddy?

— Às vezes sinto. Mas é muito tarde agora. Eu cortei as trompas além de ligá-las, para ter certeza. Não se pode reverter isso. — A voz de Maddy soava triste.

— Você poderia adotar, se seu marido desejar. Ele deseja?

— Não sei — disse Maddy, com uma voz embargada. Seus problemas eram muito mais complicados do que aquilo. Ela havia dado apenas explicações breves ao telefone para a dra. Flowers.

— Sobre adotar um bebê? — a dra. Flowers pareceu surpresa pelo que Maddy acabara de dizer. Ela não esperava aquilo.

— Não, sobre meu marido. E o que você disse no outro dia. Aquilo veio logo depois de uma conversa que eu havia acabado de ter com um colega de trabalho. Eu... ele pensou... eu acho... — Lágrimas rolaram por suas faces quando ela finalmente falou. — Meu marido é um agressor. Ele não me bate como meu primeiro marido. Ele nunca encostou a mão em mim, não literalmente. Ele me sacudiu recentemente e é... sexualmente... um pouco violento comigo às vezes, mas não acho que ele faça de propósito, ele é só muito apaixonado... — E então ela parou e olhou nos olhos da dra. Flowers. Ela tinha de contar a ela. — Antes eu achava que ele só era bruto, mas não é... é cruel, violento e me machuca. Intencionalmente, eu acho. Ele me controla. Constantemente. Ele toma todas as decisões por mim. Ele me chama de "pobre lixo branco", me lembra que não tive educação e me diz que se me demitisse eu desceria pela descarga e ninguém jamais me contrataria. Ele nunca me deixa esquecer que ele me salvou. Ele não me deixa ter amigos, ele me isola. Ele me faz sentir um lixo. Ele mente para mim, me deprecia e me faz sentir podre. Ele me humilha e por fim me amedronta. Ele está ficando mais violento na cama e me ameaça. Eu nunca me deixei ver isso antes, mas ele faz quase tudo o que você falou no outro dia. — As lágrimas continuaram a rolar por suas faces enquanto ela falava.

— E você o deixa fazer isso — Eugenia Flowers falou suavemente. — Porque você acha que ele está certo e você merece. Você acha que o segredo feio que você carrega para todo canto é que você é tão ruim quanto ele diz e, se você não fizer exatamente o que ele diz, todo mundo vai saber disso. — Maddy assentiu enquanto ouvia. Era um alívio ouvir aquelas palavras, porque era exatamente o que ela pensava. — E agora que você está ciente disso, Maddy, o que você vai fazer a respeito? Você quer ficar com ele? — Era uma pergunta honesta e ela não estava com medo de dizer a verdade, não importava o quanto parecesse uma loucura.

— Às vezes. Eu o amo. E acho que ele me ama. Fico pensando que, se ele entendesse o que está fazendo a mim, não o faria. Talvez se eu o amasse mais, ou pudesse ajudá-lo a entender o quanto é doloroso, ele pararia de fazer. Eu não acho que ele realmente queira me machucar.

— Isso é possível. Mas não é razoável — disse ela, olhando diretamente para Maddy. Mas não a estava julgando. Estava apenas abrindo portas e janelas para ela. O que ela queria dar, mais do que qualquer coisa, era perspectiva. — E se ele quisesse machucar você, se você soubesse que isso era intencional? Você ainda ia querer ficar com ele?

— Não sei... talvez. Estou muito assustada para deixá-lo. E se ele estiver certo? E se eu não puder encontrar um emprego e ninguém nunca me quiser? — A dra. Flowers silenciosamente se admirou que aquela criatura adorável pudesse pensar que ninguém a amaria ou a empregaria. Mas ninguém jamais a amara, nem seu primeiro marido nem seus pais, nem mesmo Jack Hunter. Disso a dra. Flowers estava certa. Não que fosse culpa de Maddy. Mas ela havia escolhido homens que não queriam mais nada a não ser machucá-la.

A dra. Flowers sabia que ela ainda teria que enxergar isso.

— Pensei que era tudo tão simples. Pensei, quando deixei Bobby Joe, que jamais me deixaria ser agredida novamente. Jurei que ninguém mais ia me machucar. E Jack não faz isso. Não com as mãos, pelo menos.

— Mas não é simples assim, é? Há outras formas de agressão que são até mesmo mais destrutivas, como a espécie de agressão que ele pratica em você, quando ele machuca sua alma e sua auto-estima. Se você deixar, Maddy, ele vai destruí-la. Isso é o que ele quer fazer, o que você o deixou fazer por sete anos. E você pode continuar a deixá-lo fazer isso, se você quiser. Você não tem que se separar. Ninguém vai forçá-la.

— Os dois únicos amigos que tenho estão me dizendo que eu tenho que sair, ou ele vai me destruir.

— Ele pode. E é quase certo que vai, de um jeito ou de outro. Ele nem precisa fazê-lo por si mesmo. Talvez você o faça por ele. — Era uma perspectiva terrível. — Ou você vai apenas murchar cada vez mais. O que seus amigos estão dizendo a você não é inconcebível. Você o ama suficientemente para arriscar?

— Não acho... não quero... mas estou assustada com a idéia de deixá-lo e... — ela engoliu um soluço quando falou — vou sentir a falta dele. Nós levamos uma vida tão boa. Eu adoro estar com ele.

— Como ele a faz se sentir quando você está com ele?

— Importante. Bem... não... isso não é verdade. Ele me faz sentir estúpida e sortuda por estar com ele.

— Você é estúpida?

— Não — Maddy riu —, só em relação aos homens pelos quais me apaixono.

— Há mais alguém no momento?

— Não, não de verdade... bem, não num sentido romântico. Bill Alexander é um bom amigo... Eu contei a ele no dia em que você veio à comissão.

— E o que ele pensa?

— Que eu devo fazer as malas o mais cedo que puder e sair antes que Jack faça algo terrível comigo.

— Ele já fez, Maddy. E Bill? Você está apaixonada por ele?

— Não, acho que não. Somos apenas bons amigos.

— Seu marido sabe disso? — A dra. Flowers parecia preocupada.

— Não... ele não sabe. — Maddy pareceu assustada quando respondeu. E a médica olhou para ela por um longo momento.

— Você tem um longo caminho a percorrer, Maddy, até que encontre a segurança. E até mesmo quando você chegar lá, vai querer voltar às vezes. Você vai sentir falta dele e do que ele a faz se sentir, não nos maus momentos, mas nos bons. Os homens de comportamento abusivo são muito espertos. Eles têm uma força tremenda para esse tipo particular de veneno. Isso faz as mulheres quererem mais, porque os bons tempos são tão doces. Mas os maus momentos são horríveis. É um pouco como largar as drogas ou deixar de fumar ou de ter qualquer outro tipo de vício. O abuso, terrível como é, é viciante.

— Acredito nisso. Estou tão acostumada a ele, não posso imaginar viver sem ele. E então há outras vezes em que eu apenas quero fugir e ir para algum lugar onde ele não possa me tocar.

— O que você precisa fazer, e eu sei que parece difícil, é ficar tão forte que ele não possa encostar em você onde quer que você esteja, porque você não vai deixar. Tem de vir de você, porque ninguém mais pode realmente te proteger. Amigos podem escondê-la dele, mantê-lo longe mas, se você quiser muito, você vai deslizar e voltar para ele, para a droga que ele te dá. Mas é uma droga perigosa, tão perigosa ou talvez ainda mais do que qualquer outra. Você acha que é forte o suficiente para deixá-la?

Maddy assentiu pensativamente. Isso era o que ela queria. Ela sabia. Tudo de que precisava agora era coragem.

— Se você me ajudar. — Havia lágrimas nos olhos de Maddy.

— Vou fazer isso. Pode levar algum tempo, seja paciente consigo mesma. E quando você estiver pronta, vai conseguir deixá-lo. Você vai saber o momento, quando estiver forte o suficiente para fazê-lo. E neste meio tempo você tem de fazer tudo o que puder para se manter segura e não arriscar deixá-lo cometer mais agressões contra você do que já vem fazendo. Ele vai sentir isso, você sabe. Agressores são como animais selvagens, eles têm a percepção e as defesas altamente desenvolvidas. O que devemos fazer é aumentar as suas, agora. Mas se ele sentir sua presa fugindo, vai tentar encurralá-la, tentar fazê-la se sentir assustada, louca e sem esperança. Ele vai convencer você de que não há saída, de que você não seria nada sem ele. E uma parte de você vai querer acreditar nele. Mas o resto vai saber. Agarre-se a isso o mais que puder. Isso é o que vai salvá-la, a parte que não quer mais ser agredida, ficar em desvantagem, se machucar ou ser diminuída. Escute esta voz e tente não escutar a outra. — Nem por um instante ela duvidou que Jack tinha comportamento abusivo. Por tudo o que ouvira naquele dia, tinha certeza daquilo e podia ver nos olhos de

Maddy o quão profundamente ela fora ferida. Mas ela ainda tinha conserto e salvação, tinha muitas coisas a seu favor e a dra. Flowers sabia que ela ia encontrar o caminho de saída mais cedo ou mais tarde, quando estivesse pronta, e não antes. Ela tinha de encontrar a saída por si mesma, ou não haveria significado para ela.

— Quanto tempo você acha que vai demorar para fazermos isso? — Maddy perguntou com um olhar de preocupação. Bill Alexander quisera que ela deixasse Jack no dia em que ela lhe contara a respeito. Mas ela não podia fazer aquilo ainda.

— É uma coisa difícil de prever ou medir. Você vai saber quando estiver pronta, pode levar dias, meses ou anos. Depende de quanto medo você está sentindo dele e do quanto você está desejando acreditar nele. Ele vai fazer um monte de promessas e ameaçá-la, vai tentar tudo o que puder para manter você por perto, como um traficante de drogas oferecendo a droga de sua preferência. Esta droga para você, no momento, é o comportamento abusivo. E quando você tentar largar, vai assustá-lo e torná-lo ainda mais agressivo.

— Isso parece horrível — disse Maddy, embaraçada com seu vício em comportamento abusivo, mas sabia que havia alguma verdade naquilo. Parecia correto e tocava num ponto familiar.

— Não se envergonhe disso. Muitos de nós já estivemos lá. Os corajosos o admitem. É difícil para outras pessoas acreditar que você amaria um homem que faz isso com você. Mas é necessário fazer um longo e demorado caminho de volta para o que as pessoas falaram e fizeram a você em sua infância. Se eles disseram que você era desprezível, errada, horrível e detestável, esta foi uma mensagem poderosa que a levou para um lado obscuro. O que temos de fazer agora é preencher você de luz e convencê-la de que você é uma pessoa maravilhosa. E posso te dizer uma coisa. Você não só vai encontrar outro emprego nos primeiros cinco minutos em que estiver livre, mas também haverá homens. Bons homens com atitudes saudáveis se jogando aos seus pés assim que souberem que a porta está aberta. Mas isso não importa enquanto você não acreditar nisso.

Maddy sorriu com o quadro que ela pintou. Era certamente apelativo, mas muito reconfortante. Ela já se sentia melhor. Confiava inteiramente na habilidade da dra. Flowers para tirá-la da confusão em que se metera. E estava agradecida por ela estar querendo ajudá-la. Maddy sabia que a doutora era muito ocupada.

— Gostaria que daqui a alguns dias você voltasse para conversarmos novamente sobre como você está se sentindo. Sobre si mesma e sobre ele. E vou dar a você um número especial, para o qual você pode telefonar e me encontrar a qualquer momento. Se acontecer qualquer coisa que a assuste, Maddy, ou se você achar que está em perigo, ou mesmo se estiver só chateada, me ligue. Eu levo meu telefone celular para todos os lugares, você sempre pode me encontrar.

Ela era uma espécie de linha direta para mulheres que sofriam agressões. E Maddy se sentia aliviada por saber aquilo e agradecida por sua ajuda.

— Quero que você saiba, Maddy, que não está sozinha. Há muitas pessoas lá fora que querem ajudá-la e você pode conseguir, se quiser.

— Eu quero. — Ela disse num tom que era pouco mais que um sussurro e com menos certeza do que seus amigos teriam gostado. Mas como sempre acontecia com Maddy, era honesto. — Por isso vim aqui. Só que não sei como vou conseguir. Não sei como ficar livre dele. Parte de mim acredita que não serei nada sem ele.

— Isso é no que ele quer que você acredite. Aí você vai precisar dele e ele pode fazer o que quiser com você. Pessoas em relacionamentos saudáveis não tomam decisões pelo outro, não ocultam informações, não falam ao outro que não tem valor ou que é um pobre lixo branco e que vai voltar correndo para a sarjeta se ele o abandonar. Isso é abuso, Maddy. Ele não precisa bater na sua cara ou machucá-la com ferro quente para provar isso. Ele não precisa. Ele já provoca danos suficientes com suas palavras e sua mente, não precisa usar as mãos para machucar você. O que ele faz é muito eficiente. — Maddy assentiu em silêncio.

Meia hora mais tarde ela saiu e voltou para o escritório. E quando entrou no prédio, não viu a garota de cabelos longos e negros que novamente estava de pé próximo à entrada, observando-a. E ela ainda estava lá às oito da noite, desta vez do outro lado da rua, quando Maddy entrou no carro para ir para casa. Ela parecia estar esperando alguma coisa. E quando Jack saiu um pouco mais tarde e acenou para um táxi, a garota correu, escondendo seu rosto para que ele não pudesse vê-la. Eles já tinham dito tudo o que tinham a dizer e ela sabia que com ele não chegaria a lugar algum.

Capítulo 12

NO DIA SEGUINTE, QUANDO MADDY estava trabalhando com Brad numa pesquisa para uma reportagem sobre o Comitê de Ética do Senado, o telefone tocou e alguém ficou lá, escutando por um longo tempo, sem dizer nada, enquanto Maddy falava alô. Por um instante ela ficou assustada. Imaginou se era outro perseguidor ou algum tipo de trote, mas então desligaram e quando ela voltou para o trabalho novamente acabou esquecendo aquilo.

A mesma coisa aconteceu naquela noite em casa e desta vez ela contou a Jack, mas ele não deu importância. Disse a ela que provavelmente era apenas um engano. Ele a provocou dizendo que estava com medo de sua própria sombra, apenas porque um maluco a havia perseguido. Tendo tanta visibilidade na televisão, não era surpreendente que fosse perseguida, pelo menos era o que ele achava. Muitas celebridades o são.

— Isso vem com os conquistas, Mad — disse ele calmamente. — Você lê as notícias. Você devia saber. — As coisas haviam se acalmado novamente entre eles, mas ela ainda estava chateada por ele não a ter alertado sobre o perseguidor. Ele disse que ela tinha coisas mais importantes para pensar e que seu problema eram os assuntos que envolviam talentos que estavam no ar. Mas ela continuava achando que ele devia ter contado.

Ela estava falando com a secretária particular da primeira-dama ao telefone, na segunda-feira, para trocar a data da próxima reunião do comitê. A primeira-dama tinha de acompanhar o presidente em um jantar no Palácio de Buckingham. E a secretária estava tentando remarcarr a data com Maddy e as outras onze pessoas da comissão. Maddy estava distraída com isso quando uma jovem entrou em seu escritório. Ela tinha longos cabelos negros e estava usando jeans e uma camiseta branca. Parecia limpa e bem-cuidada, mas estava vestida com roupas baratas e muito nervosa quando Maddy olhou para ela e imaginou quem era e o que estaria querendo. Ela nunca a havia visto antes e achou que talvez tivesse sido mandada por outro departamento da empresa, ou então estivesse querendo apenas um autógrafo. Maddy notou que ela não estava com crachá e carregava um saco de balas. E de repente ficou imaginando como a garota havia entrado no prédio.

— Não, obrigada — Maddy sorriu para ela e mandou-a embora com um gesto. Mas a garota não se moveu, apenas a encarou e por um instante. Maddy entrou em pânico. E se fosse outra maluca? Talvez ela tivesse uma arma ou uma faca ou então fosse doente mental. Ela se deu conta agora de que qualquer coisa era possível e pensou em apertar o botão de emergência sob sua mesa, mas não o fez. — O que é? — Ela colocou a mão no bocal do telefone e perguntou.

— Preciso falar com você — disse a garota, e Maddy olhou-a com suspeita. Havia algo nela que deixava Maddy extremamente nervosa.

— Você se importaria de esperar lá fora? — perguntou Maddy com firmeza, e a garota saiu relutantemente de seu escritório, carregando o saco de balas.

Maddy deu à secretária de Phyllis Armstrong três possíveis datas e a secretária prometeu retornar a ligação. Assim que desligou, Maddy pegou o interfone e falou com a recepcionista de uma mesa no corredor.

— Há alguém esperando por mim aí fora. Não sei o que ela quer. Você poderia falar com ela, descobrir o que é e me dizer? — Talvez ela fosse uma caçadora de celebridades ou de autógrafos ou talvez quisesse um emprego. Mas Maddy ficou aborrecida por ela ter entrado com tanta facilidade. Dado o que havia acontecido recentemente, era muito enervante.

O interfone tocou poucos minutos mais tarde e Maddy o pegou rapidamente.

— Ela diz que precisa falar com você. É um assunto pessoal.

— Como o quê? Ela quer me matar? Ela tem de dizer a você o que é, ou não vou recebê-la.

Mas assim que ela falou olhou para cima e viu a garota de pé na porta de seu escritório, com um olhar determinado.

— Olha, não é assim que fazemos as coisas aqui. Não sei o que você quer, mas tem de falar com alguém antes de falar comigo — disse ela firme e calmamente, com seus dedos tocando suavemente o botão de emergência e o coração batendo forte. — O que você quer de mim?

— Só quero falar com você alguns minutos — disse ela, e Maddy percebeu que a garota estava prestes a chorar e as balas haviam desaparecido.

— Não sei se posso ajudá-la — disse Maddy hesitante e então subitamente imaginou se aquilo tinha a ver com o fato de ela estar na comissão de violência contra mulheres, ou com uma de suas reportagens. Talvez essa garota achasse que ela seria simpática. — É sobre o quê? — perguntou Maddy, suavizando-se um pouco.

— Sobre você — disse ela numa voz trêmula, e quando Maddy olhou para ela mais detidamente, viu que as mãos da garota estavam tremendo.

— Como, sobre mim? — perguntou Maddy cautelosamente. O que essa garota viera dizer a ela? Mas quando olhou-a teve uma sensação muito estranha.

— Acho que você é minha mãe — disse ela num sussurro, para ninguém poder ouvi-la se estivesse entrando. Maddy teve a sensação de ter sido esbofeteada e se encolheu na cadeira.

— Sua *o quê*? Do que você está falando? — O rosto de Maddy ficou branco e agora eram suas mãos que estavam tremendo, enquanto continuavam encostadas no botão de emergência. Por um instante ela ficou com medo de que essa garota fosse alguma espécie de maluca. — Não tenho nenhum filho.

— Nunca teve? — Os lábios da garota estavam tremendo e seus olhos já estavam começando a ficar cheios de desapontamento. Já fazia três anos que ela procurava sua mãe e agora sentia que estava prestes a entrar num beco sem saída novamente. Ela já entrara em vários. — Você nunca teve um bebê? Meu nome é Elizabeth Turner. Tenho dezenove anos, meu aniversário é no dia 15 de maio e nasci em Gatlinburg, no Tennessee, nas Smoky Mountains. Acho que minha mãe era de Chattanooga. Falei com todo mundo que podia e tudo o que sei é que ela tinha quinze anos quando nasci. Acho que seu nome era Madeleine Beaumont, mas não estou certa. E uma pessoa com quem falei disse que eu me parecia muito com ela. — Maddy estava olhando para ela sem acreditar enquanto sua mão se movia suavemente do botão de emergência para a mesa.

— O que faz você pensar que sou essa pessoa? — Seu tom não revelava nada.

— Não sei, mas sei que você é do Tennessee. Li isso numa entrevista uma vez e seu nome é Maddy e... não sei... acho que pareço um pouco com você e... sei que isso parece maluquice. — Havia lágrimas correndo por suas faces agora, por causa do grande estresse de se aproximar dela e do medo de ter outro desapontamento. —

Talvez eu só queira que você seja a pessoa certa. Eu a vi muitas vezes na TV e realmente gosto de você. — Houve um silêncio longo e atordoante na sala enquanto Maddy pesava a situação e tentava imaginar o que fazer com aquilo. Seus olhos não deixaram os da garota e, enquanto olhava para ela, vagarosamente sentiu as barreiras em torno dela se dissolvendo e fazendo-a se aproximar de sensações em que jamais havia tocado durante anos e que pensava jamais se permitir tocar novamente. Ela não queria que isso estivesse acontecendo, mas estava, e não havia nada que ela pudesse fazer agora para mudar aquilo. Ela podia acabar com aquilo facilmente. Podia dizer a ela que não era a mesma Madeleine Beaumont e que o Tennessee estava cheio delas, mesmo que Beaumont fosse seu nome de solteira.

Ela podia dizer que nunca estivera em Gatlinburg e que sentia muito e desejava sorte a ela. Podia dizer tudo o que precisava dizer para se ver livre dela e nunca mais vê-la novamente mas, quando olhou para ela, soube que não podia fazer aquilo com a garota.

Sem uma palavra, ela se levantou, fechou a porta de seu escritório e depois ficou de pé olhando para a garota que implorava para ser o bebê que ela havia dado aos quinze anos e achou que jamais veria novamente. O bebê pelo qual ela chorara e ficara de luto durante anos, e em quem ela há muito não se permitia pensar. A criança sobre a qual jamais falara com Jack. Tudo o que ele sabia a respeito daquele assunto eram seus abortos.

— Como eu posso saber que você é essa pessoa? — perguntou Maddy numa voz que era áspera de pesar, de sofrimento e da lembrança da dor por ter dado seu bebê. Ela nunca mais a vira depois de tê-la entregue e só a segurara uma vez. Mas essa garota podia ser qualquer uma, a filha de uma enfermeira que estivera lá, a criança de um vizinho que quisesse chantageá-la e ganhar algum dinheiro. Havia poucas pessoas que sabiam e Maddy ficara grata por nenhuma delas jamais ter aparecido. Ela se preocupara com aquilo durante anos.

— Tenho minha certidão de nascimento — disse a garota desajeitadamente, tirando um pedaço de papel dobrado de sua bolsa. Estava cuidadosamente dobrada quando ela a estendeu para Maddy. E ela também lhe deu uma fotografia bem-conservada de um bebê, enquanto Maddy olhava para ela numa agonia silenciosa. Era a mesma que haviam dado a ela, tirada no hospital, uma criança de rosto vermelho e novinha em folha, embrulhada numa manta cor-de-rosa. Maddy a guardara em sua carteira durante anos e acabara jogando-a fora por medo de que Jack a encontrasse. Bobby Joe sabia, mas ele nunca ligara muito para aquilo. Muitas garotas que conheciam ficavam grávidas e davam seus bebês para adoção. Algumas garotas os tinham bem mais jovens do que ela tivera. Mas nos anos que se passaram desde então aquilo se tornara seu segredo mais obscuro.

— Este poderia ser qualquer bebê — disse Maddy friamente — ou você pode ter tirado essa foto de alguém, do hospital mesmo. Isso não prova nada.

— Nós podemos fazer exames de sangue. Se você achar que talvez eu possa ser sua filha — disse a garota com sensibilidade, e o coração de Maddy se derreteu. Ela fizera uma coisa muito corajosa e Maddy não estava tornando aquilo mais fácil para ela. Mas o que essa garota estava querendo fazer era destruir sua vida e obrigá-la a encarar algo que ela já havia jogado fora e em que não queria tocar agora. E como ela poderia contar aquilo a Jack?

— Por que você não se senta por um minuto? — disse Maddy, sentando-se vagarosamente numa cadeira próxima a ela e olhando para a garota. Ela queria estender a mão e tocá-la. O pai da garota fora um estudante mais velho da escola de Maddy, eles nem mesmo se conheciam muito bem, mas ela gostara dele e saíra com ele duas vezes, durante um dos períodos em que ela e Bobby Joe haviam brigado. Ele morrera num acidente de carro três semanas depois que o bebê nascera e ela já havia dado a criança. Ela nunca contara a Bobby

Joe quem era o pai, e ele não ligava muito, embora tivesse batido nela por causa daquilo uma ou outra vez, mas era apenas outra desculpa para agredi-la, uma vez que estavam casados. — Como você chegou aqui, Elizabeth? — Ela disse seu nome cuidadosamente, como se dizê-lo com mais força fosse comprometê-la com um destino que ela ainda não estava preparada para encarar. — Onde você mora?

— Em Memphis. Vim de ônibus. Trabalho desde os doze anos para economizar dinheiro para fazer isso. Eu sempre quis encontrar minha verdadeira mãe. Tentei encontrar meu pai também, mas não consegui descobrir nada sobe ele. — Ela ainda não sabia qual era a resposta de Maddy para ela e parecia extremamente nervosa.

— Seu pai morreu — disse Maddy suavemente — três semanas depois que você nasceu. Ele era um bom rapaz e você se parece um pouco com ele. — Mas ela se parecia bem mais com sua mãe, suas cores e traços eram os mesmos, até Maddy podia ver isso. Teria sido difícil negá-lo, mesmo se quisesse. E Maddy não podia deixar de imaginar como a história iria aparecer nos tablóides.

— Como você sabe sobre ele? — Elizabeth pareceu confusa quando olhou para ela sem muita certeza do que isso significava agora. Ela era uma garota perspicaz, mas estava abalada pelo impacto do que estava fazendo, assim como Maddy, e nenhuma delas estava pensando com clareza.

Maddy olhou para ela por um longo tempo. Seu maior desejo secreto havia acabado de se tornar realidade e ela ainda não estava muito certa se aquele desejo se tornaria um pesadelo, se ela seria traída, ou se essa garota acabaria se revelando uma impostora, mas parecia pouco razoável. Maddy abriu a boca para falar e um soluço veio antes das palavras quando ela estendeu os braços e colocou-os em torno da garota na cadeira próxima à dela. Passou-se um longo tempo antes que ela pudesse dizer as palavras que pensara que jamais falaria em toda a sua vida.

— Sou sua mãe.

Elizabeth arfou e levou a mão à boca, enquanto seus olhos se encheram de lágrimas. Ela olhou para Maddy e então a puxou mais para perto. E elas ficaram ali sentadas por um longo tempo, se abraçando e chorando.

— Oh, meu Deus... oh, meu Deus... Eu não pensei realmente que era você... apenas quis perguntar... oh, meu Deus... — Elas ficaram sentadas por um longo momento, balançando-se para a frente e para trás, abraçadas, e então se deram as mãos e olharam uma para a outra. Elizabeth estava sorrindo através das lágrimas e Maddy ainda estava muito abalada para saber o que pensar. A única coisa que sabia era que, por um milagre daquela hora e circunstância, elas haviam encontrado uma à outra. E Maddy não sabia o que fazer a respeito. Isto era apenas o início, depois de tantos anos.

— Onde estão seus pais adotivos? — perguntou Maddy finalmente. Tudo o que pudera saber na época era que viviam no Tennessee, não tinham outros filhos e eram bem empregados. Ela não sabia mais nada a respeito deles. Naquela época, todos os registros eram secretos e as informações dadas a ambos os lados eram mínimas, para que um nunca pudesse encontrar o outro. Era tudo feito para este propósito. E ao longo dos anos, mesmo as coisas tendo mudado legalmente, observando velhas adoções secretas, Maddy nunca quisera fazer nenhum esforço para encontrá-la. Ela achava que era muito tarde e que era algo que tinha de deixar ir, ao invés de se apegar. Mas agora ela estava aqui.

— Eu nunca os conheci — explicou Elizabeth, ainda secando as lágrimas de seus olhos enquanto apertava a mão de sua mãe. — Eles morreram quando eu tinha um ano, num acidente de trem, e fiquei sob a custódia do estado até os cinco anos, num orfanato em Knoxville. — Aquilo revirou o estômago de Maddy, saber que ela estava vivendo em Knoxville ao mesmo tempo, casada com Bobby

Joe, e que poderia tê-la pegado de volta se soubesse. Mas ela não tinha jeito de saber onde estava a criança. — Cresci em casas de adoção depois disso. Algumas delas eram boas, outras eram realmente horríveis. Eu me mudei muito, por todo o estado, nunca fiquei em nenhuma delas mais de seis meses, pois não queria realmente. Eu sempre me senti como uma estranha e algumas delas eram ruins para mim, então eu ficava feliz de me mudar para a próxima.

— E ninguém a adotou novamente? — Maddy parecia horrorizada enquanto Elizabeth sacudia a cabeça.

— Acho que foi por isso que eu quis encontrar você. Eu quase fui adotada uma ou duas vezes, mas meus pais adotivos sempre decidiram que era muito caro. Eles tinham seus próprios filhos e não podiam sustentar outro. Fiquei em contato com alguns deles, particularmente os últimos. Eles tinham cinco filhos e eram legais comigo. Eram todos garotos, e eu quase me casei com meu irmão mais velho, mas achei que seria muito estranho, então não casei. Estou vivendo por minha própria conta agora, em Memphis, vou entrar para uma universidade pública e trabalho como garçonete. Quando terminar a escola, vou me mudar para Nashville e tentar arranjar um emprego como cantora numa boate. — Ela tinha o mesmo espírito de sobrevivência de sua mãe.

— Você canta? — Maddy perguntou surpresa, subitamente querendo saber tudo sobre ela. Seu coração doeu quando ela pensou na menina em orfanatos e casas de adoção, sem nunca ter tido pais de verdade. Mas ela parecia ter sobrevivido consideravelmente bem àquilo, pelo que Maddy podia ver, ao menos superficialmente. Ela era uma garota adorável e, enquanto a observava, deu-se conta de que ambas haviam cruzado as pernas ao mesmo tempo, exatamente do mesmo jeito.

— Gosto de cantar. Acho que tenho uma voz bastante boa. Isso é o que as pessoas me dizem.

— Então você não pode ser minha filha — Maddy riu, com lágrimas em seus olhos novamente. Ela estava sobrecarregada de emoção enquanto elas continuavam de mãos dadas, sentadas no escritório de Maddy. E miraculosamente ninguém as havia interrompido. Era uma manhã rara e silenciosa. — O que mais você gosta de fazer?

— Gosto de cavalos. Posso cavalgar qualquer coisa que tenha quatro patas. Mas odeio vacas. Uma das famílias que me adotaram tinha uma fazenda de leite. Eu juro que nunca vou me casar com um fazendeiro. — Ambas sorriram daquilo. — Eu gosto de crianças. Escrevo a todos os meus irmãos e irmãs adotivos, exceto alguns deles. A maior parte eram boas pessoas. Gosto de Washington. — Ela sorriu para Maddy então. — Gosto de você na TV... Gosto de roupas... de garotos... gosto da praia...

— Eu te amo — Maddy soltou, embora nem mesmo a conhecesse. — Eu amava você naquela época também. Só não podia tomar conta de você, eu tinha quinze anos e meus pais não me deixariam ficar com você. Chorei durante anos por causa disso. Sempre imaginei onde você estaria e se estava bem, se as pessoas estavam sendo boas com você. Disse a mim mesma que você havia sido adotada por pessoas maravilhosas que a amavam. — Partia seu coração pensar que aquilo não fora verdade e que a criança havia crescido entre casas de adoção e instituições do estado.

— Você tem filhos? — quis saber Elizabeth. Era uma pergunta razoável. E Maddy sacudiu sua cabeça com um olhar de sofrimento. Mas ela tinha, agora. Tinha uma filha. E desta vez não ia perdê-la. Já tinha tomado essa decisão.

— Não, não tenho. Nunca tive filhos e agora não posso mais tê-los. — Elizabeth não perguntou por que, respeitando o fato de que não se conheciam. E dada a colcha de retalhos que havia sido seu passado, Maddy estava impressionada. Como ela era polida, bem-comportada e como parecia bem-educada. — Você gosta de ler? — perguntou Maddy, curiosa sobre ela.

— Adoro — confirmou Elizabeth, outro traço que havia herdado de sua mãe, junto com a perseverança, a coragem e a teimosa perseguição de seus objetivos. Ela nunca havia desistido de encontrar sua mãe. Era tudo o que sempre quisera.

— Quantos anos você tem agora? — perguntou Elizabeth a Maddy, só para se certificar de que ela tinha a idade certa. Elizabeth não tinha certeza se Maddy tinha quinze ou dezesseis anos quando deu seu bebê.

— Tenho trinta e quatro. — Elas pareciam mais irmãs do que mãe e filha. — E estou casada com o homem que é dono dessa emissora de televisão. Seu nome é Jack Hunter. — Era uma informação muito básica, mas depois que ela disse isso, Elizabeth a surpreendeu.

— Eu sei. Eu o conheci na semana passada, no escritório dele.

— Você o quê? Como você fez isso? — Pareceu impossível para Maddy.

— Tentei perguntar por você no saguão e eles não me deixaram vê-la. Eles me mandaram direto para o escritório dele. Falei com a secretária dele, escrevi um bilhete para você dizendo que eu queria perguntar se você era minha mãe. Ela levou o bilhete para ele e depois me fez entrar para vê-lo — disse ela inocentemente, como se fosse uma seqüência de eventos perfeitamente lógica, e era, de certa forma. Exceto que Jack não dissera uma palavra a Maddy sobre aquilo.

— E depois, o que aconteceu? — perguntou Maddy, com seu coração batendo novamente, assim como acontecera quando Elizabeth dissera que ela era sua mãe. — O que ele disse a você?

— Ele me disse que tinha certeza de que eu estava errada e que você nunca teve nenhum filho. Acho que ele pensou que eu fosse uma farsante ou estivesse tentando chantagear você, ou algo assim. Ele me disse para ir embora e nunca mais voltar. Eu mostrei a ele minha certidão de nascimento e a foto, e fiquei com medo de que ele as tirasse de mim, mas ele não o fez. Só me disse que aquele não era seu nome de solteira, mas eu sabia que era, então achei que ele poderia estar mentindo para protegê-la. E então imaginei que talvez ele não soubesse mesmo e que você nunca tivesse contado a ele.

— Não contei — disse Maddy honestamente. — Tive medo. Ele tem sido muito bom para mim. Me tirou de Knoxville nove anos atrás e pagou o meu divórcio. Me fez ser o que sou hoje e não sei como ele se sentiria se soubesse, então não contei. — Mas ele sabia agora e não dissera uma palavra a ela. Ela imaginou se era porque pensou que era uma mentira e não queria preocupá-la, ou se estava guardando aquilo como munição extra. Por tudo o que começara a achar dele ultimamente, ela pensou que a última opção era a mais provável, e se sentiu imaginando quando ele iria contar a ela. Ele estava provavelmente guardando para a hora certa, quando pudesse fazer um estrago maior. E então se sentiu culpada pelo que estava pensando. — Bem, agora ele sabe — disse Maddy com um suspiro, olhando para a garota. E olhou para a garota com honestidade. — O que vamos fazer agora com tudo isso?

— Nada, acho — disse Elizabeth, com praticidade. — Não quero nada de você. Apenas queria encontrá-la e conhecê-la. Estou voltando para Memphis amanhã. Eles me deram uma semana de folga no trabalho, mas agora tenho de voltar.

— É isso? — Maddy pareceu surpresa por ela querer tão pouco dela. — Gostaria de vê-la novamente, Elizabeth, e de conhecê-la melhor. Talvez eu pudesse ir a Memphis.

— Eu gostaria disso. Você poderia ficar comigo, mas não acho que você fosse gostar. — Ela sorriu timidamente. — Alugo um quarto numa pensão e ele é pequeno e fedorento. Gasto todo o meu dinheiro na escola... e tentando encontrar você. Acho que não vou mais ter de fazer isso agora.

— Talvez pudéssemos ficar juntas num hotel. — Os olhos da garota se iluminaram com aquilo e Maddy ficou tocada. Ela parecia não ter qualquer expectativa.

— Não vou contar a ninguém sobre isso — disse Elizabeth timidamente —, apenas para minha senhoria, meu chefe e uma de minhas mães adotivas, se não tiver problema para você. Mas não vou contar a ninguém se você não quiser. Não quero causar nenhum problema. — Ela mesma não tinha consciência das implicações de uma exposição pública para Maddy.

— É muito gentil de sua parte dizer isso, Elizabeth, mas eu não sei o que vou fazer a respeito. Tenho de pensar e conversar com meu marido.

— Não acho que ele vá gostar. — Maddy também não achava. — Ele não pareceu muito feliz em me ver. Acho que foi uma grande surpresa.

— Sim, eu diria isso. — Maddy sorriu para ela. Era certamente um choque, mesmo para ela, mas estava satisfeita agora. Subitamente era muito excitante ter uma filha. Era o fim de um mistério para ela, a cura de uma velha ferida à qual ela se resignara durante anos, mas que sempre estivera lá. E agora isso era uma bênção como nenhuma outra. — Ele vai ter que se acostumar. Nós todos vamos — Maddy então convidou-a para almoçar e Elizabeth pareceu emocionada quando pediu a sua mãe para chamá-la "Lizzie". Elas foram a uma cafeteria ali perto e Maddy colocou cuidadosamente um braço em torno de seus ombros enquanto andavam juntas. E, enquanto comia um *club sandwich* e um hambúrguer, Lizzie contou a ela tudo o que podia sobre sua vida, seus amigos, seus medos, suas alegrias, e então fez a Maddy um milhão de perguntas. Este era o encontro com o qual ela sempre sonhara e com o qual Maddy jamais ousara sonhar.

Eram três da tarde quando voltaram, e Maddy deu a ela todos os seus números de telefone e fax e anotou os dela também. Prometeu ligar com freqüência para saber como ela estava indo. E, assim que tivesse resolvido as coisas com Jack, queria levá-la à Virgínia para passar o fim de semana. E quando disse a ela que mandaria o avião para buscá-la, os olhos de Lizzie se arregalaram.

— Seu homem tem um avião?

— Jack tem.

— Uau! Minha mãe é uma estrela de TV e meu pai tem um avião a jato. Nossa!

— Ele não é exatamente seu pai — Maddy a corrigiu gentilmente, e nem gostaria de ser, ela suspeitava. Ele não gostava de seus próprios filhos, muito menos da filha ilegítima de Maddy. — Mas ele é um homem bom — e quando ela disse aquilo sabia que estava mentindo. Mas era muito complicado explicar o quanto ela era infeliz e que estava fazendo terapia tentando tomar coragem para deixá-lo. Ela só esperava que Elizabeth nunca tivesse sofrido agressões como ela sofrera. Mas não falaram sobre aquilo durante o almoço e, apesar de nunca ter tido uma casa de verdade, ela parecia muito bem ajustada. E aquilo, apesar de deprimir Maddy, também a fazia pensar se Lizzie, no fim das contas, estivera melhor do que se tivesse visto Bobby Joe jogando sua mãe escada abaixo, ou ouvindo Jack agredi-la. Mas ela não devia esquecer sua responsabilidade tão facilmente, e sentiu-se culpada por nunca ter feito nada por sua filha. Só aquela palavra provocava tremores nela. Uma filha. Ela tinha uma filha.

Maddy despediu-se de Elizabeth com um beijo e se abraçaram por um longo momento. Então ela olhou para o rosto da filha com um sorriso e falou suavemente com ela.

— Obrigada por me encontrar, Lizzie. Não mereço você ainda, mas estou muito feliz por conhecê-la.

— Obrigada, mãe. — Lizzie sussurrou e ambas seguraram as lágrimas enquanto Maddy a observava ir embora. Foi um momento em sua vida que ela sabia que nenhuma delas jamais esqueceria. Durante o resto do dia ela ficou deslumbrada e ainda estava distraída quando Bill Alexander ligou para ela.

— O que há de novo com você hoje? — perguntou ele à vontade, e Maddy sorriu com a pergunta.

— Você não acreditaria se eu contasse.

— Isso parece bem misterioso. Alguma coisa importante aconteceu? — Ele imaginou se ela ia contar que deixara seu marido, mas já tinha se dado conta de que ela ainda não havia chegado a esse ponto.

— Vou contar a você quando o vir novamente. É uma longa história.

— Não posso esperar para ouvi-la. Como está indo com seu co-apresentador?

— Devagar. Ele é um cara legal, mas por enquanto é como dançar com um rinoceronte. Não temos muita graça juntos. — Ela estava esperando que os índices de audiência dessem um mergulho, pois já tinham recebido centenas de cartas reclamando do desaparecimento de Greg Morris. E ela imaginou o que Jack faria quando as visse.

— Vocês vão se ajustar um ao outro no final das contas. Provavelmente é como o casamento.

— Talvez. — Ela não parecia muito convencida. Brad Newbury era inteligente, mas eles não formavam uma dupla excitante, e era inevitável que seus espectadores notassem.

— Que tal almoçar amanhã? — perguntou ele. Ainda estava preocupado com ela e queria se certificar de que ela estava bem, depois de tudo o que lhe contara. Além do mais, ele gostava dela.

— Eu adoraria — Maddy respondeu sem hesitar.

— Você pode me contar sua longa história então. Mal posso esperar para ouvi-la. — Eles combinaram um lugar e Maddy estava sorrindo quando desligou. E pouco mais tarde ela entrou para fazer cabelo e maquiagem.

Os jornais foram bem e ela encontrou Jack no saguão depois. Ele estava falando no telefone celular e a conversa continuou dentro do carro e durante metade do caminho para casa. Quando ele finalmente desligou, ela não disse nada.

— Você está séria hoje — disse ele, parecendo preocupado. Ele não fazia nenhuma idéia de que ela conhecera Lizzie e ela não disse uma palavra sobre aquilo até que estivessem em casa e ele começasse a procurar algo para comer na cozinha. Eles haviam concordado em não sair para jantar e nenhum deles estava com muita fome. — Alguma coisa especial aconteceu hoje? — perguntou. Com Maddy, o silêncio era quase sempre um indicador de algo importante que ela não estava dizendo. Ela olhou para ele e assentiu. Ela estivera procurando as palavras certas por um instante, e então finalmente decidiu ir direto ao assunto.

— Por que você não me contou que recebeu a visita de minha filha? — Seus olhos não deixaram os dele quando fez a pergunta, e ela viu algo frio e duro surgir neles, um brilho de fogo que foi rapidamente sendo reconhecido como raiva.

— Por que você não me disse que tinha uma filha? — ele perguntou com a mesma aspereza. — Imagino quantos outros segredos você tem guardado de mim, Mad. Este é bem grande. — Ele se sentou na bancada da cozinha com uma garrafa de vinho e se serviu de uma taça, mas não ofereceu nenhuma a Maddy.

— Eu devia ter contado a você, mas não queria que ninguém soubesse. Aconteceu dez anos antes de te conhecer, e eu simplesmente queria deixar isso para trás. — Como sempre, ela era honesta com ele. Seu único pecado fora o da omissão, não o da mentira.

— Engraçado como as coisas saltam de você às vezes, não? Você pensou que tinha se livrado dela e ela surge novamente como uma moeda sem valor. — Magoou-a ouvi-lo dizer aquilo e ela se ressentiu. Lizzie era uma grande garota e Maddy já se sentia na obrigação de protegê-la.

— Você não precisa chamá-la assim, Jack. Ela é uma boa garota. Ela não tem culpa de eu tê-la parido quando tinha quinze anos e tê-la dado para adoção. Ela parece uma pessoa decente.

— Como diabos você sabe? — disse ele, soltando fogo para ela, e ela quase pôde se sentir queimar. — Ela pode estar falando com a *Enquirer* hoje. Você pode ver a cara dela na TV amanhã, falando sobre sua mãe famosa que a abandonou. Milhares de pessoas fazem isso. Você nem mesmo sabe se ela é sua de verdade, pelo amor de Deus. Ela pode ser uma fraude. Ela pode ser muitas coisas e provavelmente é, assim como a mãe dela. — Era o último golpe, dizer que ela era "tão ruim quanto sua mãe". Maddy captou o recado claramente e pensou imediatamente na dra. Flowers. Este era o tipo de agressão de que haviam falado, subterrâneo, viciante, humilhante.

— Ela se parece comigo, Jack. Seria difícil negar que ela é minha filha — disse Maddy calmamente, sem aceitar nenhuma das calúnias que ele dissera, tentando apenas aceitar fatos e nada mais.

— Cada caipira no Tennessee se parece com você, pelo amor de Deus. Você acha que cabelos pretos e olhos azuis são tão raros assim? Todos eles se parecem com você, Maddy. Você não é especial. — Maddy ignorou também este outro comentário desagradável.

— O que eu quero saber de você é por que não me contou que a viu. Para que você estava guardando essa informação? — Para um momento em que aquilo a machucaria mais, ela imaginou, quando aquilo pudesse atingi-la e chocá-la.

— Eu estava tentando protegê-la do que achei ser uma chantagista. Eu ia checar a história antes de contar a você — Parecia razoável e cavalheiresco, mas ela o conhecia bem.

— Foi gentil de sua parte. Obrigada. Mas eu gostaria de ter sabido, assim que você a viu.

— Vou lembrar disso da próxima vez que um de seus filhos bastardos aparecer. A propósito, quantos são? — Ela preferiu não responder àquela pergunta.

— Foi bom vê-la — disse Maddy, suavemente —, ela é um doce de garota. — Ela parecia triste e melancólica quando falou.

— O que ela queria de você? Dinheiro?

— Ela só queria me conhecer. Passou três anos me procurando. E eu passei a vida inteira pensando nela.

— Que tocante. Ela vai voltar para perseguir você novamente, eu posso jurar. E não vai ser uma história bonita — disse ele cinicamente, servindo-se de outro copo de vinho e olhando para ela furioso.

— Poderia ser. É muito humano. Essas coisas acontecem às pessoas.

— Não às pessoas boas, Mad — disse ele, saboreando as palavras e as feridas que estava provocando. — Isso não acontece a mulheres de bem. Elas não saem por aí tendo filhos aos quinze anos e depois abandonando-os nos degraus da igreja como tanto lixo — ouvir aquilo cortou seu coração.

— Não foi assim que aconteceu. Suponho que você queira ouvir a história inteira. — Ela devia pelo menos aquilo a ele, era seu marido e ela se sentia culpada por nunca lhe ter contado.

— Não, eu não quero — ele a cortou. — Só quero saber o que vamos fazer a respeito disso quando a história estourar e você ficar parecendo uma vagabunda na TV nacional. Tenho um programa para me preocupar e uma emissora também.

— Acho que as pessoas vão entender. — Ela estava tentando manter sua dignidade, exteriormente pelo menos, mas por dentro ele havia atingido seu objetivo. Ela sentia uma ferida aberta em sua alma com o retrato que ele estava pintando dela. — Ela não é uma criminosa, pelo amor de Deus, e nem eu.

— Não, só uma prostituta. Pobre lixo branco. Eu não estava longe da verdade, estava?

— Como você pode me dizer essas coisas? — perguntou ela, encarando-o com um olhar de dor, mas aquilo não o tocou. Ele queria machucá-la. — Você não sabe o quanto isso me machuca?

— Tomara que machuque mesmo. Você não pode sentir orgulho de si mesma e, se sente, é louca. E talvez você seja louca mesmo, Mad. Você mentiu para mim, você a abandonou. Bobby Joe sabia disso?

— Sim, ele sabia — disse ela com clareza, mas na época era tudo muito recente.

— Talvez seja por isso que ele tenha lhe dado uns tapas. Isso explica tudo. Você deixou essa parte de fora quando reclamou dele. Não sei se o culpo.

— Isso é besteira! — Maddy se inflamou de volta contra ele. — Não me importo com o que fiz. Eu não mereci o que ele fez comigo e não mereço isso agora. O que você está fazendo não é justo e você sabe.

— Mentir para mim sobre ela também não foi. Como você acha que eu me sinto? Você é uma vagabunda, Mad, uma prostituta barata. Você deve ter começado a transar por aí quando tinha doze anos, por Deus. Isso me faz pensar em quem você é agora. Sinto como se não a conhecesse.

— Isso não é justo — ele tinha desviado completamente o assunto do fato de não ter contado a ela. — Eu tinha quinze anos e estava errada, mas foi uma coisa terrível que aconteceu comigo. Nada em minha vida foi tão triste ou tão doloroso. Até mesmo ser espancada por Bobby Joe não foi tão ruim. Quando eu a abandonei, meu coração partiu.

— Diga isso a ela, não a mim. Talvez você possa fazer um cheque para ela por conta disso. Mas não tente usar meu dinheiro. Estarei de olho.

— Nunca usei seu dinheiro para nada — ela gritou para ele —, uso o meu próprio, para tudo o que faço — disse ela com orgulho.

— Usa porra nenhuma. Quem você acha que paga seu salário? Esse dinheiro é meu também — disse ele, convencido.

— Eu trabalho para ganhá-lo.

— Porra nenhuma. Você é a apresentadora mais bem paga do mercado.

— Não — gritou Maddy para ele. — É Brad, e ele vai foder com o seu programa. Mal posso esperar para ver isso acontecer.

— E quando acontecer, minha irmã, você vai direto com ele. Na verdade, do jeito que você vem se comportando esses dias, e do jeito que vem me tratando, eu diria que seus dias estão contados. Não vou agüentar as suas besteiras muito tempo. Por que eu deveria, porra? Eu posso chutar você daqui na hora que quiser. Não vou ficar sentado aqui para sempre enquanto você mente para mim, me rouba e me castiga. Meu Deus, mulher, não posso acreditar no tipo de abuso que aceito de você. — Ela ficou chocada quando ouviu aquilo. Era ele o agressor e estava fingindo ser a vítima. Mas a dra. Flowers a alertara sobre aquela técnica, que era muito eficiente. Apesar de tudo o que ela sabia e sentia, ele realmente a fez se sentir culpada e na defensiva.

— E só para deixar bem claro, não tente trazer sua pequena fedelha aqui. Ela provavelmente é uma prostituta, igual à mãe dela.

— Ela é minha filha! — gritou Maddy, totalmente frustrada. — Tenho o direito de vê-la se quiser e eu moro aqui.

— Apenas enquanto eu quiser, e não se esqueça disso. — E com aquilo ele se levantou e saiu do aposento, e Maddy ficou lá arfando. Ela esperou até ouvi-lo se movimentando lá em cima e então silenciosamente fechou a porta da cozinha e ligou para a dra. Flowers. Ela contou-lhe tudo o que acontecera, sobre o encontro com Lizzie e sobre Jack não contar que ela estivera lá e sobre sua fúria total por ela ter mentido para ele.

— E como você se sente, Maddy? Agora. Honestamente. Pense sobre isso.

— Me sinto culpada. Deveria ter contado a ele. E nunca deveria tê-la abandonado.

— Você acredita em todas as coisas que ele diz que você é?

— Algumas delas.

— Por quê? Se ele viesse para você com uma história dessas, você poderia perdoá-lo?

— Sim — respondeu ela instantaneamente. — Acho que eu compreenderia.

— Então o que quer dizer o fato de ele não poder fazer isso por você?

— Que ele é um merda — disse Maddy, olhando em volta da cozinha e ouvindo a dra. Flowers.

— Esta é uma maneira de colocar as coisas. Mas você não é uma merda. Este é o ponto aqui. Você é uma boa pessoa com quem aconteceu uma coisa muito triste, que é uma das piores coisas que podem acontecer a uma mulher, ter que dar um bebê. Você pode se perdoar por isso?

— Talvez. No tempo certo.

— E as coisas que Jack está dizendo para você? Você acha que as merece?

— Não.

— Pense no que isso mostra sobre ele. Escute o que ele está dizendo sobre você, Maddy. Nada disso é verdade, mas tudo é dito para machucá-la e a machuca, e eu não a culpo por isso. — Ela ouviu passos no saguão e disse à dra. Flowers que tinha de ir, mas pelo menos a doutora dera a ela alguma perspectiva. E no instante seguinte a porta se abriu e Jack entrou no aposento com um olhar de suspeita.

— Com quem você estava falando? Seu namorado?

— Não tenho um namorado, Jack, e você sabe — disse ela calmamente.

— Então quem era?

— Uma amiga.

— Você não tem amigos. Ninguém gosta de você. Era aquele pretinho viado de quem você gosta tanto? — Maddy recuou com o que Jack estava dizendo, mas não respondeu. — É melhor você não contar nada sobre isso a ninguém, porra. Não quero você estragando meu programa. Se você disser uma palavra sobre isso a alguém eu a mato. Você está entendendo?

— Estou entendendo — disse ela, com os olhos cheios d'água. Ele dissera tantas coisas que a machuraram na última hora que ela não sabia o que havia machucado mais. Tudo havia.

Ela esperou que ele saísse do aposento e então discou para o hotel onde Lizzie estava. Ela sabia que a filha estaria lá até de manhã.

Eles ligaram para o quarto dela e um segundo depois Lizzie respondeu. Ela estivera deitada na cama, pensando em Maddy. Ela a vira no noticiário naquela noite e não podia parar de sorrir.

— Maddy... quer dizer mamãe... quer dizer...

— Mamãe está bom — Maddy sorriu com a voz agora familiar e se deu conta de que Lizzie falava como ela — apenas liguei para dizer que a amo.

— Também a amo, mamãe. Deus, isso soa bem, não?

Havia lágrimas correndo pelas faces de Maddy quando ela respondeu.

— Certamente que sim, meu amor. Vou ligar para você em Memphis. Faça uma boa viagem de volta. — Ela não queria que nada acontecesse a ela agora que haviam encontrado uma à outra e, quando colocou o fone de volta no gancho, estava sorrindo. Não importava o que Jack dissesse ou fizesse a ela. Ele não podia tirar aquilo dela agora. Depois de todos aqueles anos e de tantas perdas, ela era mãe.

Capítulo 13

BILL E MADDY SE ENCONTRARAM no Bombay Club para o almoço. Estava usando um terninho branco chanel, óculos escuros na cabeça e uma bolsa de palha a tiracolo. Ela parecia um anúncio das alegrias do verão e Bill ficou feliz ao vê-la. Ele estava bonito e bronzeado, e seus cabelos brancos contrastavam com os olhos azuis e o rosto queimado de sol, enquanto ele se levantava e observava Maddy andar em sua direção. Ela parecia bem mais feliz do que na última vez em que a vira, e ele ficou satisfeito com isso.

Ele pediu vinho branco para os dois e conversaram por alguns minutos antes de olhar o cardápio. Muitos políticos conhecidos estavam lá, além de um juiz da Suprema Corte que Bill conhecia da época de Harvard.

— Você parece bem mais alegre hoje — ele sorriu para ela. — As coisas estão um pouco mais tranqüilas no *front* de casa?

— Eu não diria isso. Mas a dra. Flowers tem me dado uma grande ajuda e algo maravilhoso aconteceu comigo. — Todas as vezes que ele a encontrava, por uma razão ou outra, tinha medo de que ela fosse dizer que estava grávida. Ele não sabia por que aquilo o preocupava tanto, mas agora que sabia mais sobre Jack, não a queria ver particularmente amarrada àquele casamento. E um bebê certamente faria aquilo.

— Você disse algo sobre isso ontem. Posso perguntar ou é algo ultra-secreto?

Ela sorriu com a maneira que ele falou.

— Acho que sua permissão de segurança é adequada para isso, embaixador. Além do mais, confio em você. Mas, sim, é um segredo.

— Você não está grávida, está, Maddy? — Ele disse aquilo numa voz baixa, parecendo preocupado, e ela sorriu como a Mona Lisa enquanto ele sentia um tremor de preocupação percorrê-lo.

— É engraçado que você diga isso — a resposta dela imediatamente convenceu-o. — O que o fez perguntar isso?

— Não sei. Um pressentimento. A última vez que a vi na comissão você quase desmaiou. E algo que você disse ontem me preocupou. Não sei se esta seria uma boa notícia para você, a essa altura. Certamente a faria permanecer trancada dentro de seu casamento com um marido agressor. É isso, então? — Ele parecia desapontado mas resignado, e ficou surpreso quando ela sacudiu a cabeça.

— Não, não estou grávida. Na verdade, não posso ter filhos. — Era engraçado falar sobre aquelas coisas, mas ela se sentia incrivelmente confortável com ele. Como se sentira com Greg quando se conheceram, mas por razões diferentes. Ela se sentia completamente à vontade com Bill. E agora que ele sabia sobre sua situação com Jack, ela confiava inteiramente nele para contar seus segredos e sabia instintivamente que ele não a trairia.

— Sinto muito ouvir isso, Maddy — disse ele quando ela admitiu aquilo —, sei que deve ser uma grande dor para você.

— É. Ou era, pelo menos. Mas não tenho o direito de reclamar. Aconteceu por escolha. Liguei as trompas a pedido de Jack, quando nos casamos. Ele não queria mais filhos. — Bill quis dizer que era uma atitude egoísta da parte dele, mas conteve o comentário.— Mas algo incrível aconteceu ontem — ela riu sobre sua taça de vinho e foi difícil para ele ignorar o quanto ela era bonita. Ela era como um raio de sol. Durante meses ele ficara deprimido por causa da morte de sua mulher e ainda estava lutando contra aquilo. Mas cada vez que via Maddy ele se sentia feliz e cultivava sua amizade. Ele ficava lisonjeado pela confiança que ela depositava nele e por sua abertura para falar sobre coisas que ele suspeitava que ela não falava com mais ninguém. E não estava errado.

— Não posso suportar esse suspense — disse ele enquanto esperava. — O que aconteceu?

— Bem, não sei se devo começar pelo começo ou pelo fim. — Ela parecia hesitar e ele sorriu por antecipação. Ele tinha certeza de que era algo que a havia agradado muito.

— Comece pelo meio, se quiser, mas conte logo!

— Tudo bem, tudo bem... melhor pelo começo. Vou tentar contar rapidamente. Quando eu tinha quinze anos, já estava envolvida com Bobby Joe, com quem eu acabei me casando depois de formada. Ele terminou comigo duas vezes e uma noite fui a uma festa com outro rapaz — ela hesitou e franziu as sobrancelhas. Jack estava certo. De qualquer maneira que ela contasse, pareceria uma prostituta, e era fácil imaginar o que Bill pensaria dela. Não queria pedir desculpas a ele, mas quando olhou-o estava preocupada.

— O que é?

— Você não vai pensar muito bem de mim depois que eu contar. — E aquilo importava para ela. Mais do que ela se dera conta quando começou sua história, e imaginou se jamais deveria ter começado.

— Deixe-me julgar. Acho que nossa amizade vai sobreviver — disse ele calmamente.

— Seu respeito por mim pode não sobreviver. — Mas ela estava querendo tentar. Ela pensou muito nele e estava querendo se abrir, a fim de compartilhar aquilo com ele. — Enfim, eu saí com outro rapaz. E não deveria, mas dormi com ele. Ele era muito charmoso e bonito e um bom rapaz. Eu não estava apaixonada por ele, mas estava solitária e confusa e lisonjeada por sua atenção.

— Você não precisa se defender, Maddy — disse ele suavemente. — Está tudo bem. As pessoas fazem isso. Sou um grande cara, posso tolerar isso. — Ela sorriu agradecida. Aquilo estava bem longe de quando era chamada de vagabunda e prostituta e pobre lixo branco por seu marido.

— Obrigada. Esta foi a confissão número um. A número dois é que fiquei grávida. Eu tinha quinze anos e meu pai quase me matou por causa daquilo. Eu nem mesmo me dei conta até que estivesse com quatro meses de gravidez. Eu era jovem e muito burra, e era tarde demais para fazer qualquer coisa. Eu era pobre. Provavelmente acabaria tendo o bebê de qualquer maneira, mesmo se tivesse notado antes.

— Você teve o bebê? — ele pareceu surpreso, mas sem julgá-la. Havia uma diferença distinta e ela estava bem consciente daquilo enquanto assentiu.

— Tive o bebê. Embora até ontem quase ninguém soubesse disso. Fui para outra cidade por cinco meses, freqüentei à escola lá e depois a tive. Uma garota — contra a sua vontade, lágrimas encheram seus olhos quando ela falou. — Só a vi uma vez e eles me deram uma foto dela quando deixei o hospital. Isso foi tudo o que tive dela, e acabei jogando fora também, porque tinha medo de que Jack a encontrasse. Jamais contei a ele. Dei a garota para ser adotada e fui para casa como se nada tivesse acontecido. Bobby Joe sabia, mas não se importava, e voltamos a sair juntos novamente.

— O pai do bebê esteve envolvido nisso tudo?

— Não. Eu contei a ele que estava grávida, mas ele não queria se envolver. Seus pais tinham uma loja de ferragens e achavam que éramos lixo. E acho que éramos mesmo. Eles o convenceram de que provavelmente o filho era de outro. Não acho que ele tenha acreditado, mas ficou muito assustado para ir contra eles e eu mal o conhecia. Eu telefonei quando o bebê nasceu e ele nunca retornou minha ligação. E três semanas mais tarde ele morreu num acidente de carro. Acho que nunca soube do bebê. E eu nunca soube quem a adotou — ela continuou, com uma pequena falta de ar. Contar a ele era mais difícil e mais emocionante do que havia esperado, e ele pegou sua mão sob a mesa, para lhe dar coragem. Ele ainda não tinha idéia do que estava por vir. Só sabia que ela sentia que tinha de contar a ele. — Naquela época, as regras de adoção eram rígidas e não haveria esperança de achá-la, então eu nunca tentei. Me casei com Bobby Joe depois de me formar e oito anos mais tarde o deixei. Nos divorciamos e me casei com Jack. Sei que foi errado de minha parte, mas nunca contei a ele. Simplesmente não podia. Eu tinha medo de que ele não me amaria mais, se eu contasse — ela se engasgou com as lágrimas novamente e o garçom, esperando para pegar seus pedidos, manteve uma distância discreta. — Nunca contei a ele — ela repetiu. — Era um pedaço de meu passado no qual nunca toquei. Simplesmente não podia tolerar pensar sobre aquilo. — Havia lágrimas nos olhos de Bill enquanto ele escutava. — E ontem — disse ela, sorrindo através das lágrimas, enquanto elas desciam por suas faces e ela apertava a mão dele — ela apareceu no meu escritório.

— Quem? — Ele estava com medo de falar, embora pudesse quase imaginar, mas parecia extraordinário para ser possível. Coisas como aquela aconteciam apenas nos livros e filmes.

— Minha filha. O nome dela é Lizzie — disse Maddy orgulhosamente. — Ela levou três anos para me encontrar. As pessoas que a adotaram morreram um ano depois e ela ficou num orfanato estadual em Knoxville, onde eu estava vivendo, e eu nunca soube. Achei que ela estava feliz então. Queria ter sabido — disse ela melancolicamente, mas pelo menos elas haviam se encontrado agora. Aquilo era tudo o que importava. — Ela ficou em casas de adoção todos esses anos e agora tem dezenove anos. Ela mora em Memphis. Freqüenta a escola e trabalha como garçonete, e é tão bonita. Espere até conhecê-la — disse Maddy, com orgulho. — Passamos cinco horas juntas ontem e ela voltou para Memphis hoje, mas vou trazê-la de volta logo. Não disse nada a ela, mas gostaria que ela vivesse aqui, se quiser. Liguei para ela na noite passada — disse Maddy, apertando a mão dele, enquanto sua voz falhava completamente. — Ela me chamou de... mamãe... — Ele apertou sua mão mais forte quando ela falou. Era uma história maravilhosa e tocou seu coração.

— Como foi que ela conseguiu encontrar você? — Ele estava espantado com a honestidade de Maddy e o final da história. Era o proverbial final feliz.

— Não sei direito. Ela só ficou procurando. Acho que ela voltou a Gatlinburg, a cidade onde nasceu, para ver se alguém se lembrava de alguma coisa. Ela tinha a minha idade em sua certidão de nascimento e foi às escolas locais, até que encontrou uma professora que se lembrou. Disseram a ela que meu nome era Madeleine Beaumont e eu acho que eles se lembraram. O mais incrível é que ninguém fez a conexão entre aquela pessoa e Maddy Hunter. Mas já são quase vinte anos e acho que não há muito em comum entre as duas. Mas ela se deu conta, ao me ver no noticiário. Eu nunca falei muito publicamente sobre meu passado. Não há muita coisa de que me orgulhar. — De fato, com a ajuda de Jack, ela tinha uma vergonha enorme dele.

— Sim, há muito de que se orgulhar — disse Bill suavemente, fazendo sinal para o garçom deixá-los a sós por alguns minutos a mais.

— Obrigada, Bill. De qualquer forma, acho que ela me seguiu até Chattanooga e de alguma forma percebeu o que ninguém ainda havia percebido. Ela diz que me via no noticiário e leu em algum lugar que meu nome de solteira era Beaumont. Ela é uma leitora voraz — disse Maddy orgulhosamente e Bill sorriu ao escutá-la. Ela subitamente era mãe. Dezenove anos mais tarde, mas antes tarde do que nunca. E sua filha apareceu no momento exato. — Ela veio à emissora e tentou me ver — e naquela parte da história o rosto de Maddy se nublou — e eles mandaram-na ver Jack. Ele tem algum sistema maluco que direciona as pessoas a ele, se perguntarem por mim. Ele alega que é um processo de filtragem para minha própria proteção, mas agora me dou conta de que tem a ver com me controlar e saber quem são as pessoas que eu vejo e não vejo. Ele mentiu para ela — disse ela, ainda sem acreditar. — Disse a ela que meu nome de solteira não era Beaumont e que eu não era de Chattanooga. E eu não sei se ela não acreditou nele ou se é tão teimosa quanto eu, mas de alguma maneira ela voltou ao prédio ontem, fingindo que estava vendendo balas, e entrou no meu escritório. A princípio achei que ela ia me atacar. Ela tinha um olhar estranho no rosto e estava muito nervosa. E então ela me contou. E é isso. Agora tenho uma filha. — Ela riu para ele. Era tão bom acreditar naquilo, tão maravilhoso que ela sorriu para ele, enquanto ele enxugava as lágrimas que caíam de seus próprios olhos.

— É uma história e tanto — e então ele pensou em algo. — O que Jack disse de tudo isso? Presumo que você tenha contado a ele.

— Contei e, quando perguntei a ele por que não me contou, ele disse que achou que ela era uma impostora e deduziu que estava tentando me chantagear. Mas ele tinha muito mais a dizer sobre o fato de eu ter escondido isso dele. Ele está furioso com isso e acho que está certo. Foi errado de minha parte, reconheço. Eu estava assustada, se é que isso serve de desculpa. E talvez eu estivesse certa também, porque agora ele está me chamando de vagabunda e prostituta e ameaçando me despedir. Ele não quer participar disso. Mas não vou deixá-la ir embora agora que a encontrei.

— Claro que não. Como ela é? Bonita como a mãe?

— Muito mais. Bill, ela é maravilhosa, doce e adorável. Ela nunca teve um lar de verdade, ou uma mãe. Há tantas coisas que eu quero fazer por ela. — Bill só esperava que ela fosse uma pessoa tão decente quanto Maddy achava. Mas mesmo se não fosse, ele compreendia que Maddy a quisesse em sua vida agora. — Jack diz que ele não vai deixá-la entrar em casa. E está preocupado com o escândalo e o impacto em minha imagem se isso for a público.

— Você está preocupada?

— Nem um pouco — disse ela honestamente. — Cometi um erro. Acontece às pessoas. Acho que todos entenderiam isso.

— De um ponto de vista de imagem, acho que é mais positivo do que negativo, se é que você se preocupa. Mas acho que há coisas mais importantes aqui. É uma história muito tocante — disse ele suavemente.

— É a coisa mais feliz que aconteceu na minha vida. Não mereço tanta sorte.

— Ah, merece sim — disse ele enfaticamente. — Você contou à dra. Flowers sobre isso?

— Na noite passada. Ela ficou muito feliz por mim.

— Não estou surpreso por ouvir isso, Maddy. Eu também estou feliz. É um presente bonito e você merece. Teria sido uma tragédia para você ficar sem sua filha por toda a vida, e a garota merece uma mãe.

— Ela está tão feliz quanto eu.

— Não estou surpreso com a reação de Jack. Ele é um grande canalha com você em cada oportunidade. As coisas que ele lhe disse são imperdoáveis, Maddy. Ele está tentando intimidá-la e fazê-la sentir-se culpada. — Era a reserva de munição dele, e ambos sabiam disso.

Eles pediram o almoço então e continuaram a falar mais. A tarde voou e eram duas e meia antes que se dessem conta.

— O que você vai fazer a respeito disso tudo? — perguntou ele com grande preocupação. Ela tinha algumas decisões a tomar, e só algumas delas envolviam sua filha recém-encontrada. Ela ainda tinha um marido agressor contra quem lutar e ele não ia desaparecer num passe de mágica.

— Não sei ainda. Acho que vou a Memphis daqui a algumas semanas para vê-la. Gostaria que ela se transferisse para uma escola daqui.

— Posso ajudá-la nisso. Me avise quando estiver pronta.

— Obrigada, Bill. Ainda tenho que encarar Jack. Ele está com medo do escândalo nos tablóides.

— E daí? Você realmente liga para isso? — perguntou Bill com praticidade, e ela sacudiu a cabeça quando pensou naquilo.

— Acho que só ligo para a reação de Jack. Ele vai me torturar com isso. — Ambos sabiam que era verdade e Bill estava preocupado com o efeito daquilo em Maddy.

— Gostaria de não ter que ir a Vineyard amanhã — disse ele, parecendo preocupado. — Poderia ficar aqui, se você quiser, mas não tenho certeza do que poderia fazer para ele se comportar. Ainda acho que a única solução para você é deixá-lo.

— Eu sei. Mas a dra. Flowers e eu concordamos que ainda não estou pronta. Eu devo tanto a ele, Bill.

— A dra. Flowers concorda com isso também? — ele pareceu desaprovar, e Maddy sorriu envergonhada.

— Não. Mas ela entende que eu não posso sair ainda.

— Não espere muito, Maddy. Um dia desses ele pode machucá-la. Ele pode não ficar satisfeito com as agressões emocionais e virar o jogo.

— A dra. Flowers acha que ele vai ficar pior, quanto mais independente eu me tornar.

— Então por que ficar? Simplesmente não faz sentido arriscar o que ele pode fazer com você. Maddy, você tem que agir rápido. — O mais incrível era que ela era bonita, bem empregada, inteligente, a mulher que todas as outras mulheres no país invejavam e queriam ser. Até onde ele sabia, ela era o espírito da independência e tinha todos os recursos para sair de uma situação ruim. Mas a agressão era mais complicada do que aquilo, como ela sabia tão bem, e Bill estava aprendendo. Era uma armadilha cheia de culpa e terror, que a deixava paralisada para escapar, mesmo que todo mundo achasse que ela podia. Era como se ela estivesse se movendo em câmera lenta, e não importava o quanto ela tentasse, pois não podia se mover mais rapidamente. E ela sentia que devia sua vida a Jack. O que Bill temia, observando-a de fora, era que Jack acabasse machucando-a fisicamente, tanto quanto o fazia emocionalmente, sobretudo se já não pudesse controlá-la. Mas até ela via o que estava acontecendo. Só estava ainda muito assustada para fazer qualquer coisa a respeito. Ela levara oito anos para deixar Bobby Joe e Bill só desejava que desta vez ela não esperasse tanto.

— Você vai me ligar em Vineyard, Maddy? Vou ficar morto de preocupação com você. — Era verdade, ele andava pensando muito nela ultimamente, mais até do que entendia ou esperava. Ele ainda estava sofrendo por sua esposa e de certa forma ainda estava obcecado por ela, enquanto terminava o livro que escrevia. E ainda assim, nos últimos tempos ele andava constantemente distraído e algumas vezes animado quando pensava em Maddy. — Vou ligar para você no escritório. — Ele estava com medo de ligar para ela em casa e acrescentar ciúmes às armas que Jack usava para atormentá-la.

— Vou ligar também, prometo. Vou ficar bem aqui. Tenho muito a fazer e provavelmente vamos para a Virgínia por alguns dias. Adoraria ter Lizzie lá conosco, mas não acho que Jack permitiria.

— Eu só queria que você não estivesse mais com ele — disse ele com raiva. Ele não tinha nenhum envolvimento pessoal com aquilo, nenhum envolvimento romântico com ela. Mas, como um ser humano observando o outro ser torturado, ele se sentia impotente, com raiva e desesperado para fazer algo a fim de ajudá-la. Às vezes aquilo o lembrava dos meses sem fim quando sua esposa foi mantida prisioneira. Ele ficava esperando constantemente notícias dela, e frustrado pelo fato de que não podia fazer nada para libertá-la. Fora o que o havia levado finalmente a fazer qualquer coisa que pudesse, por sua própria conta. E, em sua ingenuidade, ele a matara, ou pelo menos se sentia responsável por aquilo. De certa maneira esta era uma situação dolorosamente parecida. — Quero que você tome muito cuidado — ele a alertou, quando a acompanhou até o carro dela no estacionamento do restaurante. — Não faça nada que a coloque em risco. Esta pode não ser a hora certa para confrontá-lo. Você não tem de provar nada, Maddy. Você não tem de conseguir o consentimento dele. Tudo o que você tem de fazer é sair de lá quando estiver pronta. Ele não vai libertá-la. Você tem de se libertar a si mesma e correr feito louca até encontrar a fronteira. — De certa forma, era como fugir de um país comunista.

— Eu sei disso. Deixei meu anel de casamento na mesa da cozinha e corri feito louca no dia em que deixei Bobby Joe. Ele levou meses para descobrir onde eu estava e, quando descobriu, Jack já estava no comando. Eu tinha mais seguranças do que o papa nos meus primeiros meses na emissora.

— Você pode ter de fazer isso novamente por um tempo — ele ficou olhando para ela longa e profundamente enquanto os dois ficavam de pé, próximos ao carro dela. — Não quero que ele a machuque. — Ou pior, que a matasse se explodisse de alguma maneira, porém Bill não disse isso a ela. Mas ele pensava que o outro era capaz daquilo. Era um homem sem ética ou alma. Na opinião de Bill, ele era um sociopata, um homem sem consciência. — Cuide-se — e então ele sorriu, pensando em sua filha. — Mãe. Gosto de pensar em você como uma mãe. Tem a sua cara.

— Eu também. Me faz sentir ótima — ela sorriu.

— Aproveite isso. Você merece. — Então ele deu um forte abraço nela e continuou de pé na calçada enquanto ela ia embora. E duas horas mais tarde, um grande buquê de flores chegou ao escritório dela. As flores eram todas em tons pálidos de rosa, com balões rosas e um ursinho rosa, e o cartão dizia: "Parabéns por sua nova filha. Com amor, Bill." Ela colocou o cartão numa gaveta e sorriu enquanto olhava para as flores. Era uma coisa doce de se fazer e ela ficou tocada. Ligou para agradecer, mas ele ainda estava fora e ela deixou uma mensagem na secretária eletrônica, agradecendo e dizendo o quanto as adorara.

Ela ainda estava sorrindo por causa das flores e de seu almoço com Bill quando Jack entrou em seu escritório, uma hora mais tarde.

— Que porra é essa? — perguntou, furioso com os balões cor-de-rosa e o ursinho. Era fácil concluir o que aquilo significava.

— É só uma piada. Nada sério.

— O diabo que não é sério. Quem mandou? — Ele procurou pelo cartão, mas não encontrou nenhum, enquanto ela tentava desesperadamente imaginar o que dizer sobre elas.

— São da minha terapeuta — ela tentou, e então se deu conta imediatamente de que também não era a resposta correta. Ela fora a um terapeuta anos atrás, mas Jack a fizera interromper o tratamento. Ele se sentira ameaçado e dissera a ela que o terapeuta era incompetente. No final, foi fácil deixar de vê-lo. Era parte do grande plano de Jack, ela se dava conta agora, de isolá-la.

— Quando você começou isso de novo?

— Na verdade ela é apenas uma amiga. Eu a conheci na Comissão de Violência contra a Mulher.

— Me poupe. O que ela é? Alguma espécie de lésbica, em prol da libertação da mulher?

— Ela tem uns oitenta anos e muitos netos. É uma mulher muito interessante.

— Aposto que sim. Deve ser senil. De qualquer maneira, se você abrir sua boca para muita gente, Mad, em breve você vai estar lendo a sua história nos tablóides. E espero que você goste quando isso acontecer, porque você vai estar desempregada na mesma hora. Então, se eu fosse você, manteria minha boca fechada. E diga àquela putinha de Memphis para manter a boca fechada também, ou eu vou enfiar-lhe um processo por calúnia.

— Não seria calúnia ela declarar que é minha filha — disse Maddy, tentando parecer mais calma do que estava — e sim a verdade. Ela tem o direito de falar. Mas me prometeu que não falaria. E não a chame de putinha, Jack. Ela é minha filha. — Ela disse aquilo clara e polidamente, e ele se virou para ela com uma expressão maligna.

— Não me diga o que fazer, Maddy. Lembra? Eu sou seu dono.

Ela estava prestes a responder quando sua secretária entrou e ela decidiu não falar. Mas aquela era a chave da questão. Jack acreditava que era seu dono. E nos últimos nove anos ela o deixara acreditar naquilo porque também acreditava. Mas não por muito tempo. Ela só não tinha coragem para agir ainda, mas pelo menos sua mente estava clareando. E poucos minutos mais tarde ele saiu e voltou para seu escritório.

Logo depois o telefone tocou. Era Bill. Ele havia recebido seu recado e estava feliz.

— Adorei as flores! — disse ela, sorrindo novamente e só levemente mexida pela visita de seu marido. Ela estava feliz por ter tirado o cartão das flores, senão estaria numa situação ainda pior. — Foi tão gentil de sua parte. Obrigada, Bill. E pelo almoço também.

— Eu ainda sinto sua falta — disse ele, parecendo juvenil e um pouco envergonhado. Ele não havia mandado flores para ninguém durante anos, a não ser sua mulher, mas quisera homenagear a volta da filha de Maddy. Ele sabia o quanto significava para ela, e estava profundamente sensibilizado pelo que ela havia contado a ele e por sua confiança. Ele jamais a trairia. Tudo o que queria era ajudá-la. Eles eram amigos agora. — Vou sentir sua falta quando partir — disse ele. Era uma coisa engraçada para ele dizer, e ambos notaram aquilo. Mas ela se deu conta de que também sentiria a falta dele. Estava começando a contar com ele, ou pelo menos saber que ele estava por perto, embora não se vissem muitas vezes. Mas estavam começando a se falar diariamente. Ao menos ainda podiam fazer aquilo enquanto ele estava em Vineyard, exceto nos fins de semana, quando ele não podia ligar para ela, e com razão. Era muito perigoso. — Voltarei em duas semanas, Maddy. Tente se cuidar até lá.

— Eu vou. Prometo. E se divirta com seus filhos.

— Mal posso esperar para conhecer Lizzie. — Era como se um pedaço inteiro dela tivesse voltado, um pedaço que ela já havia quase esquecido que estava perdido. Ele nunca tinha percebido o grande pedaço que havia sido tirado dela e, agora que havia voltado, ela sentia aquilo de coração e alma.

— Você vai conhecê-la logo, Bill. Cuide-se — disse ela gentilmente. Pouco mais tarde eles desligaram e ela ficou sentada olhando pela janela, pensando em Bill e nas flores que ele havia mandado. Ele era um homem bacana e um bom amigo, e ela estava muito feliz por tê-lo conhecido. Era engraçado como a vida funcionava às vezes, as coisas que ela tirava e os presentes que dava. Ela havia perdido tanto em sua vida e depois encontrado outras pessoas, outros lugares, outras coisas, mas agora tinha feito as pazes com seu passado. Tudo o que ficara era para assegurar seu futuro. Ela só esperava que o destino fosse bom com ela novamente.

Em sua casa, na Dunbarton Street, Bill também estava olhando pela janela. Mas seus pedidos por Maddy eram bem específicos. Ele pedia por sua segurança. Cada fibra de seu ser dizia que ela estava em perigo. Bem mais do que ela sabia.

Capítulo 14

DURANTE AS DUAS SEMANAS em que Bill esteve fora, as coisas ficaram bem mais calmas para Maddy. Ela e Jack passaram uma semana fora, na Virgínia, e ele sempre ficava de melhor humor quando estava lá. Ele gostava de seus cavalos e sua fazenda, e voou de volta para Washington várias vezes para reuniões com o presidente, por causa de vários assuntos. E sempre que ele estava fora, ou cavalgando em algum lugar, Maddy ligava para Bill em Vineyard. E antes das férias ele continuou a ligar para ela diariamente no escritório.

— Ele está se comportando? — perguntou Bill, com um tom preocupado.

— Está tudo bem — assegurou ela. Ela não estava num bom momento, mas também não estava em perigo. Jack sempre voltava atrás depois de períodos em que era particularmente horrível com ela. Era como se quisesse provar que era tudo imaginação dela. Como a dra. Flowers havia apontado, era o caso clássico do filme *À meia-luz,* para que ela pudesse não apenas parecer, mas também se sentir louca, se reclamasse de como ele se comportava com ela. E ele estava fazendo justamente aquilo na Virgínia. Ele fingia não estar aborrecido sobre sua filha, embora tivesse dito que achava que Maddy não devia ir a Memphis. Ela poderia ser reconhecida e de qualquer maneira lá era muito quente. E ele a queria perto dele. Ele fora extraordinariamente amoroso com ela lá, mais gentil novamente e mais civilizado, para que suas reclamações de que ele a machucara em Paris parecessem bobagem. Mas ela não discutia mais nada com ele agora, apesar de a dra. Flowers ter avisado, quando se falaram, que aquilo por si só poderia fazê-lo ter suspeitas. Mas ela estava sendo honesta com Bill quando disse que se sentia segura lá. — Como está o livro? — perguntou ela. Ele fazia relatórios para ela diariamente.

— Terminado — disse ele orgulhosamente, no último fim de semana em que estaria longe. Estavam ambos ansiosos para voltar para Washington. E a comissão iria se encontrar na segunda-feira. — Não posso acreditar nisso.

— Mal posso esperar para lê-lo.

— Não é exatamente uma leitura alegre.

— Não espero que seja, mas tenho certeza de que é maravilhosa. — Ela sabia que não tinha o direito, mas estava orgulhosa dele.

— Vou conseguir para você uma cópia assim que for impresso. Estou ansioso para que você leia. — E então houve um silêncio estranho. Ele não tinha certeza de como dizer a ela, mas havia pensado muito nela e se preocupado constantemente. — Também estou ansioso para vê-la, Maddy. Fiquei morrendo de preocupação por sua causa.

— Não fique. Estou bem. E vou ver Lizzie no próximo fim de semana. Ela vem a Washington me visitar. Mal posso esperar para apresentá-la a você. Eu contei a ela tudo sobre você.

— Não consigo imaginar o que você possa ter dito sobre mim — ele pareceu embaraçado. — Devo parecer um monumento pré-histórico para ela, e não sou muito excitante.

— Para mim você é. Você é meu melhor amigo, Bill. — Ela estava mais próxima dele do que estivera de qualquer pessoa nos últimos anos, com exceção de Greg, que agora tinha uma nova namorada em Nova York e ainda ligava quando podia para saber dela. Mas ambos haviam notado que, quando era Jack que ouvia os recados, ela nunca os recebia. E quando ele atendia e ela estava em casa, ele nunca passava as ligações para ela. Ela e Bill eram mais cuidadosos com a hora e as circunstâncias de seus telefonemas.

— Você também é muito especial para mim — respondeu Bill, sem saber o que dizer. Ele estava confuso a respeito de seus sentimentos por ela, parte filha, parte amiga, parte mulher, em combinações alternadas, e ela se sentia da mesma maneira com ele. Às vezes ele parecia um irmão para ela, mas em outras ela ficava surpresa com seus sentimentos por ele. Mas nenhum deles jamais havia tentado definir isso para o outro. — Vamos almoçar antes da comissão na segunda-feira. Você pode?

— Adoraria.

E ela ficou ainda mais confusa com a extrema gentileza de Jack em seu último fim de semana na Virgínia. Ele trouxe flores do jardim para ela, café da manhã na cama, saiu para caminhar com ela e disse o quanto ela era importante para ele. E quando fez amor com ela, foi mais doce e gentil do que jamais fora. Era como se os abusos do passado fossem fruto de sua imaginação. E ela se sentiu culpada novamente pelas coisas que dissera sobre ele a Bill, Greg e a dra. Flowers, e desejou corrigir a má impressão que deixara com eles sobre seu marido tão amável. Ela estava começando a imaginar se era tudo sua culpa mesmo. Talvez ela apenas despertasse o lado pior dele. Quando ele queria e quando ela era boa, ele era uma pessoa incrivelmente doce.

Ela tentou explicar isso à dra. Flowers na manhã em que voltaram, e a dra. Flowers pareceu dura com ela quando a alertou.

— Tome cuidado, Maddy. Olhe o que você está fazendo. Você está caindo na mesma armadilha de novo. Ele sabe o que você estava pensando e está querendo provar a você que está errada e fazê-la sentir que é sua culpa. — Ela fez aquilo parecer tão maquiavélico que Maddy ficou com pena de Jack. Ela o havia tornado verdadeiramente mau e agora a dra. Flowers acreditava naquilo. Mas ela não disse nada a esse respeito a Bill quando almoçaram, com medo de que ele dissesse a mesma coisa que a dra. Flowers. Ao contrário, falaram sobre o livro dele. Ele já o havia vendido a um editor muitos meses atrás, através de um agente.

— Quais são os seus planos para o verão? — Ele perguntou cuidadosamente, querendo ouvir que ela ia se separar do marido. Mas ela não mencionou nada durante o almoço e parecia feliz e relaxada como ele jamais a vira desde que a conhecera. Algo parecia estar indo bem, mas ele estava tão preocupado quanto antes com ela. E, como a dra. Flowers, ele tinha medo de que Jack fosse atraí-la de volta para a armadilha e mantê-la ali para sempre, alternadamente agredindo-a e confundindo-a até que ela não pudesse mais agüentar. Mas ela não disse nada a respeito de se separar.

— Quero tentar conseguir que o programa volte ao que era. Nossos índices tiveram uma queda súbita. Achei que fosse por causa de Brad, mas Jack acha que eu também estou em queda e que meu desempenho não é o que deveria. Ele disse que minhas reportagens têm sido muito entediantes. Quero pesquisar algumas matérias especiais para fazer neste outono e ver se conseguimos colocar alguma energia a mais no programa. — Como sempre, Jack a estava culpando por algo que não era sua culpa, Bill suspeitava, mas ela estava mais do que querendo acreditar nele. Não que ela fosse burra. É que estava presa e ele era infinitamente convincente. Mas a menos que alguém conhecesse o modelo, era difícil para as pessoas do lado de fora do círculo conseguirem ver. E Maddy estava muito próxima para poder enxergar.

Bill ficou tentado a ligar para a dra. Flowers depois que ele e

Maddy almoçaram, mas sabia que, sendo uma pessoa ética como era, agora que Maddy era sua paciente, a dra. Flowers não discutiria o assunto com ele, e ele compreendia. Ele só tinha que se sentar e observar o que estava acontecendo com ela, e dar um passo quando visse uma oportunidade de ajudá-la. Mas no momento não havia nenhuma. E mais uma vez ele se lembrou de Margaret e dos longos meses de espera para resgatá-la e trazê-la de volta à segurança. O que o apavorava mais quando lembrava era o resultado. E desta vez ele não queria cometer o mesmo erro e assustar o inimigo se movimentando na hora errada. Mais do que ninguém ele sabia que Jack era um oponente formidável, um terrorista com a máxima destreza. E o que Bill mais queria era salvá-la. Ele só esperava que pudesse fazê-lo desta vez.

A comissão estava indo bem e eles falaram em ter reuniões mais freqüentes. A primeira-dama trouxera mais seis pessoas e estavam planejando uma campanha, para o outono, de anúncios contra a violência doméstica e crimes contra mulheres. Havia seis diferentes anúncios sendo trabalhados e alguns subgrupos estavam sendo formados. Ele e Maddy estavam num subcomitê de estupro, e as coisas que estavam aprendendo eram aterrorizantes. Havia outro subcomitê centrado em assassinatos, mas nem ele nem Maddy quiseram participar.

E no fim de semana seguinte ao que ambos voltaram, Lizzie veio para a cidade novamente e Maddy marcou com ela no Four Seasons. Ela convidou Bill para tomar um chá com elas e ele ficou impressionado quando a conheceu. Era tão bonita quanto Maddy dissera e tão brilhante quanto sua mãe em cada aspecto. E levando em conta as poucas vantagens que tivera na vida, parecia surpreendentemente educada. Ela fora bem na escola, gostara dos cursos na faculdade pública de Memphis e era obviamente uma leitora voraz.

— Eu gostaria de levá-la para Georgetown no próximo trimestre, se pudesse — disse Maddy a ele enquanto tomavam chá no saguão. E Lizzie disse que estava empolgada com a idéia.

— Eu tenho alguns contatos que podem ajudar lá — Bill se ofereceu. — O que você quer estudar?

— Política internacional e comunicação — disse Lizzie, sem hesitar.

— Adoraria dar a ela um estágio na emissora, mas isso não é possível — disse Maddy, pesarosa. Ela nem mesmo contara a Jack que Lizzie estava lá e nem ia contar. Ele estava sendo tão gentil que ela não queria aborrecê-lo. Ele estava falando em levá-la novamente à Europa em outubro, mas ela ainda não contara a Bill. — Se Lizzie vier para a universidade aqui, vamos alugar um pequeno apartamento para ela em Georgetown.

— Certifique-se primeiro de que é um local seguro — disse Bill, parecendo preocupado. Ambos haviam ficado horrorizados com as estatísticas de estupro que conheceram naquela semana na comissão.

— Não se preocupe, pode deixar — Maddy assentiu, pensando na mesma coisa. — Ela provavelmente teria alguém com quem dividir o apartamento. — E quando Lizzie foi passar pó no nariz, Bill disse a Maddy que a achara adorável.

— Ela é uma garota fantástica, você deve estar muito orgulhosa dela — disse ele sorrindo para Maddy.

— Eu estou, embora não tenha o direito de estar. — Maddy a levaria ao teatro naquela noite. Dissera a Jack que ia a um jantar feminino relacionado à comissão e ele não ficou satisfeito, mas, já que envolvia a primeira-dama, compreendeu.

Quando Lizzie voltou para a mesa, falaram um pouco mais sobre seus estudos e os planos de se mudar para Washington para ficar mais perto de sua mãe. Era como um conto de fadas que se tornava realidade, para ambas. Mas Bill sentia com certeza profunda que ambas mereciam aquilo.

Eram cinco horas quando ele finalmente se despediu. Pouco mais tarde Maddy deixou Lizzie no hotel e foi para casa, para ver Jack e se trocar para o teatro. Ela e Lizzie iam a uma nova montagem de *The King and I* e Maddy estava satisfeita por levar Lizzie a seu primeiro musical. Havia muitas coisas a tratar entre elas e Maddy mal podia esperar para começar.

Quando chegou em casa, Jack estava relaxando e assistindo ao telejornal do fim de semana. Os apresentadores do fim de semana haviam conseguido audiência melhor do que ela e Brad, mas ele ainda se recusava a escutar Maddy dizer que a culpa era de Brad. Ele simplesmente não estava preparado para ser apresentador. O plano de Jack de se livrar de Greg havia se voltado contra ele de uma maneira horrível. Mas ele continuava a culpar Maddy, insistindo que era responsabilidade dela. E embora o produtor concordasse com ela, tinha muito medo de falar aquilo a Jack. Ninguém gostava de contestá-lo.

Jack planejava jantar com amigos, embora não gostasse de sair sem ela no fim de semana, e ela saiu enquanto ele estava se vestindo. Ele a beijou amorosamente antes de ela sair e ela ficou feliz por ele estar sendo tão gentil. Era muito mais fácil assim. E ela pensou que os maus tempos já haviam ficado para trás.

Ela pegou Lizzie no hotel de táxi e foram direto ao teatro. Lizzie parecia uma garotinha enquanto assistia à peça e aplaudiu freneticamente quando terminou.

— É a melhor coisa que já vi na vida, mãe! — disse ela enfaticamente enquanto saíam do teatro, na mesma hora em que Maddy notou um homem com uma câmera, fora do ângulo de seus olhos, observando-as. Houve um breve *flash* e então ele desapareceu. Não era grande coisa, Maddy pensou, provavelmente apenas um turista que a reconhecera e queria sua fotografia, e ela esqueceu o assunto. Ela estava muito ocupada falando com Lizzie para se preocupar com outras coisas. Elas haviam tido uma noite maravilhosa.

Lizzie entrou no táxi com ela e Maddy a deixou no hotel, depois de lhe dar um abraço e prometer encontrá-la na manhã seguinte para o café da manhã. Mais uma vez ela teria de esconder Lizzie de Jack. Ela odiava mentir para ele, mas ia dizer que ia à igreja, porque ele nunca ia com ela. E depois disso Lizzie estaria voando de volta para Memphis e Maddy ia passar o dia com seu marido. Havia sido tudo perfeitamente orquestrado e ela estava animada com a noite que haviam passado e satisfeita consigo mesma quando entrou em casa pouco mais tarde.

Jack estava na sala de estar, assistindo às últimas notícias, quando ela entrou e sorriu largamente para ele, ainda aproveitando a onda de alegria que partilhara com Lizzie durante a noite no *The King and I*.

— Você se divertiu? — perguntou ele inocentemente enquanto ela vinha se sentar perto dele, e Maddy assentiu com um sorriso.

— Foi interessante — ela mentiu e odiava fazer aquilo, mas sabia que não podia dizer que estivera com Lizzie. Ele a havia proibido terminantemente de vê-la novamente.

— Quem estava lá?

— Phyllis, claro, e muitas mulheres da comissão. Elas são um bom grupo — disse ela, torcendo para mudar de assunto.

— Phyllis estava lá? Ah, mas ela é muito hábil. Eu estava justamente vendo-a no noticiário, num templo em Kyoto. Eles chegaram lá esta manhã. — Maddy o encarou por um instante, sem saber o que dizer. — Agora, por que você não me diz com quem estava realmente? Era um cara? Você está dando para alguém por aí? — Ele agarrou sua garganta com uma mão e a deixou lá, apertando gentilmente, enquanto ela tentava não entrar em pânico e olhava diretamente nos olhos dele.

— Eu não faria isso com você — disse ela, enquanto sentia suas vias respiratórias se fecharem vagarosamente.

— Então onde você estava? Tente me contar a verdade desta vez.

— Estava com Lizzie — sussurrou.

— Quem é essa porra?

— Minha filha.

— Oh, pelo amor de Deus — disse ele, jogando-a para longe, e ela caiu de costas na poltrona, sentindo o ar entrar aos borbotões em seus pulmões, com um grande alívio. — Por que diabos você trouxe essa puta aqui?

— Ela não é uma puta — disse Maddy suavemente — e eu queria vê-la.

— Você vai é conseguir ver seu nome caluniado em todos os tablóides. Eu disse a você para ficar longe dela.

— Nós precisamos uma da outra — disse ela simplesmente enquanto ele a encarava com fúria. Ele ficava louco quando ela não obedecia às suas ordens.

— Eu lhe disse, para seu próprio bem, que você não pode se permitir isso. Se você acha que sua audiência está baixa agora, espere até ver o que vai acontecer quando alguém vazar a história. E mais do que provavelmente ela vai vazar.

— Tudo o que ela quer é me ver. Ela não quer publicidade — disse Maddy calmamente, sentindo por ter mentido para ele e por ele ficar tão furioso com aquilo. Mas a rigidez de Jack a respeito do fato de ela se encontrar com Lizzie não dava a Maddy muitas opções.

— Isso é o que você pensa. Como pode ser tão burra? Espere até que ela comece a pedir dinheiro a você, se é que já não o fez. Ou fez? — Ele estreitou os olhos enquanto olhava para ela. — Você sabe, você vai se meter em mais problemas do que já está metida. Se não é a porra de uma coisa, é outra. Onde ela está agora?

— Num hotel. No Four Seasons.

— Sorte a dela. E você está me dizendo que ela não está interessada em dinheiro?

— Estou dizendo a você que ela quer uma mãe — Maddy tentou acalmá-lo, mas ele parecia furioso enquanto andava pelo aposento e a olhava com irritação e desprezo.

— Você está sempre fazendo algo para me pressionar, não é, Mad? Se não é um editorial sobre aquela louca com quem Paul McCutchins era casado, é foder com a sua audiência e agora isso... você vai descer direto pelo ralo com essa história. Veja se não estou certo nesse ponto, Mad. E quando isso acontecer, acredite em mim, você vai sentir muito. — Mas ele não disse mais nenhuma palavra sobre aquilo, apenas subiu as escadas com estrondo e bateu a porta de seu banheiro, enquanto Maddy ficava sentada na sala de estar por um tempo, tentando imaginar como explicar a ele o quanto aquilo significava para ela e o quanto sentia por tê-lo aborrecido. Era tudo sua culpa, ela sabia, porque mentira para ele sobre ter tido um bebê. Talvez se ela tivesse falado desde o início ele não tivesse ficado tão aborrecido. Mas tudo o que ela podia fazer agora era pedir desculpas e tentar ser discreta sobre aquilo. A única coisa que sabia era que não ia desistir de sua filha, agora que haviam finalmente se encontrado.

Ela subiu as escadas silenciosamente depois de apagar as luzes e, na hora em que se trocou para dormir, ele estava na cama com os olhos fechados e as luzes apagadas. Mas ela sabia que ele não estava dormindo. Quando foi para a cama, ele falou com ela sem abrir os olhos.

— Odeio quando você mente para mim. Sinto como se não pudesse mais acreditar em você. Você está sempre fazendo alguma coisa para me magoar.

— Sinto tanto, Jack — disse ela, tocando sua face com a mão e esquecendo totalmente que ele quase a estrangulara meia hora antes quando a acusara de enganá-lo. — Não quero aborrecê-lo. Mas realmente quero vê-la.

— Eu disse a você, não quero que você a veja. Você não pode colocar isso na cabeça? Nunca quis filhos, em primeiro lugar, e nem você — disse ele, abrindo os olhos e encarando-a. — E certamente não quero me meter com uma prostitutazinha de dezenove anos de Memphis.

— Por favor, não diga coisas assim sobre ela — implorou Maddy, mas o que ela realmente queria era que ele a perdoasse por mentir para ele, por traí-lo e por sua filha ilegítima ter aparecido sete anos depois que estavam casados, quando ela nunca havia contado a ele sobre ela. Maddy percebeu que era muito para pedir a ele que engolisse. Mas ela não podia deixar de desejar que sua reação fosse mais parecida com a de Bill. Ele havia realmente gostado de Lizzie quando se conheceram.

— Quero que você deixe de vê-la — disse Jack, olhando para ela seriamente. — Você me deve isso, Mad. Você nunca me contou que ela existia e agora eu quero que ela desapareça novamente de nossas vidas. Você não precisa dela, você nem mesmo a conhece.

— Não posso fazer isso. Não posso ter filhos. E nunca deveria tê-la abandonado.

— Mesmo se isso custar nosso casamento? — era uma ameaça terrível.

— É isso que você está dizendo que vai custar? — perguntou, horrorizada. Ele a estava ameaçando e forçando a fazer uma escolha que partiria seu coração. Mas por enquanto ela também não queria deixá-lo. Ele fora tão bom com ela nas últimas semanas que ela começara a pensar que as coisas estavam indo bem entre eles. E agora acontecera isso. Ela desejou não ter mentido para ele para levar Lizzie ao teatro.

Ela estava desesperada para ver sua filha e não sabia o que fazer para isso sem aborrecer seu marido.

— É uma possibilidade — disse Jack respondendo a sua pergunta sobre Lizzie ser uma ameaça a seu casamento. — Isso nunca fez parte do trato. Não mesmo. Você entrou nesse casamento em bases fraudulentas, você me disse que nunca tinha tido filhos. Você mentiu para mim. Eu poderia pedir a anulação de nosso casamento por isso.

— Depois de sete anos? — Ela estava chocada.

— Se eu puder provar que você me enganou e mentiu para mim, o que você fez e eu posso, então não há casamento. Você devia pensar melhor nisso antes de arrastá-la ainda mais para dentro de nossas vidas. Pense nisso seriamente, Mad. Eu estou falando sério. — Depois disso ele se virou, fechou os olhos, e cinco minutos mais tarde estava ressonando, enquanto Maddy olhava para ele. Ela não sabia o que fazer ou dizer. Ela não queria desistir de Lizzie novamente. Não podia fazer aquilo com ela, ou consigo mesma. Mas também não queria perder Jack. Ele havia dado tanto a ela, e as agressões de que o acusara estavam começando a parecer fruto de sua imaginação. Mas Lizzie não era. Maddy sentia como se fosse ela que tivesse se comportado mal com ele, e agora ele era a vítima, como havia dito. Naquela noite ela ficou na cama pensando sobre aquilo durante horas e se sentindo culpada em relação a ele.

Mas de manhã ela ainda não tinha respostas. Ela explicou que ia dizer adeus a Lizzie no hotel, tomar café com ela e que depois estaria de volta e poderiam passar o dia juntos.

— Seria melhor você dizer a ela que não vai mais vê-la, Mad. Você está brincando com fogo. Comigo e com a imprensa. É um alto preço a se pagar por uma filha que você nem mesmo conhece e que nunca vai se ressentir se você se despedir dela agora.

— Eu disse a você, Jack — ela falou honestamente. Ela não queria mentir para ele novamente. Era mais um pecado a adicionar a tantos outros, como ele via. — Não posso fazer isso.

— Você tem que fazer.

— Não quero fazer isso com ela.

— Você prefere então fazer comigo, não prefere? Isso me diz muito sobre o que você pensa deste casamento. — Ele parecia estar sofrendo quando falou. A vítima consumada.

— Você não está sendo razoável — ela tentou explicar, mas ele a rechaçou com um olhar ultrajado.

— *Razoável?* Você está brincando? Você é louca? Que droga você está tomando? O quanto parece razoável para você jogar sua filha bastarda em mim depois de nunca ter me contado que tinha uma?

— Sei que isso foi errado de minha parte, concordo. Mas não estou pedindo que você a veja, Jack. Só eu preciso vê-la.

— Então você é ainda mais maluca do que acho que é. Que tal um retrato de família na capa da *People*? Isso seria suficiente para você? Porque é o que vai acontecer cedo ou tarde. E então você pode se virar e dar adeus ao público.

— Talvez não — disse ela suavemente —, talvez eles sejam mais compreensivos do que você.

— Merda. Pelo amor de Deus, você vai voltar ao normal?

Eles discutiram sobre isso por mais meia hora. E Jack teve de sair para jogar golfe com dois conselheiros presidenciais, não sem antes avisar Maddy para não ver Lizzie nunca mais. Mas Maddy saiu para encontrar Lizzie para o café da manhã e elas passaram bons momentos juntas. Lizzie notou que ela parecia aborrecida, mas Maddy negou. Ela não queria chatear a garota e não contou a ela que não a veria novamente. Ao contrário, prometeu recebê-la de volta em breve para outro fim de semana e disse a ela que contaria se encontrasse algo para ela em Georgetown. Elas se beijaram e se abraçaram quando ela partiu e Maddy deu a ela dinheiro para o táxi mas, embora oferecesse, Lizzie não pegou mais do que aquilo. Ela era muito conscienciosa em não pedir nada a sua mãe além do bilhete de avião, do hotel e do dinheiro do táxi. Maddy se oferecera para abrir uma conta bancária para ela mas Lizzie recusara categoricamente. Ela não queria tirar vantagem de sua mãe. Mas Maddy sabia que Jack nunca teria acreditado naquilo.

Maddy voltou ao meio-dia e Jack ainda estava fora. E ela ligou para Bill e contou tudo o que acontecera.

— Foi tudo minha culpa — disse ela desesperada. — Não devia ter mentido para ele.

Mas Bill discordou dela.

— Ele está sendo um canalha com você, e fingindo ser a vítima. Ele não é, Maddy. Você é. Por que você não consegue ver isso? — Ele ficou mais frustrado do que nunca com aquilo. Conversaram cerca de uma hora e no fim Maddy parecia ainda mais deprimida. Era como se não pudesse entender o que Bill estava dizendo. Ele imaginou se ela jamais conseguiria se livrar das correntes que a prendiam. Ela parecia ter voltado atrás ultimamente, ao invés de avançado.

E naquela noite, quando Jack voltou para casa, não disse uma palavra sobre Lizzie. Maddy não estava certa se era um bom sinal ou não, ou se ele estava apenas se preservando de outra discussão. Mas ela fez tudo o que pôde para satisfazê-lo. Fez um jantar gostoso e conversou agradavelmente. Eles fizeram amor naquela noite e ele foi mais doce do que nunca, o que a fez se sentir ainda mais culpada por fazê-lo tão infeliz.

E no dia seguinte, quando foram para o trabalho, a coisa toda estourou na cara deles, assim como Jack havia previsto. A foto que o homem no teatro tirara de Lizzie e Maddy estava na capa de todos os tablóides, em muitas variações. E alguém tinha falado, ou imaginado, a verdade. Os títulos diziam "Maddy Hunter e sua filha há tanto tempo perdida". Diziam tanto quanto sabiam, que Maddy tivera um bebê aos quinze anos e o tinha dado para adoção. Havia muitas entrevistas com Bobby Joe e com uma professora em sua antiga escola. Os tablóides haviam realmente feito o seu trabalho.

Jack estava no escritório dela, sacudindo em sua cara exemplares de cada tablóide.

— Bonito, não? Espero que você esteja orgulhosa disso. E que porra vamos fazer agora? Nós vendemos você como a Virgem Maria nos últimos nove anos e agora você está mais parecida com o que é, Mad. Uma porra de uma prostituta, pelo amor de Deus. Merda, por que diabos você não me escutou? — A fotografia dela com Lizzie as fazia parecer gêmeas. Elas realmente se pareciam muito. E Jack andava furioso pelo seu escritório, como um touro com uma lança enfiada nele. Mas não havia como negar o que acontecera.

Maddy ligou para Lizzie em Memphis para alertá-la e, quando Jack finalmente saiu e voltou para o seu próprio escritório, ela ligou para a dra. Flowers e Bill, e ambos disseram quase a mesma coisa. Não era sua culpa e não era tão ruim quanto ela pensava. O público a amava. Ela era uma boa pessoa e cometera um erro na juventude. Saber daquilo apenas os faria amá-la mais e simpatizar mais com ela. A foto dela com Lizzie era realmente muito doce, elas estavam abraçadas.

Mas Jack fizera tudo o que podia, e conseguira, para fazê-la se sentir aterrorizada e culpada. E mesmo Lizzie chorara quando ela ligara.

— Sinto tanto, mamãe. Não queria criar problemas para você. Jack está realmente furioso? — Ela estava preocupada com Maddy. Ela não gostara de Jack quando o conhecera e o achava assustador. Havia algo sinistro nele.

— Ele não está feliz, mas vai superar. — Era uma afirmativa gentil.

— Ele vai demiti-la?

— Não acho. Além do mais, não creio que o sindicato deixaria. Seria discriminação — a menos que Jack pudesse usar as cláusulas morais de seu contrato. Mas, podendo ou não, ele estava furioso com ela e ela sofria com a dor que havia causado a ele. — Nós só temos que manter o controle. Mas me prometa, não vá falar com nenhum repórter.

— Eu juro, nunca falei e não falaria. Não faria nada para machucá-la. Amo você. — Ela estava soluçando do outro lado e Maddy fez o que pôde para acalmá-la.

— Também amo você, coração. E acredito em você. Eles vão acabar ficando cansados disso. Tente não se preocupar muito.

Mas o jornal sensacionalista da TV começou a persegui-la ao meio-dia, e a emissora inteira quase enlouqueceu. Todas as revistas do país haviam telefonado querendo uma entrevista.

— Talvez possamos dar a eles o que querem — o chefe de relações públicas sugeriu finalmente. — Quanto isso seria ruim? Ela teve um bebê aos quinze anos. Já aconteceu antes. Ela não o matou, pelo amor de Deus, e agora é uma espécie de história bonita, se trabalharmos direito. O que você acha, Jack? — Ele olhou esperançoso para seu patrão.

— Acho que quero chutá-la daqui até Cleveland. É isso o que acho — disse Jack, numa resposta instantânea àquela pergunta. Ele nunca ficara tão furioso com ela, nem tivera tanta razão para estar. — Ela é uma idiota por ter admitido para aquela putinha que era sua mãe. Mãe. Que porra isso significa num caso como este? Ela deu para um estudante escocês da escola, ficou prenha e se desfez da criança no minuto em que ela nasceu. E agora sai por aí com cara de santa falando sobre sua filha. Merda, um gato tem um relacionamento melhor com seu cocô do que Maddy tem com essa puta estúpida de Memphis. A garota está simplesmente se fazendo na aba de Maddy e ela não vê isso.

— Talvez haja algo mais a fazer — disse o chefe de relações públicas, delicadamente. Ele estava chocado com a veemência da reação de Jack à situação. Ele andava sofrendo muitas pressões ultimamente. As audiências do programa de Maddy estavam caindo diariamente, o que podia ser parte do motivo pelo qual ele estava tão furioso com ela. Mas todos sabiam que não era culpa dela e disseram isso a Jack, mas ele também não quis ouvir.

Ele ainda estava soltando fumaça quando foram para casa naquela noite e ele tentou extrair de Maddy a promessa de que não veria Lizzie novamente, mas ela não concordaria com aquilo. E à meia-noite ele estava tão furioso que saiu batendo a porta e não voltou até a manhã seguinte. Ela não tinha idéia de onde ele havia ido, mas quando olhou pela janela, viu câmeras de TV por toda parte e não ousou ir atrás dele. Tudo o que podia fazer agora era o que havia dito a Lizzie para fazer. Manter-se firme. Lizzie ia ficar na casa de um amigo para que não pudessem encontrá-la na pensão, e seu chefe tinha dado a ela o resto da semana de folga no restaurante, porque ficou muito impressionado com o fato de que ela era realmente a filha de Maddy Hunter.

O único que não estava impressionado era Jack. Ele estava tudo menos impressionado. Ele a suspendeu do programa durante duas semanas por causa do problema que estava causando a todos e disse a ela para limpar o que havia feito, desistir de sua filha e não voltar ao trabalho até que fizesse isso. Ela havia caído em desgraça com ele e Jack lhe disse, com as veias saltando da testa, que se ela mentisse para ele novamente, sobre *qualquer coisa*, ele ia matá-la. E tudo o que ela sentiu, enquanto escutava o que ele dizia, era culpa. O que quer que acontecesse, era sempre sua culpa.

Capítulo 15

ENQUANTO SETEMBRO PASSAVA, os tablóides começaram a perder o interesse em Maddy e sua filha. Os repórteres voltaram ao restaurante em Memphis uma ou duas vezes, mas o chefe de Lizzie a mantinha nos fundos até que eles saíssem e finalmente eles pararam de vir. Foi um pouco mais difícil para Maddy, que estava mais exposta e tinha mais trabalho evitando a imprensa do que Lizzie. Com a insistência de Jack, ela não fez comentários para ninguém e, além da foto delas no *The King and I*, não havia muito material para levar a história adiante. Maddy nem negava nem confirmava que Lizzie era sua filha, embora ela tivesse gostado de dizer a eles que estava muito orgulhosa dela e muito feliz por Lizzie tê-la encontrado. Mas, por causa de Jack, ela não o fez.

Ela e Lizzie haviam concordado que ela não deveria vir a Washington por um tempo, mas Maddy ainda estava procurando um lugar para ela na Universidade de Georgetown, e Bill estava fazendo tudo o que podia para ajudá-la. Lizzie era fácil de ser aceita. Ela tivera boas notas e recomendações fantásticas de seus professores em Memphis.

A comissão da primeira-dama se encontrou novamente e Bill ficou feliz por ver Maddy lá. Mas ele achou que ela parecia estressada, cansada e preocupada. O ataque dos tablóides tivera um alto preço para ela e Maddy dissera que Jack ainda a estava fazendo passar maus momentos por causa daquilo. Ele também a fazia passar maus momentos por causa de sua audiência, garantindo agora que era por causa do escândalo de sua filha ilegítima. Mas Bill sabia tudo aquilo através de seus telefonemas diários para ela. O que ele não sabia, e não tinha certeza agora, era se ela algum dia deixaria o marido. Ela havia parado de falar a respeito do assunto e parecia estar se culpando pela maior parte de seus problemas.

Bill estava tão preocupado com a situação que puxou a dra. Flowers de lado numa das reuniões da comissão e falou com ela a respeito. Ela não contou nenhum segredo a ele e tudo o que pôde fazer foi acalmá-lo.

— Muitas mulheres convivem com o abuso durante anos — disse ela com sensibilidade, intrigada tanto por seu interesse quanto por sua reação. Ele parecia quase nervoso de preocupação com Maddy. — E este é o tipo mais sutil e traiçoeiro. Homens como Jack são bons nisso. Ele a faz se sentir responsável pelo que ele faz e finge ser a vítima. E o que você tem que lembrar, Bill, é que ela o deixa fazer isso.

— O que podemos fazer para ajudá-la? — ele queria, desesperadamente, mas não tinha idéia de como fazê-lo.

— Esteja aí para o que der e vier. Ouça. Espere. Diga a ela honestamente o que você acha e o que vê. Mas se ela quiser se sentir culpada a respeito de Jack, ela vai se sentir. Ela provavelmente vai conseguir trilhar seu próprio caminho no fim das contas. Você está fazendo tudo o que pode no momento. — Ela não disse a ele, mas sabia por Maddy que ele ligava para ela diariamente e ela valorizava sua amizade. A dra. Flowers não podia deixar de pensar que havia mais ali, mas Maddy insistia que eram apenas amigos e que nenhum dos dois tinha intenções românticas. A dra Flowers não estava muito certa disso. Mas, o que quer que fosse, ela gostava de Bill e tinha um grande respeito tanto por ele quanto por Maddy.

— Só fico preocupado que um dia desses a sutileza dele dê lugar a algo mais concreto. Ainda tenho medo de que ele a machuque.

— Ele a está machucando agora — disse ela claramente. — Mas homens como ele não se tornam violentos normalmente. Não posso prometer a você que ele não vai fazê-lo, mas acho que ele é mais inteligente do que isso. Embora quanto mais perto ele chegue de perder sua presa, pior fique para ela sair. Ele não vai deixá-la ir facilmente.

Naquele dia eles conversaram por mais um tempo depois que Maddy saiu, e Bill não se sentia esperançoso enquanto ia dirigindo para casa. Apenas uma vez em sua vida ele se sentira daquela maneira, sem saída. E não podia deixar de imaginar se o medo de que Maddy fosse ferida era baseado em sua própria experiência quando sua esposa fora seqüestrada e assassinada. Até então ele nunca havia acreditado verdadeiramente que algo tão terrível quanto aquilo pudesse acontecer.

E na semana seguinte ele deu a Maddy o manuscrito de seu livro para ler. Ela já estava na metade, durante o fim de semana, com lágrimas escorrendo de seus olhos, quando Jack percebeu.

— Que porcaria você está lendo para chorar assim? — perguntou com curiosidade. Eles estavam na Virgínia, era um fim de semana chuvoso e ela passara toda a tarde deitada, lendo e chorando. A descrição de Bill do seqüestro de sua mulher a emocionava muito.

— É o livro de Bill Alexander. É muito bem escrito.

— Oh, pelo amor de Deus, por que você iria gostar de ler uma bosta dessas? Esse cara é um perdedor, é difícil acreditar que ele poderia escrever qualquer coisa que preste. — Jack o desprezava totalmente e era óbvio que não gostava dele. Teria gostado menos ainda, odiado de fato, se suspeitasse quanto apoio ele dava a Maddy. E ela imaginou se Jack podia sentir isso.

— É muito comovente.

Jack não falou mais nada, mas quando ela foi procurar novamente o manuscrito naquela noite não conseguiu encontrá-lo e finalmente perguntou a Jack se ele o havia visto.

— É, achei que ia te poupar outra noite de lágrimas. Joguei no lugar merecido. No lixo.

— Você jogou fora? — ela estava chocada por ele ter feito aquilo.

— Você tem coisa melhor para fazer com seu tempo. Se você trabalhasse mais um pouco, a audiência de seu programa melhoraria.

— Você sabe o quanto eu trabalho — disse ela na defensiva. Ela estava trabalhando agora num escândalo na CIA e em outra reportagem sobre crimes na Receita Federal. — E você também sabe que minhas reportagens não são o problema.

— Talvez você esteja ficando velha, garota. Você sabe, o público não gosta de mulheres com mais de trinta. — Ele dizia qualquer coisa que pudesse para diminuí-la.

— Você não tinha o direito de jogar aquele livro fora. Eu não tinha terminado. E prometi devolver o manuscrito a ele. — Ela estava aborrecida e Jack parecia totalmente indiferente àquilo. Era apenas outra forma de desrespeito por ela e por Bill Alexander. Ainda bem que era uma cópia e não o original.

— Não perca seu tempo, Mad — ele subiu para o quarto, e quando ela foi para a cama, fez amor com ela. E ela havia notado ultimamente que ele estava ficando bruto novamente com ela, como que para puni-la por suas muitas transgressões. Ele não era tão brutal que ela pudesse reclamar e, quando falou a respeito, ele disse que ela havia imaginado que ele estava sendo bruto. Ele tentou convencê-la de que fora gentil, mas ela sabia que não.

E na semana seguinte, quando voltaram a Washington, Brad surpreendeu a todos resolvendo o maior problema do programa. Ele falou com Maddy antes de ir falar com Jack, e disse a ela que havia se dado conta de que ser apresentador não era tarefa fácil, mesmo ao lado de alguém tão competente como Maddy.

— Sempre pensei que era bom nesse negócio de estar no ar, mas é bem diferente de se pendurar numa árvore ou num tanque para falar durante dois minutos — ele sorriu com tristeza para ela. — Não acho que tenho talento para isso. E, para ser honesto, não gostei de fazê-lo.

Ele já havia aceitado um emprego em outra emissora para ser correspondente na Ásia. Ele ia ficar baseado em Cingapura e mal podia esperar para partir. E, embora Maddy tivesse começado a gostar um pouco mais dele, estava aliviada por ele estar indo embora. E não conseguia imaginar qual seria a reação de Jack.

Quando aconteceu, ele quase não fez comentários. Um memorando saiu no dia seguinte dizendo que Brad estava indo embora e que havia concordado em ficar até o final da semana. Eles tinham um contrato provisório pelos primeiros seis meses, porque o próprio Brad não estava certo de que gostaria de continuar. Maddy sabia, só de olhar para Jack, que ele não estava satisfeito, mas não admitiu nada para ela. Tudo o que disse foi que aquilo colocava nela um peso ainda maior, até que encontrassem alguém para ser seu co-apresentador.

— Espero que sua audiência não desça pela privada — disse ele, parecendo preocupado. Mas seus medos rapidamente provaram ser infundados. Ao invés de descer, a audiência disparou assim que Brad saiu do programa na semana seguinte, e o produtor até sugeriu a Jack que a deixassem continuar sozinha. Mas ele insistia que ela não era forte o suficiente para carregar o programa sozinha e queria alguém para apresentar com ela. Ainda era outra maneira de colocá-la para baixo. Mas no meio tempo a audiência ficou tão alta como sempre, e Maddy ficou feliz com isso, mesmo que Jack não reconhecesse.

Mas apesar da audiência, que era um enorme alívio, Bill a sentia deprimida sempre que ligava para ela. Ela estava sofrendo por causa do programa há muito tempo. Sentia falta de trabalhar com Greg. E disse que sentia falta de Lizzie. Ela não tinha certeza de qual era o problema, mas admitiu que estava de baixo astral. Mas melhorou sensivelmente quando Bill ligou para dizer que conseguira colocar Lizzie em Georgetown. Ela tinha as notas e os conhecimentos necessários e havia mandado uma ficha de inscrição maravilhosa. Mas aquela era uma das escolas mais populares do país e houve alguma dúvida por um certo tempo se eles poderiam encontrar um lugar para ela. Ele havia ligado para muitos de seus contatos e, baseados em Bill e nas recomendações que Lizzie ganhara de seus professores, haviam decidido aceitá-la. Maddy ficou muito feliz por ela. Ela disse a Bill que ia alugar para ela um pequeno apartamento em Georgetown, e assim ela e Lizzie poderiam se ver quando quisessem. Maddy estava profundamente agradecida a ele.

— Espere até eu contar a ela!

— Diga a ela que não tenho nada a ver com isso — disse Bill, com humildade. — Ela realmente ganhou isso por merecimento. Tudo o que fiz foi abrir algumas portas, mas jamais haveria acontecido se ela não merecesse.

— Você é um santo, Bill — Maddy sorriu novamente. Ela ficara mortificada quando tivera de contar a ele que Jack havia jogado seu manuscrito fora, mas aquilo não o surpreendeu. Ele havia mandado a ela outra cópia que ela lera nos momentos de folga no escritório. Ela havia terminado no dia anterior e eles falaram sobre isso por algum tempo. Ela achou que teria um forte impacto. Não era só inteligente, mas honesto, caloroso e esmagadoramente humano.

Naquele fim de semana ela falou com Lizzie pessoalmente sobre Georgetown. Jack fora a Las Vegas com um grupo de homens e Maddy pegou um vôo para Memphis. Elas saíram para jantar e se divertiram e fizeram planos. Maddy prometeu encontrar para ela um apartamento em dezembro, antes que Lizzie começasse o período em Georgetown depois do Natal. Lizzie não podia acreditar em sua boa sorte.

— Não alugue nada muito caro — disse ela com uma expressão preocupada. — Se eu for à escola em tempo integral, vou poder trabalhar apenas à noite e nos fins de semana.

— E quando você acha que vai fazer seus deveres de casa? — perguntou Maddy, parecendo uma mãe, e amando cada minuto daquilo. — Você não pode trabalhar se quiser ter boas notas, Lizzie. Pense sobre isso. — Mas não havia muito a pensar da perspectiva de Lizzie. Ela já havia conseguido cursar um ano e meio da faculdade trabalhando a cada minuto.

— Eles me ofereceram uma bolsa de estudos? — Ela ainda parecia preocupada.

— Não, mas eu estou oferecendo. Não seja boba, Lizzie. Os tempos mudaram. Você tem uma mãe agora. — E uma mãe que levava uma boa vida num dos programas jornalísticos de maior audiência no país. Ela tinha toda a intenção de colocar Lizzie na universidade e pagar seu apartamento e suas despesas. E ela explicou aquilo a ela em termos concretos. — Não quero que você se sustente. Você merece um tempo. Você já passou por momentos difíceis o suficiente. — Ela sentia que tinha muito a fazer por ela e tudo o que queria agora era fazer isso. Ela não podia desmanchar o passado, mas podia ao menos assegurar seu futuro.

— Não posso deixá-la fazer isso. Um dia vou lhe pagar tudo — disse Lizzie solenemente.

— Você pode me sustentar na velhice — Maddy sorriu —, como uma filha dedicada. — A verdade é que elas já eram devotadas uma à outra e mais uma vez passaram um fim de semana maravilhoso juntas. Haviam descoberto rapidamente que compartilhavam muitos pontos de vista e tinham o mesmo gosto para roupas e coisas. A única coisa em que diferiam, veementemente, era música. Lizzie era viciada em *punk rock* e *country western*, os quais Maddy odiava. — Apenas espero que você se livre disso — Maddy a provocou e Lizzie jurou que não iria.

— Essa coisa que você ouve é tão ultrapassada, argh! — Lizzie a provocou de volta.

Elas saíram para longas caminhadas juntas e passaram uma manhã tranqüila no domingo depois de irem à igreja. E então Maddy voou de volta para Washington, chegando em casa antes de Jack voltar de Las Vegas. Ele dissera que estaria em casa por volta de meia-noite. Ela não contara a ele onde estava indo e não tinha a intenção de contar quando ele voltasse. Lizzie ainda era uma bomba-relógio entre eles.

Ela estava desempacotando sua pequena bagagem quando o telefone tocou no domingo à noite e ela ficou surpresa ao ouvir a voz de Bill quando atendeu. Ele nunca ligava para ela em casa, apenas no escritório, para o caso de Jack atender.

— Estou ligando em má hora? — perguntou, parecendo nervoso.

— Não, tudo bem. Acabei de chegar de uma visita a Lizzie. Ela está extasiada com Georgetown.

— Fico feliz por ouvir isso. Estive pensando em você o dia inteiro. Estou feliz que esteja bem. Não sei por que, mas fiquei preocupado com você. — Mas aquilo também não era pouco comum nele. Desde que ela entrara em sua vida, era tudo em que ele podia pensar. Ela estava numa situação tão difícil. Ela sentia que devia tanto a Jack que acreditava que tinha de aceitar qualquer coisa que ele jogasse nela, e Bill ainda não fora capaz de convencê-la de nada diferente, embora ela tivesse começado a se dar conta de que Jack tinha comportamento abusivo. Era muito frustrante para Bill. E ele se preocupava muito com ela. Até a mencionara para seus filhos, que estavam intrigados com o fato de ele a conhecer. — Seu marido está por perto? — perguntou cautelosamente. Ele suspeitava que não estava, já que ela estava falando sobre Lizzie.

— Não. Ele foi para Las Vegas passar o fim de semana. Eles iam jantar lá, ver um último show e voltar para casa bem tarde. Ele disse meia-noite, mas aposto que não vai estar em casa antes das três ou quatro da manhã.

— Que tal jantarmos, então? — Ele foi rápido em perguntar, aliviado por encontrá-la sozinha. — Eu estava começando a fazer uma massa e uma salada para mim. Posso fazer com que você se interesse por algo simples? Ou podemos sair, se você preferir. — Ele nunca a convidara para jantar antes, embora já tivessem almoçado muitas vezes, e ela sempre gostava de ficar com ele. Ele se tornara seu mentor e confidente e de certa forma seu anjo da guarda. E com a partida de Greg, tornara-se seu melhor amigo.

— Realmente eu adoraria jantar com você — ela sorriu com o convite. E ambos acharam que a casa dele era uma boa idéia. Não havia sentido em dar início a rumores e, dado o nível de interesse dos tablóides em Maddy, eles poderiam acontecer. E nenhum deles queria aquele tipo de problema. — Você quer que eu leve algo? Vinho? Sobremesa? Guardanapos? — Ela estava feliz por estar indo vê-lo.

— Traga apenas você. E não espere muito. Minha cozinha é muito simples. Na verdade só aprendi a cozinhar no ano passado.

— Não se preocupe. Vou ajudá-lo.

Ela chegou à casa dele meia hora mais tarde segurando uma garrafa de vinho tinto e usando um suéter branco e *jeans*. E, com os cabelos presos atrás, ela se parecia mais ainda com Lizzie. E Bill comentou isso.

— Ela é uma criança tão adorável — disse Maddy orgulhosamente, como se tivessem passado a vida inteira juntas.

Maddy ficou muito impressionada pela eficiência de Bill na cozinha. Ele estava usando uma camisa azul engomada e *jeans*, e havia arregaçado as mangas e preparado uma excelente salada. Ele aqueceu o pão francês que comprara para ela e seu *fettuccine* Alfredo estava delicioso. O vinho tinto que ela trouxera ficou perfeito com ele. Enquanto ficavam sentados na sua confortável cozinha, olhando para o jardim que ele adorava, falaram sobre muitas coisas. Seus postos diplomáticos, sua carreira acadêmica, seu livro, o programa dela e finalmente sua filha. Eles ficavam completamente à vontade um com o outro, como amigos devem ficar. Ele achava que podia falar com ela sobre qualquer coisa, até sobre sua preocupação com o casamento de sua filha. Ele achava que ela trabalhava muito, que tinha tido muitos filhos num período muito curto e estava preocupado com o fato de seu genro ser muito crítico com ela. Eles pareciam uma família boa e Maddy o teria invejado ainda mais se agora não tivesse Lizzie.

— Nunca me dei conta do quanto os filhos eram importantes, até que eu não os pudesse ter. Fui burra de deixar Jack me convencer, mas era tão importante para ele e ele fizera tanto por mim que senti que devia isso a ele também. Toda a minha vida as pessoas me disseram o que fazer sobre ter ou não ter crianças, dá-las para adoção, ou cuidar para não tê-las. — Parecia incrível falar sobre isso com ele agora, mas a amargura e a angústia haviam ido embora gradualmente, agora que encontrara Lizzie. — Imagine se eu não a tivesse, pense no quanto a minha vida seria triste sem nunca ter filhos.

— É difícil imaginar. Meus filhos são o que faz minha vida valer a pena — ele admitiu. — Às vezes acho que me envolvi mais na criação deles do que Margaret. Ela não ligava muito para isso. Eu sempre fui mais preocupado com eles e um pouco superprotetor. — Mas Maddy podia entender aquilo melhor agora. Ela estava constantemente preocupada com Lizzie, que algo pudesse acontecer com ela e que o maior presente de sua vida pudesse subitamente desaparecer. Como se fosse um presente tão bom que ela não o merecesse, e acabasse sendo punida com o desaparecimento de Lizzie.

— Eu sempre vou me sentir culpada por tê-la dado. É um milagre que ela tenha saído dessa situação tão bem quanto saiu. De certa forma ela é muito mais saudável do que eu — disse Maddy com admiração, enquanto ele colocava uma taça de musse de chocolate na frente dela, e como tudo o mais que ele servira, era deliciosa.

— Ela não sofreu os duros golpes que você sofreu, Maddy. É surpreendente que você seja tão inteira. Embora eu esteja certo de que ela também tenha tido tempos difíceis nas casas de adoção e orfanatos. Isso também não deve ter sido fácil para ela. Graças a Deus vocês têm uma à outra. — E então ele fez a ela uma estranha pergunta. — Agora que você a tem e vê como é, você gostaria de ter mais filhos?

— Adoraria, mas não acho que haja muita chance de isso acontecer — ela sorriu tristemente para ele. — Não dei mais nenhum filho e não posso mais tê-los... o único meio de ter filhos agora seria se os adotasse, e Jack não me deixaria fazer isso. — Ouvir que Jack ainda era uma parte grande daquela equação o entristecia. Ela não estava mais falando nada sobre deixá-lo. Ela não fizera as pazes com a situação em que estava, mas também não tinha tido coragem suficiente para partir. E ainda sentia que devia muito a ele, particularmente depois do desgosto que causara com Lizzie e a decepção que ele tivera.

— E se não houvesse Jack? Você adotaria? — Era uma pergunta sem sentido, mas ele estava curioso. Ela obviamente gostava de crianças e tinha muito prazer na nova relação com sua filha. Ela era uma mãe surpreendentemente boa, embora fosse uma noviça no assunto.

— Provavelmente — disse ela, parecendo surpresa. — Nunca pensei nisso. Mesmo porque nunca pensei em deixar Jack. E agora não sei se eu jamais terei coragem de fazê-lo.

— Você quer? Deixar Jack, quero dizer. — Às vezes ele achava que ela queria e às vezes achava que não. Era uma área de sua vida cheia de culpa, confusão e conflito. Mas pelo menos a seus olhos aquilo certamente não era um casamento. Ela era apenas uma vítima.

— Gostaria de deixar toda a agonia, o medo e a culpa que sinto quando estou com ele... talvez o que eu gostasse realmente seria tê-lo sem tudo isso, e não acho que seja possível. Mas quando penso em deixá-lo, penso em deixar o homem que achei que ele fosse, e que foi às vezes e que costumava ser. E quando penso em ficar, penso em ficar com o canalha que ele pode ser e que é muito freqüentemente. É difícil conciliar os dois. Nunca estou muito certa de quem ele é ou de quem eu sou, ou de quem eu estaria deixando. — Ela colocava as coisas de uma maneira muito sensível, mas aquilo explicava a situação um pouco melhor para ele.

— Talvez todos tenhamos um pouco isso, embora num nível mais baixo. — De certa forma, ela estava congelada na indecisão porque ambos os lados pesavam igualmente para ela, enquanto que, na cabeça dele, o abuso que Jack praticava contra ela é que deveria pesar na balança. Mas ele não convivera com o abuso na infância, como ela, fato que a predispusera a deixar Jack fazer o que quisesse com ela, não importava o quanto fosse abusivo. Ela levara quase nove anos, sete deles casada, para se dar conta de que ele e Bobby Joe realmente tinham muito em comum. O que Jack fazia com ela só era mais sutil.

— Mesmo no meu caso — prosseguiu Bill — esqueci algumas das coisas que Margaret fez que costumavam me aborrecer. Quando olho para trás agora, e lembro os anos que passamos juntos, tudo parece perfeito. Mas tivemos nossas diferenças, como muitas pessoas têm, e uma ou duas épocas difíceis. Quando aceitei nosso primeiro posto diplomático e quis deixar Cambridge ela ameaçou se separar. Ela não queria ir a lugar algum e achou que eu estava louco. Como os fatos provaram — ele olhou tristemente para Maddy —, ela estava certa. Eu nunca devia ter feito isso. Ela estaria viva hoje se eu não tivesse ido.

— Você não pode dizer isso — disse Maddy suavemente, aproximando-se gentilmente para tocar sua mão sobre a mesa. — O que acontece é destino. Ela podia ter morrido num desastre de avião, ser atropelada por um carro, morrido na rua, ter tido câncer... você não pode saber o que aconteceria. E você deve ter pensado que estava fazendo a coisa certa.

— Pensei. E nunca pensei que a Colômbia fosse tão perigosa quanto era, ou que estaríamos tão em risco lá. Se eu tivesse compreendido isso, nunca teria aceitado aquele trabalho.

— Sei disso — disse Maddy, ainda com a mão dele na sua mão, e ele a segurou ainda mais forte. Era tão reconfortante estar com ela. — Tenho certeza de que ela também sabia. É como dizer que você nunca devia pegar um avião porque às vezes ele cai. Você tem de levar sua vida o melhor que puder, e correr riscos razoáveis. Na maior parte das vezes é isso. Você não pode se culpar sempre por causa disso. Não é justo. Você merece mais — disse ela com simplicidade.

— Você também — disse ele, ainda segurando sua mão, enquanto a olhava. — Gostaria que você acreditasse nisso.

— Estou tentando aprender — disse ela suavemente. — Passei muitos anos com as pessoas me dizendo que eu não merecia. É difícil não escutar isso.

— Gostaria de tirar tudo isso de você. Você merece uma vida bem melhor do que tem tido, Maddy. Gostaria de protegê-la e ajudá-la.

— Você ajuda. Mais do que imagina. Eu estaria perdida sem você — ela contava tudo a ele agora, todas as suas esperanças, todos os seus medos, todos os seus problemas. Não havia nada que ele não soubesse sobre sua vida, e era bem mais do que Jack sabia. Ela estava realmente agradecida por Bill estar a seu lado.

Ele serviu uma xícara de café para cada um e depois saíram para se sentar no jardim. O ar estava frio, mas ainda era agradável. E quando se sentaram num banco ele colocou um braço em torno dela. Fora uma noite perfeita, depois de um adorável fim de semana.

— Nós temos de fazer isso de novo — disse ele suavemente —, se você puder. — Fora uma sorte para ele que Jack estivesse em Vegas.

— Não acho que Jack entenderia — disse ela honestamente. Ela nem tinha certeza de que ela mesma entenderia. Ela sabia que Jack ficaria com raiva se soubesse sobre o jantar com Bill Alexander. Mas já decidira não contar a ele. Parecia haver muitas coisas que ela não ia contar a ele esses dias.

— Estou aqui ao seu lado, Maddy, se você precisar. Espero que você saiba disso — disse ele, virando-se para olhar para ela à luz da sala e à luz da lua.

— Sei disso, Bill. Obrigada. — Seus olhos se fitaram por um longo minuto e então ele a puxou para mais perto e ficaram ali sentados juntos por um longo tempo, sem dizer nada, apenas em silêncio e em paz, confortáveis um com o outro, como bons amigos devem ficar.

Capítulo 16

OUTUBRO PARECEU MAIS AGITADO do que o normal para todos. A temporada social estava em plena atividade. O mundo dos políticos parecia mais carregado de tensão. O conflito no Iraque ainda estava custando vidas e as pessoas estavam infelizes com isso. E Jack surpreendeu-a contratando outro co-apresentador. Ele era melhor do que Brad, mas extremamente difícil, ciumento e hostil a Maddy. Seu nome era Elliott Noble. Ele já fora apresentador antes e, embora frio como gelo, era bom. Pelo menos desta vez a audiência não diminuiu, até melhorou lentamente. Mas era horrível trabalhar com ele, ao contrário de Greg ou até mesmo Brad, no fim das contas.

Uma semana depois de Elliott ter começado, Jack anunciou que ia levar Maddy à Europa. Ele teria três dias de reuniões em Londres e queria que Maddy fosse com ele. Ela não achava que deveria deixar o programa tão cedo, logo depois de Elliott começar, e ficou preocupada porque as pessoas poderiam pensar que ele chegara para substituí-la. Mas Jack insistiu que ninguém acreditaria naquilo e foi inflexível sobre sua ida. Ela concordou, mas no último momento pegou uma gripe forte, teve uma infecção no ouvido e não pôde voar com ele. Ele acabou indo sem ela, e se aborreceu com aquilo. Como resultado, decidiu ficar por lá uma semana e visitar amigos em Hampshire durante o fim de semana. E ela ficou tão feliz quanto ele, pois teria uma chance de ver Lizzie e até de procurar alguns apartamentos com ela. Elas se divertiram fazendo aquilo, mas não encontraram nada de que gostassem. Mas tinham muito tempo. Não precisavam encontrar um lugar para ela até dezembro. E Bill levou as duas para jantar.

No caminho para casa, Maddy parou no mercado para comprar algumas coisas para o café da manhã e ficou estarrecida quando viu o nome de Jack na primeira página de um tablóide. "O marido de Maddy Hunter ainda está furioso por causa de sua filha?", era a manchete que chamou sua atenção e, logo embaixo: "Doce vingança: parece que ele também tem uma nova filha." E havia uma foto dele com outra mulher. Era difícil saber se era uma montagem ou não. Mas era uma fotografia dele saindo do Annabel's de mãos dadas com uma mulher loura muito, muito jovem. E com uma expressão estarrecida. A de Maddy ficou ainda mais quando viu aquilo e então colocou o jornal no caixa junto com outras coisas. Ela leu cuidadosamente quando foram para casa e admitiu a Lizzie que estava aborrecida.

— Você sabe como são essas coisas. Ele provavelmente estava com um grupo grande ou algo assim, ou então ela é apenas uma amiga, ou a mulher ou namorada de alguém. Eles são desprezíveis, e a maior parte do que publicam é mentira. Ninguém acredita neles — disse Lizzie, consolando sua mãe. Aquilo era inteiramente possível, mas Maddy sentia como se tivesse levado um tapa quando viu Jack e a mulher perto dele na foto.

Ele não ligava para ela há dois dias e ela decidiu telefonar para o número que ele deixara. Era no Claridge's, e informaram-na de que ele havia saído para o fim de semana, e não deixara o número. Ela não disse nada a respeito, mas seus pensamentos se inflamaram durante todo o fim de semana e, quando ele chegou em casa na segunda-feira, ela estava fervendo.

— Você está com um humor ótimo — disse ele jovialmente quando chegou em casa na segunda-feira à noite. — Qual é o problema, Mad? Seu ouvido ainda dói? — Ele estava de ótimo humor e, sem dizer uma palavra, ela pegou o tablóide que havia guardado para mostrar a ele. Ele deu uma olhada por um minuto, sem parecer preocupado, e então deu de ombros enquanto sorria para ela. — Então? Qual é o problema? Eu estava num grupo e saímos juntos. Isso não é um crime, pelo menos até onde eu saiba. — Ele não parecia se sentir nem um pouco culpado e não fez nenhuma tentativa de se desculpar, o que também era corajoso da parte dele, ou de acalmá-la, e Maddy não se sentiu segura quando olhou para ele.

— Você saiu para dançar com ela? — Maddy não tirou seus olhos dos dele.

— Claro. Dancei com um monte de gente nessa noite. Não dormi com ela, se é isso o que está perguntando. — Ele foi direto ao ponto e estava começando a parecer aborrecido com ela por duvidar dele. — É disso que você está me acusando, Mad? — Parecia que ela era a culpada, e não que a fidelidade dele estivesse em questão.

— Fiquei preocupada. Ela é bem bonita e a história deu a entender que você estaria saindo com ela.

— As histórias sobre você fazem você parecer uma prostituta barata, mas eu não acredito nelas, acredito? — Ela recuou com o que ele disse como se tivesse levado um soco no estômago.

— Essa não é uma coisa agradável de se dizer, Jack — disse ela baixinho.

— É verdade, não é? Ninguém mostrou meus filhos bastardos, mostrou? Se mostrassem, então você teria o direito de se amargurar.

Mas como eu vejo as coisas, você não tem muito o que dizer agora. E com as mentiras que você me contou e tudo o que você escondeu de mim, quem me culparia se eu a traísse? — Como sempre, tudo era culpa dela e ela merecia aquilo. E se refletisse um pouco, ela sabia que ele tinha uma certa razão. Ainda não contara a ele que ia trazer Lizzie para Washington, ou que se encontrava com Bill de vez em quando e falava com ele diariamente. Jack manipulara e virara o jogo com sucesso, fazendo-a se sentir culpada, em vez de falar sobre o assunto de ele estar ou não sendo infiel.

— Sinto muito. Só que pareceu... — Ela parecia confusa e se sentia horrível pelo que pensara dele.

— Não seja tão rápida em apontar dedos, Mad. O que está acontecendo no trabalho? — Como ele sempre fazia, ignorou completamente o que ela dizia. Somente se atinha a um assunto quando interessava a ele, e este não interessava. Ele usara isso para machucá-la e, como sempre, ela fora castigada.

Na verdade, por causa do que dissera e do que pensara quando vira a foto, ele acusou-a muitas vezes de flertar com seu novo apresentdor no ar. Elliott era jovem, solteiro e bonito, e Jack começou a dizer que havia boatos sobre eles, o que a aborreceu muito. Ela falou com Bill sobre isso e ele lembrou que Jack estava apenas tentando distrair sua atenção, mas ela ainda achava que ele acreditava naquilo e se sentia terrível a respeito.

O que dizia sobre Elliott não era nada comparado ao que disse sobre Bill quando alguém contou que eles haviam sido vistos no Bombay Club almoçando juntos.

— É por isso que você ficou me enchendo o saco por causa do Annabel's? O que foi isso? Algum tipo de brincadeira para me distrair? Você está dormindo com esse peido velho, Mad? Se está, sinto muito por você. Talvez seja tudo o que você possa ter agora.

— Isso é nojento! — Ela gritou, encolerizada e incendiada pela acusação e pela maneira como ele falou de Bill. Não havia nada velho ou chato em Bill. Ele era interessante e engraçado, bom e decente, e extremamente bem-apessoado. E o engraçado era que, embora fosse 26 anos mais velho que ela, isso nunca lhe havia ocorrido quando estavam juntos.

As coisas só pioraram quando ele perguntou a uma das recepcionistas sobre Maddy e ela disse algo idiota sobre os telefonemas de Bill. Ele a forçou a admitir que Bill ligava para Maddy quase todos os dias. Cinco minutos mais tarde Jack estava no escritório dela, acusando-a e ameaçando-a.

— Sua putinha! Que porra está acontecendo entre vocês dois? Quando foi que isso começou? Na sua maldita comissão de mulheres de corações partidos? Não esqueça que aquele filho-da-puta deixou a mulher dele ser assassinada. Talvez ele faça a você o mesmo favor, se você não for cuidadosa.

— Como você pode dizer isso? — Imediatamente as lágrimas encheram seus olhos, pela brutalidade daquelas palavras. Ela não sabia como se defender e não havia meio de provar que não estava dormindo com Bill Alexander. — Nós somos apenas amigos. Nunca o traí, Jack. — Seu olhar implorava que ele acreditasse nela. Em vez de odiá-lo pelo que ele estava dizendo, ela estava arrasada.

— Diga isso a alguém que acredite em você. Eu sei o que é isso, esqueceu? Sou o cara para quem você mentiu sobre sua filha.

— Aquilo foi diferente. — Ela estava soluçando e se sentou à mesa enquanto ele a golpeava com suas palavras.

— Não é, não. Não acredito em mais nenhuma palavra do que você diz, e por que eu deveria? Tenho toda a razão de não acreditar em você. Aquela que você chama de "filha" é prova disso, se você precisar de um lembrete.

— Nós somos apenas amigos, Jack — ela estava falando sobre Bill novamente e ele se recusava a escutar. Saiu do escritório tão furioso que quase quebrou a porta de vidro, e Maddy ficou tremendo em sua mesa.

Ela ainda estava em lágrimas quando Bill ligou meia hora mais tarde e ela explicou o que estava acontecendo.

— Acho que você não deve me ligar mais. Ele acha que estamos tendo um caso. — E certamente eles não podiam mais ir almoçar agora. Ela sentiu como se estivessem tirando sua razão de viver, mas ela não via escolha. — Eu ligo para você. É mais simples — disse com tristeza.

— Ele não tem o direito de falar com você dessa maneira — Bill estava ultrajado, e ela diminuíra consideravelmente os fatos para ele. Se ele tivesse realmente escutado o que Jack dissera, estaria fora de si. — Sinto muito, Maddy.

— Tudo bem. É minha culpa. Eu o fiz ficar com raiva quando o acusei de sair com alguém em Londres.

— Você viu uma foto dele, pelo amor de Deus. Aquilo não foi uma suposição sem motivo. — Ele estava convencido de que Jack mentira para ela, mas não disse nada. E então, parecendo deprimido com tudo aquilo, ele fez a ela uma pergunta oportuna: — Quanto mais você vai agüentar, Maddy? O homem trata você como uma sujeira no sapato dele. Você não consegue enxergar isso?

— Consigo. Mas ele também está certo. Menti a ele sobre Lizzie. Provoquei-o. Eu até menti a ele sobre você. Também não gostaria que ele falasse todos os dias com alguma mulher.

— Você quer que paremos de nos falar? — perguntou Bill, parecendo assustado. Mas ela foi rápida em acalmá-lo.

— Não. Mas entendo como ele se sente.

— Não acho que você tenha a mais remota idéia de como ele se sente ou até mesmo *se* ele sente — Bill discordou dela. — Acho que ele é tão manipulador e tão mau que sabe exatamente como jogar com você e fazer você se sentir culpada. Ele é que deveria estar se desculpando com você e se sentindo culpado! — Ele parecia muito chateado enquanto continuaram a discutir e finalmente concordaram que ela ligaria para ele todos os dias e que parariam com seus almoços por um tempo, ou talvez almoçassem de vez em quando discretamente na casa dele. Parecia horrível para ela também, mas era melhor não serem vistos em público e nenhum deles queria parar de ver o outro. Ela precisava de pelo menos um amigo e, além de Lizzie, ele era tudo o que tinha.

A atmosfera continuou tensa em casa por muitos dias e então, por acaso, ela e Jack foram a uma festa na casa de um congressista que Jack conhecia, e Bill estava lá. Eles haviam freqüentado a faculdade juntos e ele se esquecera de dizer a Maddy que iria.

Jack reagiu imediatamente no momento em que Bill entrou na sala. Ele se inclinou e apertou o braço de Maddy tão apertado que ficou branco quando ele o soltou novamente. Mas a mensagem ficou clara para ela.

— Se você ousar falar com ele vou tirá-la daqui tão rápido que você não vai nem saber o que bateu em você. — Ele sussurrou as palavras perto dela.

— Entendi — ela sussurrou também. Ela evitou os olhos de Bill, para passar a ele a mensagem de que não poderia falar com ele. E sempre que ele se aproximava ela ia para perto de Jack, para acalmá-lo. Ela parecia nervosa e pálida e se sentiu envergonhada durante toda a noite. Quando Jack foi ao banheiro a certa altura, ela olhou para Bill implorando, e ele se aproximou dela com um olhar preocupado. Ele havia notado logo a tensão em seu rosto.

— Não posso falar com você... ele está furioso...

— Você está bem? — Ele estava mal por causa dela. Ele vira o que estava acontecendo e resolvera não falar com ela também.

— Estou bem — disse ela e se virou, mas Jack voltou quando Bill estava saindo de perto dela e sentiu instantaneamente o que acontecera. Jack andou decididamente pelo salão na direção dela e falou com os lábios apertados num tom que a aterrorizou.

— Estamos indo embora. Pegue seu casaco.

Ela agradeceu à anfitriã graciosamente e eles partiram poucos minutos mais tarde. Foram os primeiros a sair, mas o jantar já havia acabado e não houve comentários. Jack explicara que ambos tinham reuniões bem cedo no dia seguinte. Apenas Bill pareceu preocupado depois que saíram, mas ele sabia que não podia ligar para saber como ela estava. Jack ainda estava chicoteando-a com palavras quando foram embora e ela ficou tentada a saltar do carro e sair correndo. Ele estava furioso por causa de Bill.

— Que tipo de idiota você acha que eu sou, pelo amor de Deus? Eu disse a você para não falar com ele... Eu vi a expressão em seus olhos quando você olhou para ele... por que você simplesmente não levanta a saia, tira a calcinha e a sacode para ele?

— Jack, por favor.. nós somos amigos e isso é tudo. Eu disse a você. Ele está de luto pela esposa. Eu sou casada com você. Estamos na mesma comissão. É só isso. — Ela falou o mais suavemente que pôde, tentando não provocá-lo ainda mais, mas não adiantou. Ele estava furioso.

— Besteira, sua putinha! Você sabe muito bem o que está fazendo com ele, e eu também. E a porra inteira de Washington também, provavelmente. Em que tipo de idiota isso me transforma? Não sou cego, Maddy, pelo amor de Deus! Que merda eu recebo de você! Não posso acreditar nisso. — Ela não disse mais nada enquanto voltavam e Jack bateu todas as portas da casa, mas não a tocou. Ela ficou deitada covardemente na cama durante toda a noite, aterrorizada com o que ele poderia fazer, mas ele não fez nada. E foi frio como gelo no dia seguinte, quando ela serviu seu café.

Ele só deu um aviso.

— Se você falar com ele novamente, vou chutá-la para a rua, que é o seu lugar. Entendeu? — ela assentiu silenciosamente, lutando contra as lágrimas e aterrorizada com a perspectiva. — Não vou aceitar essa merda. Você me humilhou na noite passada. Você não tirou os olhos dele e parecia uma puta excitada com aquilo. — Ela queria argumentar com ele e se defender, mas não ousou. Ela só assentiu e foi no carro com ele em silêncio para o escritório. A única coisa sensata a fazer depois daquilo era ligar para Bill e dizer a ele que não podia mais vê-lo ou falar com ele. Ela sabia que devia. Mas ele era o fiapo de vida ao qual ela estava se segurando, a fina fronteira entre ela e o abismo no qual tinha tanto medo de cair. E ela não sabia o que era, ou por quê, mas sabia que tinha uma ligação especial com ele e, não importava o quanto Jack a ameaçasse, não podia abrir mão de seu contato com Bill, fosse qual fosse o custo ou o risco. Sabia que o que estava fazendo era perigoso. Mas não importava o quanto ela falasse com severidade a si mesma. O que sabia acima de tudo era que não podia parar agora.

Capítulo 17

MADDY AINDA ESTAVA MAL com Jack e ligando para Bill com muita cautela todos os dias, quando uma tarde ouviu um grito vindo da sala de notícias. Estava falando com Bill na hora em que escutou o barulho do lado de fora e disse a ele que algo devia ter acontecido.

— Ligo para você depois — disse, desligando e correndo para ver o que era aquela confusão. Todos estavam agitados em torno de um monitor que a princípio ela não pôde ver. Mas quando alguém se afastou e ela viu e ouviu o boletim que havia interrompido todos os programas em todas as emissoras. O presidente Armstrong fora baleado e estava sendo levado de helicóptero para o Hospital Naval de Bethesda em condições críticas.

— Oh, meu Deus... oh, meu Deus... — sussurrou Maddy. Ela só conseguia pensar na primeira-dama.

— Pegue seu casaco! — gritou o produtor para ela. — Temos um helicóptero para você no National. — Um *cameraman* já estava de prontidão e alguém deu a ela sua bolsa e seu casaco enquanto ela corria para o elevador sem parar para falar com ninguém. O mesmo boletim anunciara que a primeira-dama estava com ele. E assim que Maddy entrou no carro que estava esperando para levá-la ao National ela ligou para o escritório de seu celular. O produtor ficara de prontidão, esperando sua chamada.

— Como foi que aconteceu? — perguntou ela rapidamente.

— Ainda não se sabe. Um cara simplesmente saiu do meio da multidão e atirou nele. Um dos caras do Serviço Secreto levou um tiro, mas ninguém morreu ainda. — *Ainda.* Aquela era a palavra-chave.

— Ele vai sobreviver? — ela fechou os olhos enquanto escutava.

— Também não sabemos ainda. Não parece nada bom. Há sangue por toda parte pelo que estão mostrando agora. Acabaram de mostrar tudo em câmera lenta. Ele estava cumprimentando pessoas enquanto se despedia de um grupo sem importância e um sujeito com cara de "Papai sabe tudo" simplesmente atirou. Eles o pegaram. Está preso mas ainda não divulgaram seu nome.

— Merda.

— Fique a postos. Pegue tudo o que puder. Médicos, enfermeiras, serviço secreto. A primeira-dama, se eles a deixarem vê-la. — Ele sabia que elas eram amigas e nenhuma relação era sagrada naquele negócio. Ela sabia que esperavam que ela explorasse plenamente cada possível oportunidade, não importava o quanto fosse sem sentido. — Temos uma equipe saindo para encontrar você de carro se você precisar de um intervalo. Mas quero você nessa matéria.

— Eu sei. Eu sei.

— E deixe seu telefone ligado para o caso de termos de falar com você.

— Ficarei alerta. — Ela ligou o rádio do carro, mas foi sempre a mesma coisa nos cinco minutos seguintes e, hesitando por apenas uma fração de segundo, ela ligou para Bill para que ele soubesse onde estava indo. — Não posso falar muito — explicou rapidamente.— Tenho de manter a linha desocupada. Você ouviu as notícias?

— Acabo de ouvir no rádio. Meu Deus, não posso acreditar. — Era como Kennedy de novo, só que pior. Aquilo não era apenas política ou história. Ela os conhecia.

— Estou a caminho de Bethesda agora. Ligo para você depois.

— Tome cuidado. — Não havia necessidade de tomar. Ela não estava em perigo. Mas ele o disse mesmo assim e, depois que desligaram, olhou para seu jardim através da janela, pensando nela.

Nas cinco horas seguintes a vida de Maddy foi uma loucura. Havia uma área reservada à imprensa no hospital e pontos de café para eles do lado de fora. O secretário de imprensa vinha falar com eles a cada meia hora. Todos tentavam cercar cada possível funcionário do hospital que aparecesse. Mas no momento não havia novidades e nem matéria.

O presidente estava na sala de cirurgia desde o meio-dia e, às sete horas, ainda não tinha saído. A bala havia perfurado seu pulmão e danificado o rim e o baço. Havia muito trabalho de reconstrução a fazer. Miraculosamente, o coração não fora atingido, mas ele tivera uma grande hemorragia interna. E ninguém vira a primeira-dama. Ela estava esperando por ele no quarto, observando a cirurgia pelo circuito interno de TV. Não havia mais nada a dizer até que ele saísse da cirurgia e avaliassem como ele estava. Os médicos estimaram que ele ficaria lá até a meia-noite. E Maddy também.

Havia mais de cem fotógrafos no saguão, em poltronas, cadeiras, sentados em suas bolsas de fotografia, alguns estendidos no chão, nos cantos. Um mar de copos de isopor por toda parte, sacos de *fast food* e um grupo de repórteres em pé do lado de fora, fumando. Parecia uma zona de guerra.

Maddy e o *cameraman* designado para ficar com ela haviam parado num canto e estavam conversando em voz baixa com um grupo de repórteres que conheciam de outras redes e grandes jornais.

Ela fizera uma matéria para o noticiário das cinco, do lado de fora do hospital, e às sete fizeram uma tomada sua numa área que haviam designado no interior do saguão. Elliott Noble estava na emissora apresentando sozinho e se comunicando com ela regularmente. Ela fez outra matéria para o jornal das onze, mas não havia muito a dizer, exceto o que haviam dito a eles. Os médicos que atendiam o presidente estavam sendo cuidadosamente otimistas.

Era perto de meia-noite quando Jack ligou para ela no celular.

— Você não pode conseguir nada mais interessante do que isso, Mad? Meu Deus, estamos todos transmitindo a mesma coisa chata. Você tentou ver a primeira-dama?

— Ela está esperando do lado de fora da sala de cirurgia, Jack. Ninguém além do Serviço Secreto e da equipe do hospital esteve lá para vê-la.

— Então coloque uma roupa branca, pelo amor de Deus. — Ele estava sempre empurrando-a para conseguir mais e fazer melhor.

— Não acho que ninguém saiba nada mais do que nós. Está nas mãos de Deus agora. — Ainda não havia meio de saber se ele sobreviveria. Jim Armstrong não era um homem jovem e já havia levado um tiro antes. Mas daquela vez a bala havia apenas passado de raspão.

— Acho que você vai ficar aí esta noite — disse Jack. Era mais uma afirmativa do que uma pergunta, mas ela já planejara aquilo.

— Quero estar aqui se alguma coisa importante acontecer. Estão marcando uma entrevista coletiva quando ele sair da cirurgia. Eles nos prometeram um dos cirurgiões.

— Me ligue se alguma coisa importante acontecer. Vou para casa agora. — Ele ainda estava no escritório, boa parte da equipe também estava lá. Fora um dia interminável e parecia que seria uma longa noite. Mas os dias que se seguiriam seriam ainda piores se o presidente não se recuperasse. Maddy só esperava, por causa da primeira-dama, que ele conseguisse sobreviver. Não havia nada que nenhum deles pudesse fazer agora além de rezar. Estava nas mãos dos deuses e dos cirurgiões.

Depois que Jack ligou, Maddy se sentou por um tempo, bebendo mais café. Ela bebera litros e mal comera o dia inteiro. Mas estava muito deprimida com o que acontecera para sentir fome.

Um pouco mais tarde ela ligou para Bill e imaginou se ele já estaria dormindo enquanto deixava o telefone tocar. Ele finalmente respondeu e ela ficou aliviada por ele não parecer sonolento.

— Você estava dormindo? — perguntou hesitante. Ele reconheceu sua voz imediatamente e ficou satisfeito por ela ter ligado. Ele vira todas as suas transmissões do hospital e estava mantendo a TV ligada para o caso de ela voltar ao ar.

— Sinto muito, estava no chuveiro. Estava esperando que você me ligasse. Como está indo?

— Não está acontecendo mais nada — disse ela parecendo cansada, mas feliz por falar com ele. — Estamos aqui sentados esperando. Ele deve sair da cirurgia em breve. Fico pensando em Phyllis. — Maddy sabia o quanto ela amava seu marido. Todos sabiam. Ela não fazia segredo daquilo. Estavam casados há cerca de cinqüenta anos e Maddy não podia tolerar a idéia de tudo terminar daquela maneira.

— Acho que não a deixaram vê-la? — perguntou Bill, mas ele não vira a primeira-dama em nenhuma outra emissora.

— Ela está lá em cima em algum lugar. Gostaria de poder vê-la, não por nós, mas só para ela saber que estamos pensando nela — Maddy respondeu.

— Estou certo de que ela sabe disso. Deus, fico imaginando como é que coisas assim acontecem. Com toda a segurança, ainda acontece às vezes. Eu vi a gravação original em câmera lenta. O cara simplesmente andou até ele e atirou. Como está indo o cara do Serviço Secreto que ficou ferido?

— Eles o operaram de tarde e disseram que está em estado grave, mas estável. Ele deu sorte.

— Espero que Jim também — disse Bill gravemente. — E você? Deve estar exausta.

— Estou indo. Ficamos aqui toda a tarde, esperando alguma coisa acontecer. — Aquilo fez os dois lembrarem de Dallas e John Kennedy. Acontecera antes de ela nascer, mas ela vira toda a filmagem e ele na época estava na faculdade.

— Você quer que eu leve alguma coisa para você comer? — perguntou ele, parecendo preocupado, e ela sorriu com a sugestão.

— Deve haver milhares de doces aqui e toda a *fast food* de Washington. Mas obrigada pela oferta. — Ela notou um grupo de médicos indo na direção de um microfone e disse a ele que tinha de ir.

— Me ligue se qualquer coisa acontecer. Não se preocupe em me acordar. Estou aqui, se precisar. — Ao contrário de Jack, que apenas se preocupava com o fato de a emissora estar sendo cansativa.

Um dos médicos usava touca, sapatilhas e avental de cirurgia verdes, e Maddy deduziu corretamente que ele havia acabado de sair do centro cirúrgico quando ele subiu ao estrado que haviam montado no saguão. Imediatamente todo o pessoal de imprensa se amontoou em torno dele.

— Não temos nada definitivo para dizer — disse ele sério, enquanto todas as câmeras começaram a focalizá-lo — mas temos todos os motivos para sermos otimistas. O presidente é um homem forte e saudável e, em nossa opinião, a cirurgia foi um sucesso. Fizemos tudo o que pudemos até agora e ele estava voltando à consciência quando o deixei. A senhora Armstrong me pediu para agradecer a todos vocês. Ela disse que sente muito — disse ele com um sorriso cansado — que vocês todos tenham de dormir aqui. Ela desejaria que vocês não precisassem. Isso é tudo por enquanto — disse ele e saiu do estrado sem maiores comentários. Eles haviam sido avisados mais cedo de que não haveria perguntas. Ele dissera a todos que os médicos conheciam bem seu trabalho. O resto estava nas mãos de Deus.

O telefone celular dela tocou quase em seguida à saída do médico. Era Jack.

— Consiga uma entrevista com ele.

— Não posso, Jack. Eles já disseram que não vai dar. O homem esteve na sala de cirurgia por doze horas e eles já disseram tudo o que sabem.

— Porra nenhuma. Eles só estão alimentando essa merda de equipe de imprensa. Pelo que sabemos ele teve morte cerebral.

— O que você sugere que eu faça? Que me arraste até o quarto de Armstrong pela saída de ventilação? — Ela estava cansada e irritada por ele estar sendo tão pouco razoável e exigente. Eles estavam todos no mesmo barco. Tinham de esperar por quaisquer comunicados, e importunar os cirurgiões não ia dar-lhes mais informações.

— Não seja engraçadinha, Mad — disse Jack, irritado. — Você quer colocar seu público para dormir ou está trabalhando para alguma outra emissora?

— Você sabe o que está acontecendo aqui. Estamos todos conseguindo a mesma coisa — disse ela, exasperada.

— É esse o ponto. Consiga algo diferente. — Ele desligou sem dizer adeus e um repórter de uma emissora rival sorriu para ela e deu de ombros com simpatia.

— Estou ouvindo a mesma besteira do chefe do nosso noticiário. Se eles são tão espertos, por que não vêm aqui e fazem o trabalho?

— Tenho de me lembrar de sugerir isso — Maddy sorriu de volta para ele e se instalou numa poltrona cobrindo-se com seu casaco, esperando o próximo comunicado para a imprensa.

Uma equipe de médicos voltou para falar com eles às três da manhã e os que estavam dormindo acordaram para ouvir o que eles tinham a dizer. Era mais ou menos a mesma coisa. O presidente resistia. Ele voltara à consciência, continuava em estado crítico e sua esposa estava com ele.

Foi uma longa noite e, apesar de um novo boletim às cinco, ninguém deu nenhuma notícia significativa até as sete da manhã. Maddy estava acordada e bebendo café a essa hora. Ela dormira ao todo cerca de três horas em pequenos períodos e estava se sentindo dura de tanto ficar enroscada numa cadeira toda a noite. Foi como passar a noite num aeroporto durante uma tempestade de neve.

Mas pelo menos às sete as notícias eram um pouco melhores. Eles admitiram que ele estava desconfortável e sofrendo consideravelmente, mas havia sorrido para sua esposa e mandara seus agradecimentos à nação. E a equipe de cirurgiões ficou extremamente satisfeita. Ousaram dizer que tinham todas as razões para acreditar que ele ia sobreviver, salvo se houvesse complicações.

Meia hora mais tarde a Casa Branca divulgou a identidade do homem que havia atirado. Ele estava sendo citado agora como "o suspeito", embora metade do país tivesse visto reprises da fita que mostrava como ele havia atirado no presidente. O filho do suspeito fora morto no Iraque durante o verão, e ele achava que o presidente era culpado. Era um homem sem ficha criminal, sem nenhum histórico de violência ou instabilidade mental, mas havia perdido seu único filho numa guerra que não entendia e com a qual não se importava, e ficara deprimido desde então. Estava preso e sob cuidadosa observação. Sua família estava chocada. Sua esposa parecia estar histérica. Ele fora, até aquele momento, um respeitado membro da comunidade e um contador razoavelmente bem-sucedido. Maddy se entristeceu pensando nisso.

Ela mandou um bilhete para Phyllis Armstrong através de uma das assessoras de imprensa, apenas para fazê-la saber que ela estava lá rezando por ela. E ficou surpresa quando um bilhete voltou poucas horas mais tarde. Ela só havia rabiscado as palavras. "Obrigada, Maddy. Ele está melhorando, graças a Deus. Um beijo, Phyllis." Mas Maddy ficou muito tocada por ela ter gasto seu tempo escrevendo-o.

Maddy entrou no ar novamente ao meio-dia com o último boletim, dizendo que o presidente estava descansando confortavelmente e que, embora ainda estivesse em condições críticas, esperavam que ele logo ficasse fora de perigo.

— Se você não me der nada interessante logo — disse Jack quando ligou para ela depois do jornal — vou mandar Elliott para fazer isso.

— Se ele puder conseguir alguma coisa diferente do que qualquer um de nós, então mande-o — disse ela, parecendo exausta. Por uma vez ela estava muito cansada para ser afetada pelas ameaças e acusações de Jack.

— Você está me chateando muito — ele a acusou.

— Estou presa ao que eles estão nos dando, Jack. Ninguém mais está conseguindo nada melhor. — Mas aquilo não impediu Jack de ligar toda hora e reclamar dela. E quando Bill ligou à uma hora ela ficou aliviada por ouvi-lo.

— Quando foi a última vez que você comeu? — perguntou, realmente preocupado.

— Não consigo lembrar — ela sorriu. — Estou tão cansada que nem sinto fome.

Ele nem se ofereceu para ir lá. Simplesmente apareceu vinte minutos mais tarde, com um sanduíche, algumas frutas e duas bebidas leves. Ele parecia a Cruz Vermelha chegando, quando abriu caminho através do mar de repórteres no saguão até encontrá-la, forçando-a a se sentar numa cadeira e comer enquanto ele a observava.

— Não consigo acreditar que você fez isso — ela riu largamente para ele. — Nem tinha notado, mas estava morrendo de fome. Obrigada, Bill.

— Isso me faz sentir útil. — Ele ficou impressionado com o número de pessoas que estavam lá. Repórteres, câmeras, operadores de som, produtores, todos correndo de um lado para o outro do saguão do hospital. Eles estavam transbordando para a rua, onde os carros de reportagem estavam estacionados de qualquer maneira. Parecia uma zona de desastre, e não deixava de ser. E ele ficou satisfeito por ela ter comido todo o sanduíche. — Quanto tempo você vai ter de ficar aqui?

— Até que ele fique fora de perigo ou que nós desistamos, o que acontecer primeiro. Jack está ameaçando mandar Elliott para me substituir porque minhas transmissões são muito chatas. Mas não há muito que eu possa fazer a respeito. — E assim que ela disse isso o secretário de imprensa subiu ao estrado novamente e todos correram e se apertaram e Maddy teve de ir com eles.

Desta vez disseram que seria um processo de recuperação longo e vagaroso e o secretário de imprensa sugeriu que alguns deles deviam estar querendo ir para casa e serem substituídos por seus colegas. O presidente estava se recuperando bem. Não havia complicações e eles tinham todas as razões para acreditar que ele continuaria a melhorar.

— Podemos vê-lo? — gritou alguém.

— Não durante muitos dias — respondeu o secretário de imprensa.

— E a senhora Armstrong? Podemos falar com ela?

— Ainda não. Ela não saiu do lado do presidente nem um minuto. E vai ficar aqui até que ele se recupere. Ela está dormindo agora e ele também. Talvez vocês possam dormir um pouco também — disse o secretário de imprensa, com o primeiro sorriso que haviam visto em 24 horas. Então ele saiu e prometeu voltar dali a poucas horas, enquanto Maddy desligava seu microfone e olhava para Bill. Ela estava tão cansada que mal podia enxergar adiante.

— O que você vai fazer agora? — perguntou ele.

— Daria meu braço direito para ir para casa e tomar um banho, mas Jack provavelmente me mataria se eu saísse.

— Ele não pode mandar alguém para substituí-la? — parecia desumano ficar ali.

— Ele poderia, mas não acho que vá fazer isso. Não ainda. Jack me quer aqui. Mas não estou fazendo nada que ninguém não pudesse fazer. Você ouviu o que eles falaram. É um chavão. Eles estão nos dizendo o que querem que saibamos e, se estão falando a verdade, parece que ele está indo bem.

— Você não acredita neles? — Bill estava surpreso com o seu ceticismo, mas era o trabalho dela ser daquele jeito e acabar com todas as inconsistências da história. Ela era boa naquilo, e este era o motivo pelo qual Jack queria que ela ficasse ali.

— Acredito — disse ela com sensibilidade. — Mas a verdade é que ele poderia estar morto, por tudo o que sabemos. — Era uma coisa horrível de se dizer, mas certamente era possível. — Não acho que eles mentiriam sobre isso, a menos que tivessem de fazê-lo pela segurança nacional. Nesse caso, acho que estão sendo muito honestos. Pelo menos é o que espero.

— Eu também — disse Bill com fé.

Ele ficou com ela por mais meia hora e então saiu.

Às três horas Jack finalmente a tirou do plantão e disse-lhe para ir para casa, se trocar e voltar para o estúdio para o programa das cinco horas. Ela mal teve tempo de fazer isso e sabia que não teria tempo nem para um cochilo. Ele já lhe dissera para voltar ao hospital depois do jornal das sete e meia. Depois que foi para casa e se trocou, vestindo um terno azul-escuro, ela sabia que poderia dormir nas macas para a imprensa no hospital, e estava quase cambaleando na hora em que foi fazer o cabelo e a maquiagem. Elliott Noble estava lá também e olhou para ela com admiração.

— Não sei como você faz, Maddy. Se eu tivesse estado naquele hospital nas últimas vinte e sete horas, eles teriam de me tirar de lá numa maca. Você fez um grande trabalho. — Embora seu marido não concordasse. Mas ela ficou tocada pelo cumprimento e sabia que o merecia.

— Acho que estou acostumada, é só isso. Venho fazendo isso há muito tempo. — Aquilo os fez sentirem-se mais colegas e ela gostou dele um pouco mais. Pelo menos uma vez ele estava sendo decente com ela.

— Como você acha que o presidente está realmente? — Elliott perguntou a ela, em voz baixa.

— Acho que eles estão nos contando a verdade — respondeu. E de alguma maneira, com a ajuda dele, ela passou pelo jornal das cinco e pelo das sete e meia e estava de volta ao hospital às oito e quinze, exatamente como Jack lhe dissera para estar. Ele havia parado para vê-la entre os dois programas, fresco e descansado, e deu-lhe um monte de novas ordens, críticas e orientações. Nem mesmo perguntou se ela estava cansada. Não se preocupava se ela estava. Passaram por uma crise e ela tinha de lidar com isso. Mas ela nunca falhara com ele. E, embora ele não reconhecesse, todo mundo sabia disso. Ela era uma das poucas veteranas da primeira noite quando voltou ao hospital. Muitas das outras emissoras haviam substituído o pessoal com equipes novas, e ela também tinha um novo *cameraman* e um novo operador de som. Miraculosamente alguém sentiu pena dela e trouxe um leito para o saguão, para que ela pudesse dormir entre os comunicados para a imprensa. Quando ela falou a Bill sobre isso ao telefone, ele insistiu para que ela usasse o leito.

— Você vai ficar doente se não dormir um pouco — disse ele, seriamente. — Você jantou?

— Comi entre os dois programas, no meu escritório.

— Algo nutritivo, espero. — Ela sorriu com o que ele disse. Ele tinha muito a aprender sobre seu trabalho.

— Realmente uma comida muito saudável. Pizza e doces. Comida básica de repórter. Eu teria regredido se não tivesse comido isso. Só como comida de verdade quando saio para jantar.

— Você quer que eu leve algo para você? — ele ofereceu, parecendo esperançoso, mas ela estava muito cansada para vê-lo.

— Acho que vou pegar minha cama e tentar dormir por umas duas horas. Mas obrigada de qualquer maneira. Ligo para você de manhã, a menos que algo importante aconteça. — Mas nada aconteceu. Foi uma noite tranqüila e ela foi para casa de manhã para tomar banho e se trocar.

Ela acabou ficando no hospital por cinco dias e no último dia finalmente viu Phyllis por alguns minutos, embora não numa entrevista. A primeira-dama mandara chamá-la e elas conversaram no saguão do lado de fora do quarto do presidente, entre os membros do Serviço Secreto. O presidente estava sendo vigiado. Embora o criminoso estivesse preso, eles não estavam querendo relaxar. E Maddy podia bem imaginar que se sentiam culpados por não terem conseguido impedir o atentado.

— Como você está?— perguntou Maddy à primeira-dama com preocupação verdadeira. Ela parecia cem anos mais velha e estava usando um traje de hospital sobre um par de calças e um suéter. Mas ela sorriu com a pergunta de Maddy.

— Melhor do que você, provavelmente. Eles estão cuidando muito bem de nós. O pobre Jim está se sentindo muito machucado, mas está bem melhor. Isso é um pouco duro na nossa idade.

— Sinto tanto que tenha acontecido — disse Maddy, com simpatia. — Fiquei preocupada com você toda a semana. Todo mundo está cuidando dele, mas não sabia como você estava.

— É um choque e tanto, para dizer o mínimo. Mas estamos conseguindo sobreviver. Espero que todos vocês possam ir para casa logo.

— Vou para casa hoje à noite, na verdade. — O secretário de imprensa havia anunciado que o presidente não estava mais em situação crítica. E todos no saguão vibraram com a notícia. Muitos deles estavam lá há dias e sentiram-se tão aliviados que alguns choraram ao ouvir aquilo. Mas apenas Maddy havia estado lá desde o início. E todos a admiravam por isso.

Quando chegou em casa naquela noite Jack estava lá, assistindo às emissoras concorrentes. Olhou para ela e nem se levantou da poltrona para cumprimentá-la. Nem mesmo estava grato pelo que ela havia dado a ele nos últimos cinco dias. Sua vida, sua alma, seu espírito. E não disse a ela que sua audiência era a maior de todas as emissoras, mas ela soubera disso pelo produtor. Ela até conseguira fazer uma reportagem sobre as dezenas de pessoas que tiveram de ser transferidas para outros hospitais a fim de esvaziar um andar inteiro para o presidente, sua equipe médica e o Serviço Secreto. E todos haviam ficado alegres por terem sido transferidos. Ficaram felizes por fazerem o que podiam por ele, e suas estadas em outros hospitais, onde quer que fossem, seriam pagas pela Casa Branca. Nenhum deles estava em estado crítico. Estavam todos convalescendo, e não houve problemas para removê-los.

— Você está com uma aparência de merda, Mad — foi tudo o que Jack disse a ela, e era verdade. Ela parecia exausta, mas ainda conseguira parecer apresentável no ar quando tivera de fazê-lo. Mas seu rosto estava tenso e pálido e havia profundas olheiras sob seus olhos.

— Por que você está com tanta raiva de mim o tempo todo? — Ela parecia confusa. Era admissível que tivesse feito algumas coisas para aborrecê-lo nos últimos meses. Tudo, desde seus editoriais até sua relação com Lizzie e suas conversas com Bill. Mas o verdadeiro crime era que ele agora tinha menos controle sobre ela e a odiava por isso. A dra. Flowers a alertara sobre aquilo. Ela dissera que ele não encararia aquilo tranqüilamente e estava certa. Era muito ameaçador para ele. Mas enquanto o pensamento de que ele a odiava atravessava a mente de Maddy, ela subitamente se lembrou do que Janet McCutchins lhe dissera, quatro meses antes, que seu marido a odiava, e Maddy se recusara a acreditar naquilo. Mas ela acreditava no ódio de Jack agora. Ele certamente agia como se a odiasse.

— Tenho razão para estar com raiva de você — disse ele friamente. — Você me traiu de todas as maneiras que pôde nos últimos meses, Mad. E tem muita sorte por eu não tê-la despedido ainda. — O *ainda* era para aterrorizá-la e fazê-la sentir que ele poderia tomar esta atitude a qualquer momento. E ele podia. Mas o que ela realmente sentiu foi ansiedade. Era tão difícil se erguer contra ele e agüentar as conseqüências. Mas finalmente ela sentia que tinha de fazer isso. Encontrar Lizzie e conhecer Bill a haviam mudado de alguma maneira. Ela sentia como se tivesse encontrado a si mesma, bem como sua filha. E era óbvio que Jack não gostava daquilo. Aquela noite, quando foram para a cama, ele nem mesmo falou com ela e estava frio na manhã seguinte.

Naqueles dias Jack foi mais duro que nunca e alternava críticas constantes com desprezo. Ele sentia um pequeno prazer em humilhá-la, mas ela não ligava muito. Ela recebia conforto de Bill sempre que se falavam. E uma noite, quando Jack estava fora, ela foi jantar novamente na casa de Bill. Desta vez ele fez *steak* para ela, achando que ela ainda estava trabalhando muito e precisando de alimentos fortes. Mas o melhor alimento que ele lhe deu foram o carinho e a clara afeição que demonstrava por ela.

Falaram sobre o presidente por um tempo. Ele estava no hospital há duas semanas e iria para casa em poucos dias. Maddy e alguns outros do grupo de elite haviam sido autorizados a entrevistá-lo rapidamente e ele parecia mais magro e muito cansado. Mas estava num estado de espírito excelente e agradeceu a todos pela devoção e amabilidade. E ela também entrevistara Phyllis, que foi igualmente gentil.

Foram duas semanas extraordinárias e Maddy estava satisfeita com a cobertura que haviam dado para seu público, mesmo que Jack não estivesse. Ela ganhara inclusive o respeito de seu co-apresentador, Elliott Noble. Ele achava, assim como todos os outros na emissora, que ela era uma repórter extraordinária.

Bill olhava para ela com um sorriso cheio de ternura e admiração enquanto se sentavam em sua cozinha depois do jantar. — Então o que você vai fazer agora para se distrair? — Não era todo dia que o presidente levava um tiro e, depois disso, tudo o mais que ela cobrisse pareceria um anticlímax.

— Vou pensar em algo. Tenho que encontrar um apartamento para Lizzie. — Era início de novembro. — Ainda tenho um mês para isso.

— Talvez eu possa procurar com você. — Ele estava menos ocupado do que antes, agora que tinha terminado seu livro. Estava pensamendo em ensinar novamente. Tivera ofertas de Yale e de Harvard. Maddy ficou feliz por ele, mas sabia que ficaria triste se ele deixasse Washington. Era seu único amigo lá. — Não acontecerá até setembro do ano que vem — ele a tranqüilizou. — Achei que poderia tentar escrever outro livro depois do início do ano. Talvez ficção, desta vez. — Ela estava feliz por ele, mas ao mesmo tempo tinha a sensação de que não estava conseguindo lidar com sua própria vida. Estava cada vez mais consciente do comportamento abusivo de Jack, mas tudo o que fazia era se manter na superfície. Mas Bill não a pressionou por causa daquilo. A dra. Flowers dissera que ela faria algo a respeito quando estivesse pronta e poderia levar anos para ela conseguir enfrentá-lo. Bill já quase se resignara a isso, embora se preocupasse com ela. Mas ao menos as duas semanas que passara cobrindo o caso do presidente no hospital a mantiveram afastada de Jack e muito ocupada para lidar com ele, embora ele estivesse eternamente gritando com ela no celular. Bill podia sempre sentir na voz dela quando ele ligava. Tudo era sempre sua culpa. Era puro *À meia-luz.*

— O que você vai fazer no Dia de Ação de Graças? — perguntou Bill enquanto terminavam de jantar.

— Nada de mais. Normalmente vamos para a Virgínia e ficamos tranqüilos. Nenhum de nós tem família. Às vezes vamos visitar nossos vizinhos. E você, Bill?

— Vamos a Vermont todos os anos. — Mas ela sabia que seria difícil para ele este ano. Seria seu primeiro Dia de Ação de Graças em casa sem sua esposa e ela sabia, por suas conversas, que ele estava com medo.

— Gostaria de poder convidar Lizzie, mas não posso. Ela vai jantar no Dia de Ação de Graças com seus pais adotivos favoritos. Parece que está tudo bem para ela. — Mas apesar de tudo Maddy estava desapontada por não estar com ela em seu primeiro Dia de Ação de Graças, mas não tinham escolha.

— E você? Vai ficar bem? — perguntou ele, parecendo preocupado.

— Acho que sim. — Mas ela não estava tão certa agora. Falara com a dra. Flowers, que insistiu que ela entrasse para um grupo de mulheres agredidas. E Maddy prometera a ela que entraria. Ia começar logo depois do Dia de Ação de Graças.

Maddy viu Bill um dia antes de ele partir, e ambos estavam tristes. Ele por causa de sua mulher e ela porque tinha de ir com Jack e porque seu relacionamento estava tão tenso. Parecia estar eletrificado por influências ocultas. E Jack a estava observando como um falcão. Não acreditava mais nela. Não a pegara novamente com Bill e Bill não ligara mais para ela, a não ser no telefone celular. Ele esperava que ela ligasse a maior parte do tempo. A última coisa que queria era causar mais problemas para ela.

No dia anterior ao Dia de Ação de Graças, ela encontrou-o na casa dele. Ele fez chá e ela levou uma caixa de biscoitos e ficaram conversando na aconchegante cozinha. Havia esfriado e ele contou que já tinha nevado em Vermont e que ele e seus filhos e netos estavam planejando esquiar.

Ela ficou com ele o tempo que pôde e então finalmente disse que tinha de voltar ao escritório.

— Cuide-se, Maddy — disse gentimente, com olhos cheios de sentimentos que não podiam ser expressados. Ambos sabiam que seria errado fazer isso. Nenhum deles jamais havia feito algo de que se arrependessem, ou que fosse falta de respeito pelo outro. O que quer que sentissem ficava inexplicado e não dito. Só com a dra. Flowers ela questionava o que sentia por ele. Tinham um relacionamento estranho e ainda assim ela sabia que ambos precisavam dele. Eram como dois sobreviventes de navios naufragados que haviam se encontrado em águas turvas. Agora ela se agarrava a ele antes de sair e ele a abraçou como um pai faria com sua filha, com braços fortes e um coração amoroso, sem fazer exigências.

— Vou sentir sua falta — disse ele com simplicidade. Eles sabiam que não poderiam se falar durante o fim de semana. Jack suspeitaria se Bill ligasse para seu celular. E ela não ousava ligar.

— Vou ligar para você se ele sair para cavalgar ou algo assim. Tente não ficar muito triste — disse ela, preocupada. Ela sabia o quanto seria difícil celebrar o feriado sem Margaret. Mas ele não estava pensando em sua esposa agora, apenas em Maddy.

— Tenho certeza de que será difícil, mas estarei bem por ver as crianças. — E então, sem pensar, ele beijou sua cabeça e a reteve por um último minuto. Quando se despediram naquela tarde ambos estavam tristes pelo que haviam tido uma vez mas haviam perdido e não poderiam mais ter. E Maddy silenciosamente agradeceu, enquanto saía em seu carro, pensando que ao menos tinham um ao outro. Tudo o que ela podia fazer era agradecer a Deus por ele.

Capítulo 18

O PERÍODO QUE MADDY PASSOU NA VIRGÍNIA com Jack durante o feriado foi difícil e carregado de tensão. Ele estava de mau humor a maior parte do tempo e se trancava com freqüência no estúdio para telefonemas secretos. E desta vez ela sabia que não podia ser o presidente, porque ele ainda estava convalescendo e o vice-presidente estava percorrendo o país no momento. E Jack nunca fora muito próximo a ele. Sua ligação era com Jim Armstrong e ninguém mais.

Uma vez, quando ela pegou o telefone para falar com Bill, pensando que Jack estava fora, acidentalmente ouviu-o falando com uma mulher. Desligou imediatamente, sem escutar o que eles estavam falando. Mas aquilo a fez pensar. Ele fora muito rápido ao explicar a fotografia da mulher com quem estivera em Londres no Annabel's e estava muito mudado no último mês. Eles raramente faziam amor. Era um alívio de certa forma, mas também a confundia. Durante toda a sua vida de casados, o apetite sexual dele havia sido insaciável e voraz. E ele parecia desinteressado agora, exceto quando se queixava dela ou a acusava de algo que ela tinha feito.

Ela deu um jeito de ligar para Lizzie no Dia de Ação de Graças e para Bill na noite seguinte, quando Jack foi falar com um dos vizinhos sobre seus cavalos. Bill disse que o feriado fora difícil, mas o esqui havia sido bom e isso já era alguma coisa. Ele tinha feito peru com as crianças. Maddy e Jack haviam jantado sozinhos e em silêncio, e quando ela tentou falar sobre toda aquela tensão, ele a afastou e disse que era tudo imaginação, mas ela sabia que não era. Nunca fora tão infeliz, exceto quando Bobby Joe a espancava. De certa forma, isso não era diferente, apenas mais sutil. Mas era doloroso, confuso e triste.

Ficou aliviada quando finalmente entraram no avião para ir para casa e Jack comentou aquilo com um tom de suspeita.

— Alguma razão particular para você estar tão feliz de voltar para casa?

— Não, estou apenas ansiosa para voltar ao trabalho — disse ela, para enganá-lo. Ela não queria começar a brigar e ele parecia estar louco para começar.

— Há alguém esperando por você em Washington, Mad? — perguntou maldosamente e Maddy só olhou para ele, desesperada.

— Não há ninguém, Jack. Espero que saiba disso.

— Não tenho certeza do que sei sobre você. Mas poderia descobrir, se quisesse — disse ele e ela não respondeu. Discrição parecia ser a melhor saída. E o silêncio, a única escolha.

No dia seguinte, depois do trabalho, ela foi para o grupo de mulheres agredidas ao qual ela prometera à dra. Flowers comparecer. Na verdade não queria ir. Parecia deprimente, e ela dissera a Jack que tinha uma reunião da comissão da primeira-dama. Não tinha certeza de que ele havia acreditado, mas daquela vez não a desafiou, pois tinha seus próprios planos. Disse que ia encontrar pessoas para tratar de negócios depois do trabalho.

Mas Maddy ficou deprimida novamente quando entrou no local onde ficava o grupo de mulheres. Era uma casa caindo aos pedaços, numa vizinhança ruim, e ela tinha certeza de que estaria cheia de mulheres tristes e choramingas. Simplesmente não queria ir. Mas ficou surpresa quando viu as mulheres chegarem, vestindo *jeans* e roupas de trabalho, algumas jovens, algumas velhas, algumas bonitas e outras simples e pouco atraentes. Era um sortimento variado, mas muitas delas pareciam ser inteligentes e interessantes e algumas eram cheias de vida. Quando a líder do grupo chegou e se sentou, seus olhos foram calorosos quando ela olhou para Maddy.

— Nós só usamos os nossos primeiros nomes aqui — explicou. — E se reconhecermos umas às outras, não falamos sobre isso. Não nos cumprimentamos se nos encontrarmos na rua. Não dizemos a ninguém quem vimos e o que ouvimos. O que falamos nunca sai daqui. É importante que nos sintamos seguras aqui. — Maddy assentiu e acreditou nela.

Sentaram-se em cadeiras surradas e se apresentaram com seus primeiros nomes. Muitas pareciam conhecer as outras de visitas anteriores ao grupo. Havia vinte mulheres normalmente, às vezes mais, às vezes menos, a líder explicou. Elas se encontravam duas vezes por semana e Maddy podia vir com a freqüência que desejasse. Era um compromisso aberto. Havia uma garrafa de café num canto e alguém trouxera biscoitos.

Uma a uma elas começaram a falar sobre o que estavam fazendo, o que estava acontecendo em suas vidas, com o que se preocupavam ou ficavam satisfeitas, ou do que tinham medo. Algumas estavam em situações aterrorizantes, algumas haviam deixado os maridos que as maltratavam, algumas eram heterossexuais, outras eram *gays* e algumas tinham filhos, mas a ligação que tinham em comum era que haviam sido atormentadas por agressores. Muitas delas tiveram famílias agressivas quando crianças, mas outras não. Algumas tinham tido vidas aparentemente perfeitas, até encontrarem o homem ou mulher que as havia agredido. Enquanto Maddy escutava, sentiu-se relaxada como há muito tempo não acontecia. O que estava ouvindo era tão familiar, tão real, tão parecido com o que ela conhecia que era como tirar uma armadura e respirar ar fresco. Sentia como se tivesse voltado para casa e aquelas mulheres fossem suas irmãs. E quase tudo o que elas descreveram era parecido com a relação que havia vivido não apenas com Bobby Joe, mas com Jack também, nos últimos anos. Enquanto ela escutava as outras, era como ouvir sua própria voz e sua própria história e ela sabia com convicção profunda que Jack abusara dela desde o dia em que a conhecera. Todo o poder, todo o charme, todas as ameaças, todo o controle, todos os presentes, todos os insultos, toda a humilhação e a dor, era algo que todas ali haviam experimentado. E ele era um retrato tão clássico de alguém com comportamento abusivo que a embaraçou não ter entendido isso mais cedo. Mas até quando a dra. Flowers descrevera aquilo na comissão, muitos meses antes, não fora tão claro para ela quanto agora. E subitamente ela não sentiu mais vergonha ou embaraço. Sentiu alívio, e a única coisa que tinha feito de errado fora aceitar toda a culpa que ele jogara em cima dela e se deixado sentir culpada por isso.

Ela falou às mulheres sobre sua vida com ele e as coisas que ele fez e disse, as palavras que usou, o tom, as acusações e sua reação a Lizzie. Todas assentiram e simpatizaram e lhe disseram que havia uma escolha. Era responsabilidade dela o que faria a respeito.

— Estou tão assustada — sussurrou, enquanto lágrimas corriam pela sua face —, o que vai acontecer comigo se eu o deixar?... E se eu não puder sobreviver sem ele? — Mas ninguém a ridicularizou pelas palavras ou disse a ela que era estúpida pelo que estava sentindo. Elas todas também haviam ficado assustadas e algumas tinham boas razões para isso. Um dos maridos estava na prisão por tentativa de assassinato e a mulher estava aterrorizada com o que poderia acontecer quando ele saísse, dentro de mais ou menos um ano. Muitas haviam sido fisicamente agredidas como ela fora por Bobby Joe. Algumas haviam largado vidas inteiras e boas casas, e duas haviam até mesmo abandonado os filhos, mas sentiram que tinham de se salvar antes que seus maridos as matassem. Sabiam que não era louvável, mas haviam escapado do jeito que puderam. E outras ainda estavam lutando para sair e nem mesmo estavam certas de que podiam, como Maddy. Mas a única coisa que ela sabia depois de falar com aquelas mulhres era que cada hora, cada dia, cada minuto a mais que ela ficasse com ele estaria em perigo. Subitamente ela entendeu o que Bill e a dra. Flowers e até mesmo Greg haviam dito. Até então ela não pudera ouvir de verdade. Mas agora, ao menos, podia.

— O que você acha que vai fazer agora, Maddy? — perguntou uma das mulheres.

— Não sei — disse ela honestamente. — Estou tão assustada. Tenho medo de que ele veja o que está se passando na minha cabeça ou ouça o que estou pensando.

— A única coisa que ele vai ouvir claramente é você batendo a porta na cara dele e correndo feito louca. Ele não vai ouvir nada até que você faça isso — disse uma mulher sem dentes e descabelada. Mas apesar de sua aparência e das coisas duras que dissera, Maddy gostou dela. Essas mulheres, ela sabia agora, é que iam salvá-la. Ela mesma tinha que se salvar, também sabia, mas precisava da ajuda delas. E seja lá por que razão ela conseguia ouvi-las.

Ela se sentia uma nova pessoa quando as deixou, mas elas também a avisaram que as coisas não aconteceriam como num passe de mágica. Não importava o quanto ela se sentisse bem pela experiência comum que partilhavam e pelo apoio que davam a ela, pois ainda tinha de fazer o trabalho e não seria fácil. Ela também sabia aquilo.

— Deixar o agressor é como deixar as drogas — disse uma das mulheres, asperamente. — É a coisa mais difícil de fazer; porque aquilo é muito familiar para você. Você está acostumada com ele.

Você acaba sem saber se ainda está acontecendo. E esta é a única maneira de você saber, ou achar, que alguém a ama. — Maddy ouvira isso antes, mas ainda odiava ouvir. Ela agora se dava conta de que era verdade. Simplesmente não sabia o que ia fazer a respeito, a não ser freqüentar aquele grupo.

— Não espere muito de si mesma a princípio — uma das outras disse a ela —, mas também não espere muito tempo porque pode ser "a última vez", a última rodada, a última tentativa. Pode ser a última mesmo, para você. Até os caras que não encostam a mão nas mulheres ficam loucos às vezes. Ele é uma pessoa má, Maddy, bem pior do que você pensa, e poderia matá-la. Provavelmente quer fazê-lo, mas não tem as armas. Tire o seu traseiro de lá antes que ele as encontre. Ele não a ama. Não liga para você, não da maneira que você deseja... o amor dele por você só a machuca. Isso é o que ele quer e é o que ele vai fazer. Ele não vai mudar nunca. Só vai piorar. E quanto melhor você ficar, pior ele vai ser. Você está correndo um grande perigo.

Ela agradeceu a todas quando saiu e foi dirigindo para casa pensativa, remoendo tudo o que haviam dito. Ela não duvidou de nada. Sabia que era verdade. E também sabia que por alguma razão louca ela queria que Jack parasse de machucá-la e a amasse. Ela queria mostrar a ele como, parte dela até queria explicar tudo a ele, para que ele parasse de fazer aquelas coisas que a machucavam. Mas ela também sabia agora que ele jamais pararia. Ele continuaria simplesmente machucando-a mais e mais. E mesmo achando que o amava, ela tinha de deixá-lo. Era uma questão de sobrevivência.

Ela ligou para Bill do carro e disse a ele como havia sido. Ele pareceu aliviado. Só rezava para que elas dessem a ela a força de que precisava para conseguir agir.

Foi como se Jack sentisse isso quando ela chegou em casa. Ele olhou para ela estranhamente e perguntou onde estivera, e ela disse novamente que era uma reunião relacionada à comissão. Até aproveitou a chance e disse que era um grupo de mulheres que sofreram violência, no qual queriam que ela desse uma checada, e que foi muito interessante. Mas só de ouvir aquilo ele ficou furioso.

— Esse grupo deve ser formado por um bando de doentes fodidas. Não posso acreditar que eles esperam que você se encontre com pessoas assim. — Ela abriu a boca e começou a defendê-las, mas depois parou. Agora sabia que até isso poderia colocá-la em perigo. Não queria mais arriscar. Já aprendera bastante. — Sobre o que você está parecendo tão convencida? — ele a acusou e ela tentou parecer o menos comprometida e ameaçadora possível, recusando-se a deixar que ele a fizesse se sentir ansiosa. Ela estava praticando o que aprendera naquele encontro.

— Na verdade foi muito chato — disse ela sabiamente —, mas prometi a Phyllis que iria. — Ele olhou para ela cautelosamente e assentiu, parecendo satisfeito com sua resposta. Pelo menos daquela vez fora a resposta certa.

Naquela noite, pela primeira vez em algum tempo, ele fez amor com ela e foi rude novamente, como se para lembrá-la de seu poder. Não importava o que ela houvesse escutado. Ele ainda estava no controle e sempre estaria. Mas, como tinha feito antes, ela não disse nada. Mais tarde foi para seu banheiro e tomou um banho, mas nenhuma quantidade de sabão ou água pareceu lavar o horror que ele deixara nela. Maddy voltou para a cama em silêncio e ficou aliviada quando o ouviu roncar.

Levantou-se cedo no dia seguinte e estava na cozinha quando ele desceu. Tudo parecia igual a sempre. Mas ela se sentia uma prisioneira agora, debatendo-se entre as paredes, cavando silenciosamente um túnel para a segurança, não importava o quanto isso demorasse.

— O que está acontecendo com você? — ele falou asperamente quando ela lhe servia o café. — Você tem agido de maneira estranha.

— Ela rezou para que ele não pudesse ler sua mente. Estava quase certa de que podia, mas não se deixaria acreditar naquilo. Mas só de ouvir sua voz ela sabia que ele estava ficando diferente, e aquilo por si só já a colocava em risco.

— Acho que estou pegando uma gripe ou algo parecido.

— Tome vitamina C. Não quero ter que colocar um substituto se você ficar doente. É um problema. — Ele nem precisava encontrar o substituto, mas pelo menos acreditara em sua história de não se sentir bem. Mas só por seu tom de voz ela sabia o quanto ele estava sendo rude com ela esses dias.

— Vou ficar bem. Posso ir, de qualquer maneira. — Ele assentiu, pegou o jornal e Maddy olhou cegamente para o *The Wall Street Journal.* Tudo o que ela podia fazer agora era rezar que ele não percebesse o que ela estava pensando. E, com alguma sorte, ele não perceberia. Ela sabia que tinha que elaborar um plano e escapar antes que ele a destruísse. Pois uma coisa que sabia agora era que o ódio que suspeitara que ele sentia por ela era real e bem pior do que temera.

Capítulo 19

DEZEMBRO FOI UM MÊS AGITADO COMO SEMPRE. Festas, reuniões, planos para os feriados. Cada embaixada parecia estar dando um coquetel, um jantar ou uma festa, sempre que possível incluindo suas tradições nacionais. Era parte da graça de viver em Washington e Maddy sempre gostara daquilo. Nos primeiros tempos de seu casamento ela adorava ir a festas com Jack, mas, nos últimos meses, à medida que as coisas se tornavam mais e mais tensas em seu relacionamento, ela detestava sair com ele. Ele era sempre ciumento, observava-a com outros homens e mais tarde a acusava de algum comportamento pecaminoso ou impróprio. Era estressante ir a qualquer lugar com ele e ela não estava nem um pouco interessada no Natal este ano.

O que ela queria realmente era incluir Lizzie em suas festas, mas com a proibição de Jack de que fizesse qualquer coisa com a garota, Maddy sabia que não havia possibilidade. Ou ela tinha de confrontá-lo e armar uma batalha ou teria de desistir da idéia completamente. Não havia acordo com Jack. Era do jeito dele ou de nenhum jeito.

Ela ficou assombrada ao perceber que nunca havia notado aquilo antes, nem o fato de ele diminuir suas idéias e necessidades e fazê-la se sentir tão boba quanto culpada por elas. Era algo que, durante anos, ela aceitara prontamente. Nem mesmo tinha certeza agora de que a mudança acontecera, mas nos últimos meses, quando entendeu o quanto ele era realmente desrespeitoso, ela tinha uma necessidade constante de lutar contra seu crescente senso de opressão. Mas de qualquer forma, por mais divergências que tivessem, ela sabia no fundo do coração que ainda o amava. E aquilo por si só era terrível, porque a deixava vulnerável.

Ela não podia esperar, sabia agora, que aquele amor acabasse. Amor não tinha nada a ver com aquilo. Mesmo amando-o e precisando dele de certa forma, ela sabia que tinha de sair. Cada dia que ficava com ele era perigoso para ela. E ela tinha de se lembrar constantemente daquilo. Também estava ciente de que, se tivesse tentado explicar a alguém, ninguém teria entendido, exceto aquelas que haviam passado pelo mesmo processo. Para qualquer outra pessoa, as emoções conflitantes e a culpa que ela sentia pareceriam completamente malucos. Mesmo Bill, com toda a sua preocupação, não entendia realmente. A única coisa que o ajudava era o fato de que estava aprendendo bastante na comissão sobre as formas sutis e não sutis de violência contra a mulher. E era difícil, no verdadeiro sentido da palavra, chamar o que Jack fazia de "violência", mas ele era o resumo do comportamento abusivo. Exteriormente, pagava-lhe bem, resgatara-a, dava-lhe segurança, uma casa adorável, uma casa de campo, um avião a jato que ela podia usar sempre que quisesse, belas roupas, presentes, jóias e peles, férias no Sul da França. Como podia qualquer pessoa em seu estado normal chamá-lo de abusivo? Mas Maddy e as pessoas que viam o relacionamento sob um refinado microscópio sabiam muito bem o mal que se escondia ali. Todas as células da doença estavam presentes, cuidadosamente escondidas entre os enfeites. Mas hora a hora, dia a dia, minuto a minuto, Maddy podia sentir seu veneno devorá-la. Ela vivia num medo constante.

E havia até mesmo algumas horas nesses dias em que ela sentia que Bill estava aborrecido com ela. Ela sabia o que ele queria, embora não estivesse certa do motivo, mas ele queria que ela saísse de casa e encontrasse o caminho da segurança. E era frustrante para ele observá-la tropeçar e cair, avançar e retroceder, ver as coisas claramente e então deixar-se consumir pela culpa até que ela a paralisasse e a cegasse. Eles ainda se falavam pelo telefone todos os dias e eram cuidadosos com a freqüência com que almoçavam. Havia sempre o risco de que alguém a visse indo à casa dele e presumisse alguma coisa, o que seria não apenas errado, mas desastroso para ela. Eram sempre prudentes, mesmo quando estavam a sós. A última coisa que Bill queria era atormentá-la com mais problemas. Ela já os tinha suficientes, ele sentia, sem a sua ajuda.

O presidente então já estava de volta ao Salão Oval. Ele disse que estava trabalhando meio expediente e se cansando facilmente, mas quando Maddy o viu num pequeno chá que ofereceram, achou que ele estava parecendo melhor e bem mais forte. Phyllis parecia ter estado na guerra, mas brilhava a cada vez que olhava para seu marido. Maddy a invejava. Ela não podia nem mesmo imaginar como seria sentir aquilo. Estava tão acostumada às tensões em seu próprio relacionamento que era difícil imaginar viver sem elas. Ela acabara tendo aquele tipo de estresse e dor como uma espécie de obrigação. E ultimamente mais do que nunca.

Jack estava sendo mais cruel do que nunca e era rápido em pular em seu pescoço por qualquer coisa que ela dissesse, acusando-a constantemente por seu comportamento. Era como se, dia e noite, no trabalho ou em casa, ele estivesse esperando para agredi-la, como um leão da montanha pronto a atacar sua presa, e ela sabia bem o quanto aquilo poderia ser perigoso. As coisas que ele dizia eram devastadoras. A maneira como as dizia também. E ainda havia vezes em que ela se pegava pensando o quanto ele era charmoso, inteligente e bonito. O que ela queria aprender mais que tudo era a odiá-lo, não apenas temê-lo. Tinha bem mais consciência agora, graças a seu grupo de mulheres agredidas, do que a motivava e do que estava fazendo. E ela sabia que de alguma maneira sutil e invisível estava viciada nele.

Ela estava falando sobre isso com Bill um dia, no meio de dezembro. A festa de Natal da emissora seria no dia seguinte e ela não estava esperando muito daquilo. A última acusação de Jack, de que ela estava flertando com Elliott no ar, havia tomado uma proporção bem maior, com ele acusando-a muitas vezes de dormir com o apresentador. Ela estava certa de que ele sabia que não era verdade, mas falava assim mesmo para aborrecê-la. E chegou até a fazer um comentário sobre isso com seu produtor, o que a fez imaginar agora se os dias de Elliott no programa também estavam contados. Ela pensara em alertá-lo, mas quando disse isso a Greg ao telefone, ele lhe respondeu que não fizesse. Apenas criaria mais problemas, o que era provavelmente o que Jack queria.

— Ele está apenas tentando a infernizar, Mad — disse Greg, com praticidade. Ele estava feliz em Nova York, falando em se casar com sua nova namorada, mas Maddy sugeriu que ele desse mais tempo. Ela não pensava muito em casamento nesses dias, ou pelo menos achava que ele devia ter cuidado.

Quando se sentou na cozinha de Bill numa quinta-feira à tarde, ela se sentiu infinitamente cansada e desiludida. Não estava aguardando ansiosamente o Natal este ano e estava tentando descobrir uma maneira de ir a Memphis para ver Lizzie, ou fazê-la vir a Washington, sem que Jack soubesse. Havia finalmente encontrado um pequeno apartamento para ela no último fim de semana. Era alegre e claro e já estava sendo pintado. Ela fizera o depósito com um cheque administrativo e estava confiante de que poderia pagar o aluguel sem que Jack descobrisse.

— Odiei mentir para ele — disse Maddy baixinho durante o almoço com Bill. Ele comprara caviar e estavam passando um de seus raros e confortáveis momentos juntos. — Mas é a única maneira de fazer o que quero e preciso. Ele é pouco razoável sobre Lizzie e me proíbe de vê-la. — Com o que ele não era pouco razoável, Bill se perguntou, mas preferiu não dizer nada. Ele estava falando menos do que o normal e ela imaginou se algo o estava aborrecendo. Sabia que os feriados eram difíceis para ele. E o aniversário de Margaret era naquela semana, o que era doloroso também. — Você está bem? — perguntou enquanto dava a ele um pedaço de torrada com caviar e limão.

— Não sei. Esta época do ano sempre me deixa nostálgico. Particularmente este ano. É difícil não olhar para trás às vezes. — Mas Maddy achou que ele ficaria melhor mais tarde. Ele ainda falava muito sobre sua mulher, mas parecia estar se torturando menos sobre o que acontecera. Ele e Maddy falavam sobre aquilo de vez em quando e ela sempre insistia para que ele se perdoasse. Mas era mais fácil falar do que fazer. Ela tinha a impressão de que, quando escreveu o livro, ele havia conseguido seguir em frente. Mas a dor da perda ainda pesava.

— Os feriados são difíceis — Maddy concedeu. — Você devia ficar com seus filhos. — Eles iam para Vermont novamente e ela e Jack iam à Virginia, e ela sabia que seria muito menos divertido do que o que ele ia fazer. Bill e seus filhos estavam planejando um Natal à moda antiga. Jack odiava festejos e, além de poucos presentes caros para ela, ele fazia o menor barulho possível a respeito. Quando era criança, ele havia se desapontado a cada ano com o Natal e, como adulto, se recusava a festejá-lo.

Bill surpreendeu-a com o que disse em seguida.

— Gostaria de passar as festas com você, Maddy — sorriu tristemente. Era um sonho impossível, mas um pensamento doce. — Meus filhos adorariam ter você conosco.

— Lizzie também — disse ela, parecendo resignada. Ela já havia mandado presentes maravilhosos de Natal para ela e comprara algumas coisas para Bill. Ela quis encontrar presentes pequenos e bobos que o fizessem se lembrar dela, CDs, um cachecol quente que parecia muito com ele e um monte de livros velhos que esperava que ele gostaria. Nada importante ou caro, mas tudo muito pessoal, como lembrança da amizade que ambos sentiam. Ela os estava guardando para o dia anterior à sua partida para Vermont, e esperava almoçar com ele uma última vez antes que ambos deixassem a cidade e tomassem seus caminhos até depois do Ano-Novo.

Então ela sorriu para ele enquanto comiam o resto do caviar. Ele havia comprado patê, queijo, pão francês e uma garrafa de vinho tinto. Havia providenciado um piquenique muito elegante, um porto seguro das tensões do mundo em que ela vivia. — Às vezes imagino por que você me agüenta. Tudo o que faço é lamentar e choramingar a respeito de Jack e sei que para você deve parecer que não estou fazendo nada a respeito. Deve ser difícil sentar e ficar olhando. Como você me suporta?

— Esta é uma pergunta fácil de responder — ele sorriu de volta para ela. E tirou sua respiração pelo que disse em seguida, sem fingir ou hesitar. — Eu te amo. — Houve uma pausa de um instante enquanto ela absorvia aquilo e se dava conta do que ele queria dizer. Ele estava falando da mesma maneira que diria isso a Lizzie, protetor e amigo, não como uma mulher diria a um homem ou vice-versa. Ao menos era como ela entendia.

— Eu também te amo, Bill — disse ela suavemente. — Você é meu melhor amigo no mundo. — O que eles partilhavam já havia até mesmo ultrapassado o que ela partilhara com Greg, que parecia ter se movido para sua própria vida. — Você é como minha família, quase como um irmão mais velho.

Mas depois de ter dito aquilo ele não ia voltar atrás. Fcou muito perto dela e colocou a mão em seu ombro.

— Não foi o que eu quis dizer, Maddy — disse ele claramente. — Quis dizer de uma maneira mais profunda, como homem. Eu te amo — repetiu, ele e ela o encarou, sem saber o que responder. Ele entendeu aquilo também e tentou colocá-la à vontade. Mas estava feliz por finalmente ter dito a ela. Fora um longo tempo. Seis meses de grande intimidade de todas as maneiras que importavam. Ele era parte de sua vida diária agora e só queria que pudesse ser ainda mais. — Você não tem que responder se não quiser. Não espero nada de você. Acho que estive esperando você mudar sua vida e fazer algo sobre Jack nos últimos seis meses. Mas entendo o quanto isso é difícil para você. Não tenho nem certeza de que você algum dia o fará. Acho que aceito isso. Mas não quero esperar até que você o faça, se fizer, para dizer a você que a amo. A vida é curta e amor é algo muito especial. — Ela ficou tocada com o que ele estava dizendo.

— Você é muito especial também — disse ela suavemente e se inclinou para beijá-lo no rosto, mas ele se virou levemente e ela não teve certeza de como aquilo acontecera, se fora ela que o fizera, ou ele, mas a próxima coisa que soube foi que o estava beijando e ele a ela, profundamente, do fundo de seus corações e com considerável paixão. E quando pararam, ela olhou para ele com espanto.

— Como isso aconteceu?

— Acho que já estava para acontecer há muito tempo — disse ele, colocando os braços em torno dela e se preocupando se a havia aborrecido. — Você está bem? — Ele olhou para ela e ela assentiu, encostando a cabeça nele. Ele era bem mais alto que ela e ela se sentia segura e feliz em seus braços, de um jeito que jamais se sentira antes. Isso era algo completamente diferente, e por ser tão novo era tão maravilhoso quanto assustador.

— Acho que sim — disse ela, olhando para ele e tentando arrumar seus sentimentos. E então ele a beijou novamente e ela não fez nada para resistir. Ao contrário, percebia agora que era tudo o que ela mais queria. Mas aquilo fez com que o que Jack dissera sobre ela se tornasse verdade. Ela jamais o traíra, nunca olhara para outro homem antes e percebia agora que estava apaixonada por Bill e não tinha idéia do que fazer a respeito.

Sentaram-se à mesa da cozinha, de mãos dadas e olhando um para o outro. Subitamente havia um mundo inteiro e novo entre eles. Ele havia aberto uma porta e ambos haviam ficado muito perto, e Maddy nunca se dera conta de como a vista poderia ser grandiosa uma vez aberta.

— Isso é mais do que um presente de Natal — disse ela com um sorriso tímido e ele sorriu largamente.

— Sim, Maddy, é. Mas não quero que você se sinta pressionada. Não planejei isso. Não esperei mais do que você. E não quero que você se sinta culpada. — Ele a conhecia bem agora. Havia vezes em que apenas respirar a fazia se sentir culpada e isso era bem mais do que respirar. Isso era viver.

— Como posso me sentir? Sou casada, Bill. Estou fazendo tudo o que ele me acusa de fazer e nada disso jamais foi verdade antes. Agora é... ou poderia ser...

— Aí depende de como lidamos com isso e sugiro que nos movimentemos *muito* devagar. — Embora ele soubesse agora que gostaria de se mover bem mais rápido. Mas por respeito a ela sabia que não podia. — Quero fazê-la feliz, e não complicar a sua vida. — Mas certamente aquilo ia complicá-la. E a forçava a olhar para seu relacionamento com Jack de uma maneira que ela andava evitando. Ela havia sido lançada para uma situação inteiramente diferente com aquele primeiro beijo.

— O que vou fazer? — perguntou a Bill, mas estava se fazendo a mesma pergunta. Estava casada com um homem que a tratava de modo abominável. Mas apesar disso ela possuía um senso de lealdade a ele, ou ao menos era assim que ela chamava o que sentia.

— Você vai fazer o que for certo. Sou um adulto. Posso lidar com isso. Mas o que quer que você decida sobre mim, ou sobre nós, ainda vai ter que fazer algo a respeito de Jack. Você não pode evitar isso para sempre, Maddy. — Ele estava esperando que esse amor e o fato de saber de sua existência daria a ela a força de que precisava para escapar de Jack. De certa forma, embora ela não quisesse pensar sobre isso daquela forma, ele era seu passaporte para a liberdade. Mas ela estava determinada a não usá-lo. Ela sentia que, se ela quisesse, ele podia ser seu futuro. Bill Alexander não era um homem para se lidar levianamente.

Depois daquilo eles conversaram durante o almoço, comendo queijo e bebendo vinho, e ele a fez sorrir um pouco mais sobre a situação deles. Disse a ela que, embora não reconhecesse a princípio, havia se apaixonado desde o início.

— Acho que eu também — ela admitiu —, mas eu estava com medo de encarar isso. Parecia algo errado, por causa de Jack. — E ainda era, mas agora era mais forte que ela, ou até mesmo que eles dois. — Jack jamais vai me perdoar por isso, você sabe — disse ela, infeliz. — Ele nunca vai acreditar que isso não estava acontecendo o tempo todo. Ele vai dizer a todo mundo que eu o estava traindo.

— Ele vai fazer isso de qualquer maneira, se você se separar. — E Bill rezava agora mais que nunca para que ela o deixasse, por eles dois. Ele sentia como se uma bela borboleta houvesse aterrissado em sua mão e ele estivesse com medo de tocá-la ou pegá-la. Só queria admirá-la e amá-la. — Acho que ele vai dizer algumas coisas bem feias quando você se livrar dele, independentemente de mim. Ele não vai agradecer a você por isso, Maddy. — Era a primeira vez que ele dissera "quando" em vez de "se", e ambos notaram. — A verdade é que ele precisa de você mais do que você precisa dele. Você precisava dele para preencher suas fantasias sobre segurança e casamento. Mas ele precisa de você para alimentar sua doença, para satisfazer sua sede de sangue, se você deixar. Um agressor *precisa* de uma vítima. — Ela não respondeu, como se estivesse pensando sobre isso, e então silenciosamenete assentiu.

Passava das três da tarde quando ela o deixou relutantemente. Ela queria ficar com ele e se beijaram por um longo tempo antes que ela partisse. Havia agora uma nova dimensão em seu relacionamento, uma porta que fora aberta e não podia ser fechada novamente, nem mesmo se ambos quisessem.

— Cuide-se — ele sussurrou. — Tome cuidado.

— Pode deixar. — E então ela sorriu enquanto ele a abraçava. — Eu te amo... e obrigada pelo caviar... e pelos beijos...

— Sempre que quiser — ele sorriu de volta e ficou na porta acenando, enquanto ela saía no carro. Ambos tinham muito em que pensar. Particularmente Maddy.

Ela ficou imediatamente nervosa quando sua secretária disse que Jack havia ligado duas vezes na última hora. Ela se sentou à sua mesa, respirou fundo e ligou o interfone, aterrorizada subitamente com a possibilidade de que alguém pudesse tê-la visto saindo da casa de Bill. E suas mãos estavam tremendo quando ele atendeu.

— Onde diabos você esteve?

— Compras de Natal — disse rapidamente. A mentira viera tão facilmente que ela ficou estarrecida com sua própria disposição de enganá-lo. Mas não podia dizer a ele onde havia estado ou o que estivera fazendo. Embora fosse pensar sobre isso no caminho de volta, imaginando se seria mais correto contar a verdade, que ela estava desesperadamente infeliz com ele e amando outra pessoa. Mas ela sabia que aquilo seria um convite para a agressão. A menos que pudesse partir imediatamente. E ela sabia que não estava pronta. Neste caso, honestidade não era necessariamente a resposta certa, ou ao menos não ainda.

— Eu estava ligando para dizer que tenho que me encontrar com o presidente Armstrong esta noite. — Ouvir aquilo a surpreendeu. O presidente ainda não parecia muito bem para ter reuniões noturnas, mas ela não questionou. Era mais fácil não fazê-lo. E decidiu imediatamente que suas suspeitas eram provavelmente baseadas em seu próprio mau comportamento. Ela odiava pensar daquela maneira. Mas sabia que quaisquer que fossem seus sentimentos por ele, o que estava acontecendo com Bill não era a coisa certa para uma mulher casada fazer, por mais danificado e defeituoso que estivesse o casamento.

— Tudo bem — disse ela em resposta aos planos dele. — Preciso comprar algumas coisas no caminho de casa. — Ela queria comprar papel de presente e alguns presentinhos para sua secretária e sua pesquisadora, para dar a elas na festa de Natal, mais como lembranças. Já havia comprado relógios Cartier para elas. — Você precisa de algo? — perguntou, tentando ser gentil com ele para se desculpar de suas transgressões.

— Por que você está de tão bom humor? —perguntou ele com suspeita e ela colocou a culpa no Natal. Ele disse a ela para não esperar por ele, pois seria um longo encontro, o que a fez ficar ainda mais em dúvida sobre o que ele estava fazendo. Mas não disse nada.

Fez os dois programas naquela noite como se estivesse flutuando e ligou para Bill duas vezes, antes e depois.

— Você me faz muito feliz. — E muito assustada, ela quis acrescentar, mas não disse. Eles não falaram sobre o que iam fazer, mas saborearam a doçura daquilo. Ela disse a ele que ia a um *shopping* nas vizinhanças, depois do trabalho, para comprar algumas coisas. E ele disse que ligaria quando ela chegasse em casa, já que Jack estaria fora. E também não acreditou que seu marido estava indo se encontrar com o presidente. Phyllis havia falado a eles dois, há poucos dias, na comissão, que Jim ficava exausto no fim da tarde e dormia às sete horas todas as noites.

— Talvez Jack esteja dormindo com ele — brincou Maddy, num inesperado bom humor.

— Isto seria uma reviravolta. — Bill sorriu com a sugestão e eles prometeram se falar mais tarde.

Maddy saiu do trabalho em um dos carros da emissora, já que Jack estava com o carro e o motorista. De qualquer maneira ela estava mais feliz por estar sozinha. Assim teria tempo de pensar e sonhar com Bill. Estacionou no *shopping center* e entrou numa grande *drugstore* para comprar fitas, barbante e papel de presente.

A loja estava superlotada por causa do Natal. Havia mulheres com crianças chorando, homens confusos com o que deveriam comprar e os compradores normais que enchiam o *shopping* à noite antes dos feriados. Não era surpreendente que estivesse mais cheio do que nunca. A loja de brinquedos ao lado tinha um Papai Noel e havia uma fila de pessoas para vê-lo que ia até o estacionamento. Maddy ficou de bom humor só de ver tudo aquilo. Era o espírito de Natal e, subitamente, graças a Bill, ela estava começando a gostar.

Ela estava com uma dúzia de papéis vermelhos em seus braços e um carrinho cheio de perfumes, fitas, chocolates em forma de papai-noel e pequenos enfeites de Natal quando ouviu um estranho ruído vindo de algum lugar acima dela. Era tão alto que a princípio ela ficou estarrecida e viu as outras pessoas pararem e olharem, sem conseguir entender também. Foi um grande estrondo! E então um som como o de uma cachoeira, como o de um muro de água corrente. Ela não conseguia ouvir ninguém. A música parou e subitamente havia gritos enquanto o *shopping* inteiro ficava escuro. E antes que tivesse tempo de entrar em pânico ou até mesmo de abrir sua boca, ela viu o teto inteiro cair bem ao seu lado. E quando isso aconteceu, todo o mundo de Maddy subitamente caiu nas trevas e tudo em volta dela desapareceu.

Capítulo 20

QUANDO MADDY ACORDOU, parecia que o prédio inteiro estava sobre seu peito. Ela abriu os olhos e sentiu que eles doíam e estavam cheios de sujeira, mas ela não podia ver nada e havia um estranho cheiro de poeira e fogo em torno dela. Ela sentiu que estava quente e que cada parte de seu corpo parecia muito pesada. E então se deu conta de que algo havia caído sobre ela. Tentou se mover e a princípio achou que não podia. Conseguia mover seu pé, mas havia algo empurrando suas pernas para baixo e toda a parte de cima de seu corpo estava presa também, mas pouco a pouco, enquanto se esforçava para ficar livre, descobriu que podia mover os vários pesos que haviam caído sobre ela. Ela não percebeu, mas levou mais de uma hora para se livrar e conseguir se sentar numa pequena bola no pequeno espaço ao qual estava confinada. E o que notou a princípio, enquanto fazia aquilo, era que tudo em torno dela estava em silêncio. Então, depois de algum tempo, ela começou a ouvir gemidos, gritos e pessoas chamando umas às outras a distância. E quando se sentou, tinha certeza de que podia ouvir um bebê chorando em algum lugar. Não fazia idéia do que havia acontecido ou exatamente de onde estava.

No estacionamento, longe de onde ela estava, carros haviam explodido. As fachadas de muitos prédios haviam sido jogadas longe. Havia carros de bombeiros por toda parte e as pessoas estavam correndo e gritando. Pessoas sangrando, vindas de todas as partes, estavam correndo para o estacionamento, e crianças feridas estavam sendo colocadas em macas e levadas às pressas para as ambulâncias. Parecia um *set* de filmagem, e as pessoas que estavam falando com a polícia e os bombeiros diziam, confusas, que o prédio inteiro havia desmoronado num único instante. De fato, quatro das lojas no *shopping* haviam sido destruídas e havia uma enorme cratera do lado de fora da loja em que Maddy estava. Era uma cratera escancarada onde, instantes atrás, havia um caminhão. Houvera uma explosão de tamanha magnitude que as janelas de prédios de até cinco quarteirões de distância haviam sido estilhaçadas. E enquanto os carros de reportagem chegavam, o Papai Noel da loja de brinquedos era carregado para fora com uma lona sobre ele. Ele havia morrido na hora, junto com mais da metade das crianças que estavam esperando para vê-lo. Era uma tragédia de proporções tão grandes que ninguém conseguia absorvê-la.

Bem no fundo da loja, curvada e sentada numa pequena bola, Maddy tentava descobrir como sair de baixo dos escombros que a mantinham prisioneira. Tentou se agarrar a eles, empurrá-los e se jogar contra eles, mas a princípio nada se movia e, com uma sensação de pânico total, ela estava sentindo dificuldade para respirar. E então, no escuro, ouviu uma voz muito perto dela.

— Socorro... socorro... alguém está me ouvindo? — A voz parecia fraca, mas quando Maddy a ouviu achou reconfortante saber que alguém estava perto.

— Eu estou. Onde você está? — Havia tanta poeira que Maddy

mal conseguia respirar. Mas ela se virou na direção da voz e escutou cuidadosamente no escuro.

— Não sei. Não consigo enxergar — a voz respondeu. Estavam todos em meio à mais completa escuridão.

— Você sabe o que aconteceu?

— Acho que o prédio caiu... machuquei minha cabeça... acho que está sangrando... — Era a voz de uma mulher e Maddy achou que poderia ouvir o bebê novamente. Mas não conseguiu ouvir muito mais. Uma voz ocasional... um grito... ela estava querendo escutar sirenes, esperando ajuda, mas não conseguia ouvi-los. Havia muito concreto bloqueando-os para deixar qualquer um deles ouvir o caos do lado de fora, com os veículos de resgate com suas sirenes ligadas e vindo na direção deles, de toda a cidade. Houve chamadas até para a Virgínia e Maryland. Ninguém sabia nada ainda, exceto que houvera uma grande explosão com muitas pessoas feridas e mortas.

— É seu este bebê? — perguntou Maddy quando o ouviu chorar novamente.

— Sim... — disse a voz fracamente. — Ele tem dois meses. Seu nome é Andy. — A garota parecia estar chorando. E Maddy teria chorado também, mas ainda estava em estado de choque para sentir suas próprias emoções.

— Ele está machucado?

— Não sei... não posso vê-lo. — Ela soluçou então e Maddy fechou os olhos por um minuto, tentando pensar direito. Algo terrível devia ter acontecido para levar o prédio inteiro a desabar, mas ela ainda não podia entender o quê.

— Você consegue se mexer? — perguntou Maddy. Falar com a garota a estava ajudando a manter sua própria sanidade, enquanto tentava empurrar em vários lugares novamente. Então o que parecia uma pedra atrás dela se moveu um pouco, embora só alguns centímetros. Estava na direção oposta de onde vinha a voz.

— Não consigo mexer nada — respondeu a voz —, há algo sobre minhas pernas e braços... e não consigo alcançar meu bebê.

— Eles vão mandar socorro, você sabe. — E quanto Maddy disse isso, ambas notaram o som de vozes abafadas a distância, mas não havia meio de saber se eram salvadores ou vítimas. E então, enquanto Maddy tentava pensar no que fazer, ela lembrou que seu celular estava na bolsa. Se conseguisse encontrá-la, poderia ligar pedindo ajuda, ou talvez a encontrassem mais facilmente. Era uma idéia louca, mas deu a ela algo para fazer, enquanto tateava a área em torno dela. Mas não encontrou nada, a não ser poeira, pedras e pedaços de concreto. Mas quando o fez ela teve uma noção melhor da pequena área em torno dela. E tentou novamente mover as paredes de sua improvisada prisão até que em certo ponto ela conseguiu mover algumas tábuas mais alguns centímetros, aumentando seu espaço de ar. — Estou tentando alcançá-la — disse ela à garota, encorajando-a, e por um longo momento houve um silêncio e aquilo a assustou. — Você está bem?... Pode me ouvir? — Houve uma longa pausa e então a voz novamente.

— Acho que estava dormindo.

— Não durma. Tente ficar acordada. — disse Maddy firmemente, ainda tentando pensar, mas nada vinha. Ela ainda estava em estado de choque e começou a sentir, enquanto se movia, uma forte dor de cabeça. — Fale comigo... qual é o seu nome?

— Anne.

— Oi, Anne. Meu nome é Maddy. Quantos anos você tem?

— Dezesseis.

— Eu tenho trinta e quatro. Sou repórter... na TV... — Mas não houve resposta novamente. — Acorde, Anne... como está Andy?

— Não sei. — Ele estava choramingando, então Maddy sabia que ele estava vivo, mas a garota parecia mais fraca. Só Deus sabia o quanto ela estava ferida ou quando alguém as encontraria.

E enquanto Maddy continuava a lutar contra sua prisão, do lado de fora carros de bombeiros continuaram a chegar de todas as partes. Duas das lojas estavam pegando fogo, quatro haviam caído e corpos desmembrados estavam sendo removidos das áreas próximas ao centro da explosão, alguns deles sem qualquer possibilidade de reconhecimento. Havia mãos, pés, braços e cabeças por toda parte. Todos os feridos leves estavam sendo removidos e ambulâncias estavam levando aqueles que não conseguiam se mover por conta própria. Estavam tentando limpar a área para as equipes de profissionais e voluntários de resgate. O Centro Nacional de Controle de Desastres e Emergências havia sido chamado. Estavam organizando equipes e as escavadoras começavam a chegar. Mas o equilíbrio da estrutura remanescente era muito delicado para usá-las e havia muitas vítimas para colocar em risco usando máquinas que poderiam, no fim das contas, causar um problema ainda maior.

Havia dezenas de equipes de imprensa na área e emissoras de todo o país haviam interrompido as transmissões para dar ao público a notícia de que o maior desastre na história da nação, desde a bomba em Oklahoma City, em 95, havia ocorrido em Washington. Já havia mais de cem mortes confirmadas e nenhuma maneira de saber quantas mais haveria. Uma criança chorando com o braço arrancado já havia sido filmada por cada câmera no local, enquanto era levada pelas equipes de resgate. Sua identidade era desconhecida e ninguém a havia reclamado ainda. Mas havia dezenas de outras como ela. Machucadas, atordoadas, feridas, mutiladas, mortas e morrendo, sendo retiradas dos escombros.

Bill estava assistindo tranqüilamente à televisão quando o primeiro boletim apareceu na tela e ele se sentou com uma expressão horrorizada. Maddy dissera a ele que estava indo para lá depois do trabalho e ele imediatamente foi até o telefone e ligou para ela. Não houve resposta. Ele ligou para o celular dela e uma gravação disse que o número chamado estava fora da área. E enquanto ele continuava a assistir aos jornais, sentiu uma onda de pânico crescente. Quase ligou para a emissora para descobrir se sabiam onde ela estava, mas não ousou. Havia sempre a possibilidade de ela estar no local, cobrindo os fatos por conta própria, mas ele decidiu esperar para ver se ela ligava. Sabia que ela o faria se tivesse tempo e se não estivesse presa em algum lugar embaixo dos escombros. Tudo em que ele conseguia pensar era no momento em que se deu conta pela primeira vez de que Margaret havia sido seqüestrada por homens mascarados e armados.

Jack também estava ciente da situação. Seu celular tocara instantes após a explosão e ele olhou para a mulher com quem estava, horrorizado. Aquela não era a noite que havia planejado. Ele havia planejado tudo tão cuidadosamente, como sempre o fazia, e estava irritado com a interrupção.

— Encontre Maddy e diga a ela para sentar o traseiro lá. Ela deve estar em casa agora — ele deu as ordens e depois desligou. Eles já tinham duas equipes na área e uma terceira estava a caminho, segundo o que o produtor dissera. E a bonita loura com quem ele estava no Ritz Carlton perguntou o que havia acontecido.

— Algum imbecil explodiu um *shopping center* — disse ele e ligou a TV. Ambos se sentaram para ver e se espantaram com o que viram. Era uma cena de destruição total e caos absoluto. — Nossa — ele sussurrou entredentes. Nenhum dos dois havia se dado conta da magnitude do desastre até que o viram. Ficaram sentados em silêncio por um instante e então ele pegou seu telefone e ligou para a emissora. — Você a encontrou? — gritou ao telefone. Era uma reportagem infernal, mas até olhos acostumados como os dele ficaram cheios de lágrimas com algumas das imagens transmitidas. A seu lado, a garota que conhecera na semana anterior estava chorando silenciosamente. Um bombeiro havia acabado de resgatar um bebê morto e sua mãe.

— Estamos tentando, Jack — o produtor disse , cansado. — Ela ainda não está em casa e o celular está desligado.

— Droga, eu disse a ela para não fazer isso nunca. Continue

tentando. Ela vai aparecer. — E então, enquanto desligava bruscamente o telefone, um estranho pensamento passou por sua cabeça, mas ele o rejeitou imediatamente. Ela dissera que ia comprar papel de presente e algumas coisas, mas normalmente odiava *shopping centers* e costumava fazer compras em Georgetown. Não havia razão nenhuma para ela estar lá.

— Você pode me ouvir, Anne? — A voz de Maddy passou através do concreto novamente, mas desta vez levou mais tempo para ela conseguir ouvir de volta a outra voz.

— Sim... posso... — e quando ela ouviu aquilo, também escutaram outra voz. Desta vez era um homem e ele parecia estar surpreendentemente perto de Maddy.

— Quem está aí? — perguntou a voz, soando forte e alta. Disse que havia deslocado algumas pedras e uma trave e rastejara por um longo caminho até chegar a elas, mas não tinha idéia de onde estava ou para onde ia.

— Meu nome é Maddy — respondeu ela com firmeza — e há uma garota aqui chamada Anne... ela não está comigo, mas posso ouvi-la. Acho que está ferida e ela tem um bebê.

— E você? Está bem? — Ela estava com dor de cabeça, mas aquilo não era digno de ser relatado.

— Estou bem. Você pode mover alguma dessas coisas em volta de mim?

— Continue falando que eu vou tentar. — Ela esperava que ele fosse grande e forte. Forte o suficiente para mover montanhas, se precisasse.

— Qual é o seu nome?

— Mike. E não se preocupe, dona. Normalmente eu levanto 220kg com os braços. Vou tirar você daí em pouco tempo. — Ela pôde ouvi-lo se esforçando enquanto continuava a falar com ela, e

Anne se desligou da conversa novamente quando Maddy a chamou, mas o bebê estava chorando mais alto que nunca.

— Fale com seu bebê, Anne. Se ele a escutar, talvez não fique tão assustado.

— Estou muito cansada — disse Anne fracamente, enquanto Maddy continuava a falar com Mike, e ele pareceu alguns centímetros mais perto.

— Você sabe o que aconteceu? — perguntou Maddy a ele.

— Sei lá, pô. Eu estava comprando creme de barbear e a porcaria do teto caiu em cima de mim. Eu ia trazer meus filhos. Estou feliz por não tê-los trazido. Você estava com alguém?

— Não, estava sozinha — respondeu Maddy, enquanto tentava agarrar as pedras e movê-las novamente, mas tudo o que conseguiu foi quebrar suas unhas e machucar seus dedos. Nada se moveu.

— Vou tentar cavar na outra direção — disse ele finalmente enquanto Maddy sentiu uma onda de pânico passar por ela. O pensamento de que aquela voz amigável ia deixá-la fez crescer nela uma sensação de abandono como jamais sentira antes. Mas eles tinham de buscar ajuda e, se um deles pudesse fazê-lo, os outros seriam salvos também.

— Tudo bem — disse ela. — Boa sorte. — Quando você sair — ela fez questão de dizer "quando" e não "se" — eu sou uma repórter, diga à minha emissora que estou aqui. Sei que eles estão aí fora em algum lugar.

— Vou voltar — disse ele claramente. E poucos minutos mais tarde sua voz desapareceu novamente e nenhuma outra chegou. Ela fora deixada na escuridão com sua solidão, Anne e o bebê chorando. Continuou desejando encontrar seu telefone celular, não que tivesse feito muita diferença. Ela não poderia nem mesmo dizer a eles onde estava, só onde tudo havia começado. Mas, por tudo o que sabia, elas deviam ter se movimentado um bom pedaço. Não havia nada que identificasse onde elas estavam presas agora.

Enquanto continuava a assistir às notícias, Bill sentiu uma crescente sensação de pânico. Ele a havia chamado uma dúzia de vezes e só a secretária eletrônica atendera. E o celular ainda estava desligado. Finalmente, desesperado, ele telefonou para a emissora.

— Quem é? — perguntou o produtor irritado, surpreso inclusive pelo fato de a chamada ter chegado até ele.

— Sou amigo dela e só estou preocupado. Ela está cobrindo a história?

Houve uma pausa e então o produtor decidiu responder honestamente.

— Nós também não conseguimos encontrá-la. Seu celular está desligado e ela não está em casa. Ela poderia ter ido sozinha ao local, mas ninguém a viu. Mas há uma multidão dos infernos lá. Ela vai acabar aparecendo. Ela sempre aparece — Rafe Thompson, o produtor, o acalmou.

— Não é do feitio dela desaparecer. — Bill lembrou ao produtor num tom preocupado, e Rafe não podia deixar de imaginar como o homem ao telefone sabia daquilo. Mas ele estava obviamente preocupado. Muito mais do que Jack. Tudo o que Jack fizera fora berrar com eles para encontrar a porra da sua mulher. E o produtor tinha uma boa idéia do que Jack estava fazendo quando o havia encontrado. Ele pudera ouvir os risos de uma voz de mulher ao fundo quando telefonara para ele da primeira vez.

— Não sei o que dizer. Ela provavelmente vai ligar logo. Deve estar no cinema ou algo assim. — Mas Bill sabia que ela não estava, e o fato de ela não ter telefonado para ele para dizer que estava bem o estava deixando apavorado. Caminhou em torno de sua sala por mais dez minutos depois disso, mantendo um olho na TV, e finalmente não pôde mais suportar. Pegou seu casaco e a chave do carro e saiu correndo. Não sabia se conseguiria chegar perto do local, mas tinha de tentar. Ele não sabia por quê, mas sabia que tinha de estar lá. Talvez pudesse encontrá-la.

Já passava das dez horas quando Bill conseguiu percorrer todo o caminho uma hora e meia depois da explosão que destruíra dois quarteirões da cidade, matara 103 pessoas na última contagem e ferira dezenas de outros. E isso era apenas o começo.

Quando chegou lá, levou vinte minutos para abrir caminho entre veículos de emergência e escombros, e havia tantos voluntários para ajudar que ninguém pediu a ele passes, credenciais ou identidade. Só o deixaram passar e ele ficou do lado de fora da loja de brinquedos com lágrimas nos olhos, rezando para que pudesse encontrá-la na confusão do lado de fora.

E em poucos minutos alguém deu a ele um capacete e pediu que ajudasse a carregar escombros. Ele os seguiu e só o fato de estar ali era tão aterrorizante que tudo o que pôde desejar era que Maddy estivesse em qualquer lugar menos lá e houvesse apenas esquecido de ligar seu telefone celular.

Dentro de seu buraco Maddy estava pensando nele enquanto jogava todo o seu peso contra um pedaço de concreto, e ficou estarrecida quando ele se moveu. Tentou novamente e o concreto se moveu mais alguns centímetros e cada vez ela se movia mais um pouco. A voz cada vez mais fraca de Anne parecia chegar mais perto.

— Acho que estou chegando a algum lugar — disse ela a Anne — continue falando comigo. Preciso saber onde você está. Não quero tornar as coisas piores... você consegue sentir alguma coisa? Há poeira caindo em você de algum lugar? — Ela não sabia se estava próxima a sua cabeça ou seus pés, mas a última coisa que queria era jogar um pedaço de concreto nela ou em seu bebê. Mas dava tanto trabalho mover o concreto quanto manter Anne falando.

Maddy falava consigo mesma enquanto empurrava, abria caminho e cavava. Deu um empurrão que quase a machucou, e para sua surpresa um grande pedaço de concreto cedeu. Ela conseguiu movê-lo para o lado e criar um buraco grande o suficiente para acomodar seu corpo inteiro, e começou a rastejar através dele. E assim que o fez, soube que havia encontrado Anne. Sua voz estava muito próxima e a primeira coisa que tocou foi Andy. Ele estava deitado próximo à mão de sua mãe, mas fora de seu alcance, e se contorcendo livremente. Maddy não podia vê-lo, mas podia senti-lo e puxou-o para ela. Ele gritou de terror quando ela o pegou. Ela não tinha idéia se ele estava machucado ou não, mas o deixou ali novamente e se arrastou através do buraco até Anne. Mas por um instante a garota não disse nada, e então Maddy a tocou. Nem mesmo tinha certeza se ela ainda estava respirando.

— Anne... Anne... — ela tocou sua face gentilmente e, enquanto passava cuidadosamente suas mãos por ela, achou que sabia o que tinha acontecido. Havia uma grande viga sobre a parte de cima do corpo da garota, esmagando-a, e Maddy pôde sentir pela umidade de suas roupas que ela estava sangrando. E outra viga estava sobre suas pernas. Ela estava completamente esmagada e, embora Maddy tentasse freneticamente, não conseguiu fazer nada para livrá-la. As vigas eram mais pesadas que o concreto e o que ela não sabia era que havia mais concreto empurrando as vigas para baixo. — Anne!... Anne!... — Ela continuou dizendo seu nome enquanto o bebê se movimentava perto dela e então finalmente a garota se moveu e falou com Maddy.

— Onde você está? — Ela não entendia o que havia acontecido.

— Estou aqui. Estou com você. Andy está bem, eu acho. — Pelo menos em comparação a sua mãe.

— Eles nos encontraram? — Anne estava começando a perder a consciência novamente e Maddy tinha medo de sacudi-la por causa dos ferimentos que havia sofrido quando as vigas caíram sobre ela.

— Ainda não. Mas eles virão. Eu prometo. Fique firme — Maddy pegou o bebê e segurou-o bem perto dela, enquanto se arrastava para perto de Anne tentando fazer com que a garota não desistisse. Colocou o rosto do bebê perto do dela, como deviam ter feito quando ele nasceu, e Anne começou a chorar fracamente.

— Vou morrer, não vou? — Não havia resposta honesta para aquela pergunta, ambas sabiam. Ela tinha dezesseis anos. Havia chegado à maturidade plena em questão de instantes, e devia ter cem anos desde então.

— Não acho — mentiu Maddy. — Você não pode. Você tem de se manter viva, por Andy.

— Ele não tem pai — disse ela. — Ele o abandonou quando nasceu. Ele não o queria.

— Meu bebê também não tinha pai — disse Maddy, tentando acalmá-la. Pelo menos ela estava falando, o que já era algo. Lizzie também não tivera mãe, Maddy pensou cheia de culpa, mas não disse nada a Anne.

— Você vive com seus pais? — perguntou Maddy, ainda tentando mantê-la falando enquanto segurava o bebê e notava que ele havia parado de chorar. Colocou um dedo sob seu nariz e ficou aliviada ao perceber que ele ainda estava respirando. Estava dormindo.

— Fugi de casa quando tinha catorze anos. Sou de Oklahoma. Liguei para meus pais quando ele nasceu mas eles não nos quiseram. Eles têm outros nove filhos e minha mãe disse que tudo o que sou é um problema... Andy e eu vivemos da previdência social. — Era uma desgraça, mas nada tão terrível quanto o que estava acontecendo a elas agora. Maddy não pôde deixar de pensar se todos eles sobreviveriam, ou se ela sobreviveria. Ela imaginava agora se seriam encontrados muito tempo depois de terem morrido, como parte de uma história maior e ainda mais horrível. Mas estava determinada a não deixar isso acontecer, pelo bem delas. Este bebê tinha o direito de viver e também a criança que era sua mãe. Salvá-los era seu único objetivo.

— Quando ele crescer, você vai poder contar a ele o que aconteceu. Ele vai saber que você foi maravilhosa e corajosa, e você é... estou muito orgulhosa de você — disse ela, lutando contra as lágrimas, pensando em Lizzie. Haviam se encontrado depois de dezenove anos e agora Lizzie poderia perdê-la novamente. Mas não se podia deixar pensar naquilo. Ela tinha de manter a cabeça livre e notou, enquanto falava com Anne, que estava ficando tonta. Imaginou quando sairiam dali para o ar puro. Se ficariam sufocadas ou só dormiriam, apagando-se como velas. Ela começou a cantarolar para si mesma e depois cantarolou suavemente para Anne e o bebê, mas Anne havia parado de falar novamente e nada que Maddy fez pareceu acordá-la. Quando Maddy a tocou ela gemeu e Maddy soube que Anne ainda estava viva, mas parecia estar se apagando rapidamente.

Do lado de fora da loja de brinquedos, Bill finalmente encontrou a equipe da emissora. Ele se identificou e achou que estava falando com o produtor com quem havia falado mais cedo ao telefone. Ele agora estava ali, dirigindo equipes de câmeras e repórteres.

— Acho que ela está aí dentro — disse Bill soturnamente. — Ela me disse que viria aqui para comprar papel de presente.

— Eu estava tendo um estranho pressentimento sobre isso — Rafe Thompson admitiu — e achei que estava louco. Não que faça qualquer diferença. Eles vão fazer o melhor para tirar as pessoas daí. — Ficou imaginando como Bill a conhecia e então ele disse que estavam juntos na comissão da primeira-dama. Rafe achou que ele parecia um cara legal. Havia passado horas ajudando no resgate. Seu casaco estava rasgado; seu rosto, imundo; e suas mãos, sangrando. Todos estavam estressados e exaustos. Já passava da meia-noite e Maddy ainda não havia voltado. Rafe havia falado várias vezes com Jack, que ainda estava gritando com eles do Ritz Carlton. Ele fora menos do que simpático sobre o desaparecimento de Maddy e disse que ela provavelmente estava "fodendo em algum lugar por aí" e que ele ia matá-la quando a encontrasse. Rafe e Bill estavam bem mais preocupados com o fato de que talvez as pessoas que jogaram a bomba já tivessem feito aquilo. E até então ninguém havia assumido a responsabilidade pelo atentado.

Nem mesmo mencionaram no ar que Maddy poderia estar presa no *shopping* que explodira. Não tinham meio de saber se ela estava e não havia sentido em noticiar até que soubessem de algo. Mas, por volta das quatro da manhã, as equipes de resgate começaram a fazer progressos. Foram quase oito horas de trabalho cansativo e já era perto das cinco horas quando um homem chamado Mike foi resgatado. Ele parecia estar sangrando por toda parte, mas havia cavado sem parar e criado túneis e buracos, movendo concreto e vigas, e havia resgatado quatro pessoas com seus esforços. Quando ele saiu explicou aos homens que o resgataram que havia duas mulheres que ele encontrara mas não conseguira alcançar. Seus nomes eram Maddy e Anne, e uma delas tinha um bebê. Fez o melhor que pôde para dar à equipe de resgate um sentido de direção enquanto era colocado numa ambulância e levado dali. Rafe ouviu falar sobre aquilo e foi contar a Bill, enquanto os trabalhadores voltavam para entrar nos escombros e seguir as vagas informações de Mike.

— Ela está lá dentro — Rafe foi dizer a Bill, assustado.

— Oh, meu Deus... eles a encontraram? — Teve medo de perguntar se estava viva ou morta, e Rafe não parecia muito calmo.

— Ainda não. Um dos homens que acabaram de retirar dos escombros disse que havia duas mulheres que ele não pôde alcançar... uma delas é Maddy. Ela disse a ele que era repórter de TV e em que emissora trabalhava. — Estava confirmado o pior de seus medos e tudo o que podiam fazer era esperar. Foram mais duas horas observando corpos sendo retirados, sobreviventes sendo carregados com membros faltando e crianças mortas trazidas de volta para serem identificadas por pais desesperados. Por volta das sete, Bill estava chorando. Era impossível acreditar que ela ainda estivesse viva. Já eram quase onze horas. E ele imaginou se deveria tentar avisar Lizzie, mas não tinha nada a dizer a ela. Àquela altura, todo o país sabia da tragédia. Era o trabalho de um bando de loucos.

Bill e Rafe estavam sentados em parte do equipamento de som

quando uma equipe nova entrou e um funcionário da Cruz Vermelha ofereceu a eles café em copos de isopor. Rafe pegou um, agradecido, mas Bill simplesmente não conseguiu.

Rafe não havia feito mais perguntas sobre seu relacionamento com Maddy, mas enquanto a noite caía era óbvio que ele se preocupava muito com ela, e Rafe ficou com pena dele.

— Fique aí. Eles vão encontrá-la, no fim das contas. — A questão que ainda passava pelas mentes dos dois era se ela estaria viva quando a encontrassem.

Enquanto esperava pelas equipes de resgate, Maddy estava agachada numa bola, ninando o bebê, mas Anne não falava com ela há horas. Ela não sabia se estava dormindo ou morta, mas nenhum de seus esforços para fazê-la falar estavam funcionado há bastante tempo. Maddy não tinha idéia de que horas eram ou de há quanto tempo estavam ali e finalmente, quando o bebê se mexeu e começou a chorar, sua mãe o ouviu.

— Diga a ele que o amo... — sussurrou Anne, surpreendendo Maddy. A voz próxima a ela soava fantasmagórica.

— Você tem de resistir mais um pouco e dizer isso você mesma — disse Maddy, tentando parecer otimista. Mas ela não estava mais. Sentia falta de ar e oscilava entre a consciência e a inconsciência enquanto segurava o bebê.

— Quero que você tome conta dele para mim — disse Anne, e então ficou quieta novamente. E então, depois de um tempo, falou novamente. — Eu te amo, Maddy. Obrigada por estar aqui comigo. Eu ficaria realmente assustada sem você. — Maddy é que estava assustada, mesmo com Anne e o bebê, mas lágrimas rolaram pelo seu rosto enquanto ela se abaixava e beijava a garota ferida, pensando em Lizzie.

— Também te amo, Annie... também te amo muito... agora você tem de ficar bem. Nós sairemos daqui logo. E eu quero que você conheça minha filha. — Anne assentiu como se acreditasse nela, então sorriu no escuro e Maddy pôde senti-lo, mesmo sem enxergar.

— Minha mãe costumava me chamar de Annie. Ela ainda me amava nessa época — disse Anne tristemente.

— Aposto que ela ainda a ama agora. E vai amar Andy quando o vir.

— Não quero que ela fique com ele — disse ela, parecendo mais forte e muito determinada. — Quero que você tome conta de meu bebê. Prometa que vai amá-lo. — Maddy teve de engolir os soluços enquanto respondia e sabia que nenhuma delas poderia desperdiçar o ar ou a energia que eles custariam. E assim que ela começou a dizer algo, ouviu vozes a distância, vozes fortes, vozes altas. E, enquanto ouvia, percebeu que eles estavam chamando por ela.

— Você pode nos ouvir, Maddy? Maddy?... Maddy Hunter... e Anne... vocês podem nos ouvir?... — Ela quis gritar de excitação quando ouviu e chamou por eles o mais alto que podia.

— Nós estamos ouvindo vocês! NÓS ESTAMOS OUVINDO VOCÊS!!! Estamos aqui... — As vozes chegaram mais perto enquanto ela falava rapidamente com Anne. — Eles estão vindo nos pegar, Annie... fique firme... estaremos fora daqui em poucos minutos. — Mas apesar do barulho que Maddy fazia, Annie havia adormecido novamente e, por causa disso, o bebê começou a chorar mais alto. Estava cansado, faminto e assustado. E Maddy também estava.

As vozes continuaram a se aproximar até que soaram a apenas alguns centímetros e ela se identificou. Descreveu o melhor que pôde o buraco em que estavam e o estado de Annie, sem aterrorizá-la completamente, e disse que ela estava bem e segurando o bebê.

— O bebê está machucado? — outra voz perguntou, querendo saber de que espécie de equipe de resgate elas precisavam.

— Não sei. Acho que não. E eu também não estou — exceto por um enorme galo na cabeça e uma dor de cabeça colossal. A mãe do bebê era outra história.

Mas mesmo sabendo onde estavam, eles levaram outra hora e meia para libertá-las. Tinham de mover os destroços centímetro por centímetro e o concreto bem devagar. Estavam com medo de que toda a estrutura caísse nelas se se movessem muito rápido, e Maddy deu um grito de alívio e dor quando lançaram uma poderosa lanterna em seus olhos através de um buraco do tamanho de um prato. Ela não conseguia parar de soluçar e disse a Annie o que estava acontecendo, mas ela não respondeu.

O buraco cresceu enquanto Maddy observava e eles falavam com ela. Cinco minutos mais tarde ela passou Andy através dele e viu o quanto ele estava imundo quando lançaram a luz sobre ele. Havia sangue seco em seu rosto, saído de um pequeno corte, mas apesar disso seus olhos estavam bem abertos e ele pareceu bonito a Maddy. Ela o beijou enquanto o passava através do buraco e um par de poderosas mãos masculinas o pegou e desapareceu. Mas havia outros quatro homens que ficaram para libertá-la e a Annie, e em mais meia hora eles haviam cavado um espaço grande o suficiente para Maddy se arrastar por ele. Ela se virou antes de sair e tocou a mão de Annie. A garota estava silenciosa e dormindo, o que era uma bênção. Seria um trabalho pesado libertá-la. Maddy deslizou em meio aos homens na entrada do buraco que fizeram e dois deles entraram para trabalhar em Annie, enquanto um dos homens levava Maddy para fora através do pequeno espaço que haviam aberto. Ela se arrastou sobre suas mãos e joelhos de volta para a entrada. Dali, poderosas mãos a levantaram e ela foi carregada sobre concreto, ruínas e pilhas de ferros, que estavam retorcidos por toda parte como uma floresta do mal. E antes que se desse conta estava na luz brilhante do dia.

Eram dez horas da manhã, quase quatorze horas depois que o *shopping* havia explodido e ela ficara presa. Tentou perguntar a alguém se o bebê estava bem, mas havia tanto caos em volta dela que ninguém parecia ouvi-la. Outras vítimas ainda estavam sendo retiradas e havia corpos sob lonas, pessoas chorando esperando notícias de seus familiares, trabalhadores das equipes de resgate gritando uns para os outros. E subitamente, no meio disso tudo, ela o viu de pé lá, esperando por ela. Era Bill e ele estava quase tão imundo quanto ela, devido a seus esforços para ajudar os outros. Mas quando ele a viu foi tomado por soluços e agarrou-a, tirando-a do homem que a estava segurando. Tudo o que ele pôde fazer foi se agarrar a ela e chorar, como ela. Não havia palavras para dizer o que ele sentira, quão grande fora o seu medo, quão terríveis os seus terrores. Levaria anos para explicarem isso um ao outro, e tudo o que tinham agora era o instante único do amor e o alívio deste momento inesquecível.

— Graças a Deus — ele sussurrou enquanto ela se agarrava a ele e ele a levava cuidadosamente a uma equipe de paramédicos. Mas ela miraculosamente parecia não estar machucada e então, esquecendo Bill por um instante, mas ainda segurando firme sua mão, ela se virou para um dos trabalhadores da equipe de resgate.

— Onde está Annie? Ela está bem?

— Eles estão trabalhando lá — disse ele, parecendo amargurado. Ele havia visto muitas coisas naquela noite, como todos. Mas cada sobrevivente era uma vitória. Cada pessoa salva era um presente pelo qual todos haviam rezado.

— Diga a ela que a amo — falou Maddy com fervor, e então se virou novamente para Bill, seus olhos cheios de tudo o que sentiam um pelo outro. E por um terrível instante ela pensou se aquilo era a sua punição por se apaixonar por ele, e se ela não tinha direito a tê-lo. Mas ela empurrou o pensamento para longe como se houvesse uma rocha tentando esmagá-la e que ela não ia deixar, como não deixara os muros de seu pequeno buraco esmagarem Annie ou o bebê. Ela era de Bill agora. Tinha o direito de ser. Vivera para isso. Para ele. E para Lizzie. Então eles a colocaram numa ambulância e sem hesitar Bill subiu com ela. E enquanto ele olhava para fora, pela janela atrás da ambulância, Bill viu Rafe, observando-os e chorando. Ele estava feliz por ambos.

Capítulo 21

QUANDO MADDY CHEGOU AO HOSPITAL, foi colocada na unidade de trauma onde estavam os outros que haviam sido resgatados do *shopping*, e ela perguntou imediatamente pelo bebê. Disseram que ele estava bem. Os médicos ficaram surpresos por ela não ter nenhum osso quebrado, nenhum ferimento interno. Ela tinha uma concussão, poucos arranhões e feridas pequenas. Bill não podia acreditar em como ela tivera sorte e, quando se sentou com ela, disse o que sabia sobre o que havia acontecido. Um grupo de militantes havia detonado a bomba. Numa mensagem para o presidente, apenas uma hora atrás, eles disseram que era sua declaração contra o governo. Pareciam loucos. E haviam matado mais de trezentas pessoas, quase metade delas crianças. O horror absoluto daquilo fez Maddy estremecer.

Ela disse a Bill o que vira enquanto o prédio caía e como fora estar presa com Annie e o bebê. Tudo o que ela esperava agora era que ambos sobrevivessem. Ela estava preocupada com Annie, mas nem de longe tão preocupada quanto Bill estivera com ela. Fora simplesmente tão ruim como o que passara com Margaret, e Maddy disse a ele com simpatia que ninguém deveria passar por aquilo duas vezes na vida.

Eles conversaram por mais alguns minutos e os médicos quiseram fazer mais alguns exames nela, apenas para se certificarem de sua avaliação, e ela e Bill concordaram que ele deveria sair para o caso de Jack vir vê-la. Bill não queria lhe causar nenhum problema naquele momento.

— Volto mais tarde — disse ele, enquanto se abaixava para beijá-la. — Fique calma.

— Você também. Durma um pouco — ela o beijou novamente e teve que fazer um esforço para largar sua mão. Assim que ele saiu, os médicos a levaram e completaram os exames. E quando ela foi levada de volta a seu quarto, Rafe entrou com uma equipe da reportagem. Jack os mandara. Rafe não disse a Maddy como considerava Jack um canalha por não vir vê-la pessoalmente, e não perguntou sobre Bill. Não precisava. O que quer que tivesse acontecido entre eles, era óbvio que o cara realmente a amava, tanto quanto agora era óbvio que Maddy correspondia.

Ela contou a eles o que pôde sobre o que havia acontecido, de sua perspectiva, e disse também, para a câmera, o quanto Annie fora valente.

— Ela tem dezesseis anos — disse Maddy, impressionada e orgulhosa, e então ela viu uma expressão estranha nos olhos de Rafe. Quando desligaram a câmera ela fez uma pergunta.

— Ela está bem, não está, Rafe? Você soube de alguma coisa?

Ele hesitou, querendo mentir para ela, mas não conseguia fazer isso. Ela descobriria de qualquer jeito e não parecia justo não contar a ela.

— O bebê vai ficar bem, Mad. Mas eles não conseguiram tirar a mãe.

— O que você quer dizer com eles não conseguiram tirá-la?

— Ela estava quase gritando quando falou. Ela a havia mantido viva por quatorze horas e agora eles estavm dizendo que não conseguiram libertá-la? Aquilo era impossível. Ela recusou-se a acreditar.

— Eles teriam de usar dinamite. Ela estava em coma quando tiraram você, Maddy. Deram a ela atendimento médico, mas ela morreu meia hora mais tarde. Seus pulmões estavam esmagados e houve uma grande hemorragia interna, tão grande que os médicos da equipe de resgate disseram que eles nunca a poderiam salvar. — Maddy fez um som como o de um animal quando escutou aquilo. Era um lamento, um gemido, como se a garota fosse sua própria filha. Ela não podia deixar de pensar nisso. E o que ia acontecer ao bebê? Rafe disse que não sabia nada sobre isso, e eles a deixaram para descansar pouco depois. Mas não antes que dissesse a ela, soluçando, o quanto estava feliz por ela ter conseguido sobreviver.

Todos estavam. Lizzie chorou copiosamente quando Maddy ligou para ela em Memphis para dizer que estava bem. Lizzie ficara acordada a noite inteira para acompanhar a cobertura dos noticiários e, quando não viu Maddy com as equipes de filmagem, ligou para a casa dela, mas ninguém respondeu. Ela sentiu de alguma maneira que Maddy estava presa lá.

Phyllis Armstrong ligou dizendo o quanto ela e Jim estavam aliviados, e que tragédia era aquela, particularmente a morte de tantas crianças. Ambas choraram pensando naquilo e, depois que ela desligou, Maddy perguntou a uma enfermeira sobre o bebê. Andy ainda estava no hospital em observação, como estaria nos próximos dias. As autoridades de proteção da criança não o haviam pegado ainda. E, depois que a enfermeira deixou o quarto, Maddy se levantou silenciosamente e foi até o berçário para vê-lo. Ele parecia pouco mais que um recém-nascido, e Maddy perguntou à enfermeira se poderia segurá-lo. Eles haviam dado banho nele e penteado seu cabelo. Ele era louro e tinha grandes olhos azuis, e estava enrolado numa manta azul. Parecia intacto e, enquanto olhava para ele, Maddy pôde ver o quanto Annie devia ter sido bonita. E, quando o segurou, tudo em que pôde pensar foi em Annie pedindo a ela para cuidar do bebê. Logo ele teria o mesmo destino de sua própria filha, indo para orfanatos e casas de adoção, ficando nas mãos de estranhos, sem pais de verdade para amar ou cuidar dele. O coração de Maddy doeu enquanto ela o segurava.

Então o bebê olhou-a sério, e ela imaginou se reconheceria sua voz enquanto cantava para ele. Ele pareceu perder o interesse depois de um tempo e adormeceu em seus braços. Maddy chorou ao pensar em Annie. Fora uma estranha volta do destino aquela que as juntara nos escombros. Ela deitou o bebê gentilmente no berço do hospital e voltou para seu próprio quarto, ainda chorando por Annie.

Maddy estava tensa, dolorida e incrivelmente cansada, mas não tinha nenhuma lesão séria e se deu conta do quanto tivera sorte. Ela estava olhando pela janela e pensando como era estranho que a vida poupasse alguns e levasse outros, sem parecer haver razão ou explicação. Era difícil imaginar por que ela fora uma das escolhidas e Annie, não. Ela tinha tanta vida a mais para viver do que Maddy. E, enquanto ela pensava nos mistérios da vida, Jack entrou no quarto com uma expressão solene.

— Acho que não preciso perguntar onde você passou a noite desta vez — O "desta vez" era desnecessário, mas típico dele. — Como está, Maddy? — Ele parecia e se sentia constrangido. Nunca acreditara realmente que ela estava presa nos escombros. Parecia inacreditável e ele ficou surpreso ao saber que ela havia estado, mas aliviado ao saber que sobrevivera. Deve ter sido bem difícil — disse, enquanto se inclinava e a beijava e uma enfermeira trazia um grande vaso de flores para o quarto, dos Armstrong.

— Sim, foi assustador — disse ela, pensativa. Ele era mestre em diminuir e abrandar os fatos. Mas este era um acontecimento e tanto para ser diminuído. Ficar presa num prédio bombardeado durante quatorze horas sem dúvida era algo que podia ser qualificado como um grande trauma, qualquer que fosse o nome que Jack desse àquilo. Ela pensou em contar a ele sobre Annie e o bebê e o quanto aquilo a tocara, mas decidiu não fazer isso. Ele não teria entendido.

— Todos ficaram preocupados com você. Achei que você tinha saído para algum lugar. Simplesmente não pensei que você estaria lá. Por que estaria?

— Fui comprar papel de presente — disse ela com simplicidade, encarando-o. Ele havia se afastado para o outro lado do quarto, como se precisasse manter distância, e ela também o fazia agora, por sua própria segurança.

— Você odeia *shoppings* — disse ele, como se aquilo fosse mudar tudo agora, e ela sorriu para ele.

— Acho que agora sei por quê. Eles são terrivelmente perigosos — disse ela e ambos sorriram. Mas a tensão estava alta entre eles. Ela ainda não havia ordenado seus pensamentos sobre aquilo depois da noite anterior, mas já havia até pensado, enquanto estava presa nos escombros, tentando manter Annie viva, que, se sobrevivesse ao que estava passando, enfrentaria o grande terror de sua vida. Ela não precisava mais encarar nenhum além daquele, ou impor-se algum sofrimento ou arriscar-se novamente. Já teria encarado o grande inimigo, olhado a morte nos olhos. Não precisava mais se punir e prometera a si mesma que não ia fazê-lo. E vendo-o ali, sentado desajeitadamente do outro lado do quarto, longe dela, soube que não podia. Ele não conseguia nem mesmo ter amor suficiente em seu coração para atravessar o quarto e abraçá-la e dizer que a amava. Ele não podia. Provavelmente a amava do jeito dele, ela se deu conta, mas aquilo não dizia muito. E como se sentisse algo estranho acontecendo entre eles, ele ficou de pé, foi até ela e lhe deu uma caixa de presente. Ela a pegou sem uma palavra, abriu-a e havia um maravilhoso bracelete de diamantes lá. Era muito bonito e ela agradeceu. O que ela não sabia era que ele havia comprado dois deles no Ritz Carlton quando saíra naquela manhã. Um para ela, pelo que sofrera no *shopping*, e outro para a garota com quem passara a noite. Mas mesmo sem saber daquilo, Maddy o devolveu com uma expressão séria.

— Não posso aceitá-lo. Sinto muito, Jack — disse ela, e os olhos dele se estreitaram enquanto a observava. Ele podia sentir a presa escorregando vagarosamente para longe e por um instante ela achou que ele ia agarrá-la, mas ele não o fez.

— Por que não?

— Vou me separar de você. — Ela se surpreendeu com as próprias palavras, mas não tanto quanto surpreendeu Jack. Parecia que ela tinha batido nele.

— Que porra é essa? — Como sempre, ele cobria suas próprias faltas e culpas sendo grosseiro.

— Não posso mais.

— O quê? — ele perguntou, atravessando o quarto, sem querer simplesmente aceitar o fato e deixá-la. Ele parecia um tigre cercando sua presa, mas já não a assustava mais como antes. E ela sabia que estava a salvo ali. Havia gente por toda parte, bem atrás da porta do quarto. — O que é que você não pode? Viver uma vida de luxo? Ir à Europa duas vezes ao ano? Viajar num jato particular? Ganhar jóias sempre que sou estúpido o suficiente para comprá-las para você? Que vidão para uma puta de Knoxville suportar. — Ele estava fazendo aquilo de novo.

— Este é o problema, Jack — disse ela, parecendo cansada e recostando-se no travesseiro enquanto o observava. — Não sou uma puta de Knoxville. Nunca fui. Mesmo quando eu era pobre e infeliz.

— Besteira. Não me lembro de você ter andado no caminho ou mesmo de saber com o que se parecia aquilo. Merda, você era uma puta desde criança. Veja Lizzie.

— Sim, veja Lizzie. Ela é uma ótima garota e uma pessoa decente, apesar de algumas coisas duras que passou, graças a mim. Eu devo algo a ela. E também devo algo a mim mesma.

— Você me deve tudo. E espero que se dê conta de que estará sem emprego se me deixar. — Seus olhos brilhavam como aço.

— Possivelmente. Deixarei meus advogados cuidarem disso, Jack. Tenho um contrato com a emissora. Você não pode simplesmente me jogar fora sem aviso ou compensação. — Ela se tornara mais corajosa e forte quando lutava por sua vida nos escombros. Imaginava como ele podia pensar que as coisas que estava dizendo a ela a convenceriam a ficar com ele. Mas uma vez já haviam convencido, por pura intimidação. Esta era a parte triste.

— Não me ameace. Você não vai tirar um centavo de mim com essa merda. E não esqueça o contrato pré-nupcial que assinou. Você sai da minha casa de mãos vazias. É tudo meu, até a porra da sua meia-calça. Você sai da minha vida, Maddy, e tudo o que você vai ter é esse traje de hospital que está usando.

— O que você quer de mim? — perguntou ela tristemente. — Por que você quer que eu fique? Você me odeia.

— Eu tenho todo o direito de te odiar. Você mente para mim. Você me traiu. Eu sei que você tem um namorado que te liga todo dia. Que porra de burro você acha que eu sou? — Não burro. Malvado. Mas ela não disse isso a ele. Ela era corajosa, mas não tola.

— Ele não é um namorado. Somos apenas amigos até agora. Nunca traí você. E a única coisa a respeito da qual menti para você foi Lizzie.

— Eu diria que essa é uma coisa muito séria. Mas estou querendo perdoá-la. Eu sou a vítima, não você. Sou aquele que ficou prejudicado nesse negócio e ainda estou querendo ficar com você. Você não sabe a sorte que tem. Espere só até passar fome e cair de volta em algum buraco de merda em Memphis ou Knoxville, ou qualquer inferno para onde você vá com sua filha bastarda. Você vai me implorar para voltar — disse ele, aproximando-se devagar da cama, enquanto ela imaginava o que ele faria a seguir. Havia algo em seus olhos que ela jamais vira antes e imediatamente ela se lembrou de tudo o que haviam lhe falado em seu grupo de mulheres. Quando ele sentisse a presa deixando-o, faria tudo o que pudesse para segurá-la. O que quer que fosse preciso. — Você não vai me deixar, Mad — disse ele, ficando muito perto enquanto ela tremia. — Você não tem bala para isso. Você é muito inteligente. Não vai jogar fora uma vida de luxo e toda a sua carreira pela janela, vai? — Ele a estava chantageando e aterrorizando e havia uma ameaça implícita só no jeito como ele olhava para ela. — Talvez você tenha batido a cabeça na noite passada. Talvez seja isso o que tenha acontecido. Talvez eu deva colocar alguma noção de realidade em você para fazê-la pensar direito novamente. O que você acha, Maddy? — Mas assim que ele disse isso, ela sentiu tudo crescer dentro dela e soube que, se ele lhe encostasse a mão, ela o mataria. Ela não ia deixá-lo fazer isso novamente, sugá-la de volta, torturá-la, humilhá-la e convencê-la de que ela era lixo e que merecia toda a miséria e as acusações que ele lançava sobre ela. E o que havia nos olhos dela o teria aterrorizado se ele tivesse entendido.

— Se você encostar a mão em mim, aqui ou em outro lugar, eu juro que mato você. Recebi de você toda a merda que não quero jamais ter novamente. Você limpou o chão comigo, mas está tudo acabado, Jack. Não vou voltar. Encontre outra pessoa para pisar, abusar e torturar.

— Ah, escute a grande garota ameaçando seu papai. Pobre neném. Eu te assusto, Mad? — perguntou, sorrindo para ela, mas ela estava fora da cama agora e o encarava. A hora havia chegado. O jogo estava terminado.

— Não, você não me assusta, seu filho da puta. Você me dá nojo. Saia do meu quarto, Jack. Ou vou chamar a segurança.

Ele ficou olhando para ela por um longo momento e então ficou tão perto dela que ela poderia ter contado os cílios em suas pálpebras se quisesse.

— Espero que você morra, sua puta de merda. E você vai. Cedo, eu espero. Você merece. — Ela não podia dizer se era uma ameaça direta ou não e aquilo a assustou, mas não o suficiente para fazê-la mudar de idéia. E enquanto o olhava se virar e sair do quarto, houve um instante insano em que desejou pará-lo e implorar a ele que a perdoasse. Mas ela sabia que não podia. Aquela era a sua parte doente, implorando-lhe a ela para voltar atrás, sentindo culpa, querendo que ele a amasse a qualquer preço, não importava quanto sofrimento ela tivesse de suportar. Mas aquela parte dela já não tinha mais o controle e ela observou-o sair silenciosamente, sem fazer um movimento. E quando ele saiu, ela foi tomada por soluços de dor, perda e culpa. Não importava o quanto o odiasse, o quanto ele fosse mau, quanta maldade tivesse em sua alma, não importava o quanto ela quisesse tirá-lo de sua vida, ela sabia que jamais o esqueceria e ele jamais a perdoaria.

Capítulo 22

NO DIA SEGUINTE A SEU RESGATE, Maddy voltou ao berçário para ver Andy, e disseram a ela que a assistente social viera para vê-lo naquela manhã. Iriam levá-lo no dia seguinte e colocá-lo numa casa de adoção até que pudessem conseguir um lugar definitivo. Ela voltou a seu quarto com o coração pesado. Sabia que jamais o veria novamente, assim como uma vez o soubera em relação a Lizzie. Mas Deus havia dado a elas uma segunda chance e agora ela imaginava se Andy e sua mãe haviam entrado em sua vida por alguma razão.

Ela pensou sobre aquilo durante toda a tarde e depois falou com Bill quando ele veio vê-la. Ele sabia da visita de Jack no dia anterior e estava ao mesmo tempo aliviado e preocupado. Ele não queria que Jack voltasse para machucá-la. Agora que estava ciente de que ela ia deixá-lo, não se sabia o que ele poderia fazer, e Bill pediu a Maddy que fosse cuidadosa. Ela ia pegar suas coisas quando deixasse o hospital e concordou em levar alguém com ela para fazê-lo. Contrataria um segurança da emissora. E Bill prometera comprar algumas roupas para ela sair do hospital, mas ela não estava preocupada com Jack.

Sentia-se surpreendentemente livre. E embora doesse ter dito o que disse a ele, estava impressionada por não se sentir culpada. Sabia que se sentiria novamente, em algum ponto. Fora advertida a respeito. Mas sabia que fizera a coisa certa. Jack era um câncer que a teria matado, se ela deixasse.

Mas ela estava preocupada com o bebê de Annie.

— Sei que isso parece maluquice — ela finalmente admitiu para Bill —, mas prometi a ela que tomaria conta do bebê. Acho que devia ao menos falar para a assistente social que gostaria de saber onde vão deixá-lo. — Bill achou que era uma boa idéia e eles falaram mais sobre o desastre no *shopping*. Um dos autores do atentado fora preso. Era um garoto de vinte anos, com uma história de doença mental e antecedentes criminais. E aparentemente contara com dois parceiros que ainda não haviam sido encontrados. Havia solenidades por toda parte pelas vítimas e aquilo tornava as coisas ainda piores, porque era época de Natal. E Bill já havia dito que estava pensando em não ir a Vermont e ficar na cidade com ela.

— Não se preocupe comigo. Vou ficar bem — prometeu. Ela se sentia surpreendentemente bem, fora alguns ferimentos e dores, e já decidira se mudar para o apartamento de Lizzie. Ela chegaria em uma semana e passariam o Natal juntas. E ela não se importava de dividir um quarto com Lizzie, pelo menos por enquanto.

— Você pode ficar comigo, se quiser — disse ele esperançoso, e ela sorriu quando ele a beijou. Ele fora maravilhoso com ela desde o desastre no *shopping*, e bem antes disso também.

— Obrigada pela oferta, mas não tenho certeza de que você esteja pronto para dividir a casa com alguém.

— Não era exatamente isso o que eu tinha em mente — disse ele, corando um pouco. Ela amava sua gentileza e a doçura que constantemente demonstrava. Agora tinham muito para esperar e descobrir sobre o outro. Mas ela não queria correr com aquilo também.

Precisava se recuperar de uma vida inteira de abuso, nove anos de Jack, e Bill ainda estava trilhando seu caminho através do sofrido processo que estava passando por causa de Margaret. Mas havia certamente lugar um para o outro em suas vidas. O que ela não tinha certeza era de onde Andy entraria, e ainda assim ela sabia que queria um lugar para ele, mesmo se fosse apenas para uma visita ocasional, para honrar a promessa feita a sua mãe. Maddy não ia esquecer aquilo.

E ela falou sobre aquilo a Lizzie naquela noite ao telefone. Lizzie ficara tão assustada com a explosão no *shopping* que estava ligando muitas vezes por dia.

— Por que você não o adota? — disse ela com uma simplicidade de dezenove anos, e Maddy respondeu que aquilo era ridículo. Ela não tinha mais marido, provavelmente perdera seu emprego, nem mesmo tinha seu próprio apartamento. Mas depois que desligou, a idéia ficou rolando em sua cabeça como uma bola de gude numa caixa de sapatos. E às três da manhã, ainda acordada, Maddy foi até o berçário, pegou o bebê e sentou-se numa cadeira de balanço. Ele estava dormindo pacificamente em seus braços quando uma enfermeira chegou e disse que ela deveria estar na cama. Mas ela não podia. Sentia que uma força maior que ela a estava empurrando para ele, e não podia mais resistir.

Ela estava esperando nervosamente no saguão quando a assistente social veio vê-lo de manhã e Maddy perguntou se podia falar com ela um minuto. Ela explicou a situação e a mulher pareceu interessada, mas surpresa.

— Estou certa de que foi um momento muito comovente, senhora Hunter. Suas vidas estavam em perigo. Ninguém esperaria que a senhora honrasse uma promessa como essa. É uma decisão muito importante.

— Eu sei que é — disse Maddy. — Não é só isso... eu não sei o que é... acho que me apaixonei por ele — falou sobre o bebê de olhos azuis cuja mãe pedira a ela para cuidar.

— O fato de que você estará solteira não é um impedimento. Embora pudesse ser uma carga para você — disse a assistente social a ela. Maddy não mencionara que provavelmente ficaria desempregada, mas tinha dinheiro suficiente para ficar segura por um bom tempo. Ela fora cautelosa com o que ganhara ao longo dos anos e tinha um bom pé-de-meia para ela e Lizzie, e até um bebê. — Você gostaria de adotá-lo?

— Acho que sim — disse Maddy, sentindo uma onda de amor tomar conta dela. Parecia a coisa certa a fazer, para ela, se não para os outros. Ela não fazia idéia de como Bill se sentia. Mas também não podia abrir mão de seus sonhos por ele agora. Ela tinha de fazer o que era certo para ela. E se funcionasse para ambos, seria uma bênção para todos, não apenas para ela e o bebê. Mas pelo menos queria perguntar a ele como se sentia a respeito. — Quanto tempo tenho para decidir?

— Pouco. Vamos colocá-lo numa casa de adoção temporária. Eles são uma família que já nos ajudou antes, mas não estão interessados em adoção. Fazem isso pela bondade de seus corações, por razões religiosas. Mas um bebê como este vai ter muitos pedidos. É saudável, branco, tem oito semanas. É o que todos querem. E não há muitos assim hoje em dia.

— Deixe-me pensar. Eu teria algum tipo de prioridade?

— Desde que não haja uma família para objetar, e vamos pesquisar isso agora, ele poderia ser seu muito rapidamente, senhora Hunter. — Maddy assentiu e poucos minutos mais tarde a assistente social deixou seu quarto, dando seu cartão a Maddy. E quando voltou ao berçário mais tarde, Maddy sentiu seu coração doer sabendo que ele não estaria lá. Ainda estava deprimida por causa daquilo quando Bill veio vê-la pouco mais tarde. Ele comprara para ela um par de calças cinza, um suéter azul, um par de sapatos leves, alguma roupa de baixo, um casaco novo, alguns artigos de toalete e maquiagem e uma camisola.

Ela o cumprimentou por ter comprado tão bem e tudo serviu perfeitamente. Ela sairia do hospital no dia seguinte e concordara em ficar com ele até que pudesse se instalar no apartamento de Lizzie. Achou que poderia fazê-lo em uma semana. Queria pegar suas coisas na casa de Jack e tinha de voltar ao trabalho. Tinha muito o que fazer e se sentou para conversar com Bill sobre tudo aquilo. Então trouxe à tona o bebê. Disse a ele que estava pensando em adotá-lo e ele pareceu surpreso.

— Você está pensando nisso? Está certa de que é o que você quer fazer, Maddy?

— Não inteiramente. Por isso estou falando com você. Não estou certa se esta é a idéia mais maluca que já tive ou a melhor coisa que já fiz... ou pretendo fazer. Simplesmente não sei — disse ela, parecendo perturbada.

— A melhor coisa que você já fez foi deixar Jack Hunter — disse ele com firmeza. — Essa pode ser a próxima melhor coisa, depois de Lizzie. — Ele sorriu para ela. — Devo dizer que você me impressionou com essa, Maddy. — Aquilo enfatizava o quanto era mais velho que ela. Ele amara seus filhos quando eram crianças e amava seus netos agora, mas pegar um bebê com essa idade era mais do que ele havia pedido, embora fosse louco pela filha dela. — Não estou certo do que dizer. — Ele estava sendo honesto.

— Nem eu. Não tenho certeza se estou pedindo a você, ou contando a você, ou se ambas as coisas são relevantes. Não tenho nenhuma idéia ainda de onde nós dois vamos parar ou se vai dar certo, não importa o quanto nos amamos. — Ela estava sendo honesta e ele a admirava por isso. E o que ela disse era verdade. Ele estava apaixonado, mas se aquilo seria ou não um relacionamento para a vida inteira, ou se só daria certo a curto prazo, nenhum deles podia saber ainda. Isso era apenas o começo. Nem mesmo haviam ido para a cama, embora a perspectiva fosse realmente atraente. Mas um bebê era um comprometimento maior. Eles não tinham esperado aquilo. — Toda a minha vida — disse ela, esforçando-se para explicar — as pessoas me disseram o que fazer a esse respeito, e em todas as outras áreas da vida também. Meus pais me obrigaram a dar Lizzie. Bobby Joe me obrigou a fazer abortos bem cedo e depois eu os fiz porque não queria os filhos dele. Jack me proibiu de ter filhos, então liguei as trompas. E então ele me proibiu de ver Lizzie. E agora vem este bebê. Quero estar certa de que faço o que preciso fazer, o que é certo para mim, não apenas para você. Porque se eu desistir dele por você, talvez eu sempre sinta que desisti de algo que não devia. Por outro lado, não quero perder você por causa de um bebê que não é meu de qualquer forma. Você entende o que quero dizer? — perguntou, parecendo confusa, e ele sorriu e se sentou perto dela na cama, abraçando-a e puxando-a para perto de si.

— Sim, eu entendo. Embora pareça um pouco complicado como você diz. Mas não quero tirar de você algo que é bom. Você me odiaria por isso, ou se sentiria enganada um dia. Principalmente porque você nunca teve outro bebê desde Lizzie e não poderá ter. E você perdeu dezenove anos de sua vida. Eu tive tudo isso. Não tenho o direito de privá-la disso. — Isso era o que Jack deveria ter dito a ela sete anos antes quando se casaram. Mas ela e Bill haviam sido honestos um com o outro e isso era totalmente diferente. Bill não tinha absolutamente nada em comum com Jack Hunter. E a mulher que ela era agora não tinha nenhuma relação com a mulher que fora quando se casou com Jack. Era um mundo inteiramente novo.

— Por outro lado — Bill continuou, querendo ser escrupulosamente honesto com ela, para não a desorientar —, não sei se quero voltar atrás no tempo tantos anos, nem se gostaria. Sou bem mais velho que você, Maddy. Você está na idade de ter filhos. Eu devo ter netos. Isso me faz encarar as coisas dessa forma. É algo para nós dois pensarmos. Não acho que seja justo para um bebê ter um pai da minha idade. — Ela estava triste por ouvi-lo falar assim e não concordava com ele, mas não queria obrigá-lo a ser pai também.

— Não há nada errado em ter um pai da sua idade — disse ela, acreditando no que falava. — Você seria maravilhoso com um bebê. Ou uma criança. Ou qualquer pessoa. — Era uma conversa louca de qualquer forma, já que nem mesmo estavam falando sobre casamento. — Estamos colocando o carro na frente dos bois, não estamos? — Estavam, mas ela também tinha uma decisão a tomar sobre esse bebê, antes que outra pessoa o adotasse, e aquilo havia se tornado um assunto difícil para Maddy. Ela sabia que não ia sair procurando outro bebê. Mas esse era diferente. Era o produto de uma virada da vida que ela não queria ignorar. A súbita chegada de Andy a sua vida parecia um ato do destino.

— O que você quer fazer? — perguntou ele com simplicidade. — O que você faria se eu não existisse? — Aquilo simplificava tudo para ela.

— Eu o adotaria — disse ela sem hesitar.

— Então faça isso. Você não pode viver a vida de outra pessoa, Maddy. Você fez isso toda a sua vida. Eu posso morrer amanhã ou na próxima semana. Nós podemos acabar decidindo que somos ótimas pessoas, mas que é melhor sermos amigos em vez de amantes, embora eu espere que não. Siga seu coração, Maddy. Se for certo para nós, vamos levar isso bem. E quem sabe talvez eu ame ter uma criança para jogar beisebol quando estiver senil. — Ela o amava ainda mais pela maneira como disse aquilo. E não discordava dele. Não queria desistir de algo que talvez estivesse escrito. Sentia que havia uma razão para Deus ter dado a ela outra chance, não apenas com Bill, mas com Lizzie e o bebê.

— Você me acharia inteiramente louca se o adotasse? Não sei nem mesmo se ainda tenho um emprego. Jack ameaçou me demitir.

— Essa não é a questão. Você conseguirá um emprego nos próximos cinco minutos, se você não sabe. A questão é se você quer criar o filho de outra pessoa e tomar essa responsabilidade pelo resto de sua vida. Isso é o que deve ser considerado.

— Quero — disse ela seriamente. Ele a conhecia bem o suficiente para saber que não tomaria aquela decisão facilmente.

— Para responder a sua questão, não, eu não acho que você seja louca. É corajosa. E jovem. E enérgica. E incrivelmente honrada, decente, amável e generosa. Mas não louca. — Era tudo o que ela precisava saber e isso a ajudou em sua decisão.

Ficou acordada pensando naquilo a noite toda e pela manhã ligou para a assistente social e disse que queria adotar Andy. A assistente social congratulou-a e disse que colocaria os papéis em andamento. Era um momento emocionante na vida de Maddy e primeiro ela chorou de alegria e alívio. Depois ligou para Bill e em seguida para Lizzie, e os dois pareceram felizes por ela, embora ela soubesse que ele tinha reservas. Mas se o relacionamento deles ia dar certo, ela também não podia abrir mão dos sonhos de sua vida. E sabia que ele não queria que ela fizesse isso. Ele simplesmente não sabia se queria brincar de Pequena Liga de Baseball aos setenta anos, e ela não podia culpá-lo. Tudo o que ela podia esperar era que aquilo fosse uma bênção para todos, não apenas para ela e Bill, mas principalmente para Andy.

Quando saiu do hospital naquele dia, estava usando as roupas que Bill havia comprado para ela e foi direto para a casa dele. Ficou impressionada com o quanto ainda se sentia cansada. Mesmo que não tivesse ficado seriamente ferida, o trauma da explosão no *shopping* havia tirado muito de sua energia. Mas ela ligou para seu produtor e prometeu voltar a trabalhar na segunda-feira. E Elliott havia ligado para ela muitas vezes, aterrado com o que acontecera e agradecido por ela ter sobrevivido. Parecia que todo mundo que ela conhecia havia lhe mandado flores no hospital. Era um alívio estar em paz na casa de Bill. No dia seguinte ela ia pegar suas coisas, apesar das ameaças de Jack de que ela não poderia pegar nada. Ela tinha contratado um segurança conhecido para ir com ela. Não ouvira mais falar de Jack desde que dissera a ele que ia se separar.

Naquela noite ela e Bill se sentaram em frente à lareira, conversaram durante horas e escutaram música. Ele havia cozinhado e servido o jantar à luz de velas. Ela se sentia profundamente mimada. E nenhum deles podia acreditar em sua boa sorte. Subitamente ela estava na casa dele e livre de Jack. Tinham um mundo inteiro pela frente. Embora parecesse estranho a Maddy. Subitamente era como se Jack não existisse e toda a sua vida com ele tivesse desaparecido.

— Acho que o grupo de mulheres realmente funcionou — ela sorriu para ele. — Sou uma garota crescida agora. — Mas ainda podia sentir tremores do passado às vezes. Ela se preocupava com Jack, sentia pena dele e temia que ele estivesse deprimido com tudo o que ela dissera e com o quanto ela fora mal-agradecida. Ela não poderia saber que ele passara o fim de semana com uma garota de 22 anos que conhecera e com quem dormira em Las Vegas. Mas havia muito que Maddy não sabia sobre ele e jamais saberia.

— Tudo o que foi preciso — brincou Bill — foi explodir um *shopping* inteiro para trazer você ao bom senso. — Mas ambos sabiam o quanto ele levava aquilo a sério. Ele ficara arrasado vendo as tragédias em torno dele enquanto esperava o resgate dela. Mas fora uma coisa tão chocante que ambos precisavam suavizar aquilo um pouco. — Quando você vai pegar Andy, a propósito?

— Não sei ainda. Eles vão me ligar — e então ela lhe perguntou algo que pensara no momento em que decidira adotar Andy. — Você seria padrinho dele, se não quiser ser mais nada? — perguntou seriamente e ele pegou-a em seus braços e abraçou-a.

— Ficaria honrado — e então, depois de beijá-la, ele lembrou-a de algo. — Não disse que não seria "nada" para ele. — Ainda temos que descobrir isso. Mas, se vamos ter um bebê, Maddy, há alguns detalhes dos quais temos de cuidar. — Ela sorriu e entendeu imediatamente o que ele estava dizendo.

Eles colocaram a louça na máquina, desligaram as luzes e subiram silenciosamente juntos, ele com seu braço em torno dela, e ela o seguiu até o quarto. Ela havia discretamente colocado seus poucos pertences no quarto de hóspedes, não querendo que ele se sentisse pressionado. Ela sabia, por tudo o que ele havia dito a ela, que não houvera outra mulher em sua vida desde a morte de Margaret, mas isso fora há apenas um ano. O aniversário havia sido torturante, mas ele parecera mais livre e um pouco mais despreocupado desde então.

Ela se sentou na cama e eles falaram um pouco sobre o *shopping*, seus filhos, Jack e tudo o que ela passara. Não tinham segredos um para o outro. E enquanto olhava para ela, cheio de amor, puxou-a vagarosamente para perto dele.

— Me sinto como um garoto novamente quando estou com você — sussurrou. Aquele era seu jeito de dizer que estava assustado, mas ela também estava, embora apenas um pouco. Ela sabia que não tinha nada a temer dele.

E quando se beijaram, todos os fantasmas do passado de ambos foram embora, ou pelo menos foram colocados de lado naquele momento, tanto os bons quanto os ruins. Era como começar uma nova vida com um homem que fora seu amigo por tanto tempo que ela não podia mais imaginar a vida sem ele.

Tudo aconteceu natural e facilmente, e eles ficaram deitados na cama um nos braços do outro, como se sempre houvessem estado juntos. Era como devia ser. E depois ele a abraçou, sorriu e disse a ela o quanto a amava.

— Também te amo, Bill — sussurrou, enquanto ele a abraçava. E quando adormeceram abraçados, souberam que eram abençoados. Fora uma longa jornada através de duas vidas para encontrarem um ao outro, mas a viagem, as tristezas e a dor, e até as perdas que ambos haviam sofrido tinham valido a pena.

Capítulo 23

O SEGURANÇA QUE MADDY contratara encontrou-a na casa de Bill no dia seguinte e ela explicou a ele que tudo o que queria era ir à casa que dividira com Jack e pegar suas roupas. Ela tinha malas vazias suficientes para guardá-las e havia alugado uma van para transportá-las. Ela ia colocá-las no apartamento que alugara para Lizzie e aquilo era tudo. As obras de arte, a louça, as lembranças, todo o resto ela estava deixando para Jack. Ela não queria nada mais além de suas roupas e coisas pessoais. Parecia honesto e simples. Até chegarem à casa.

O segurança estava dirigindo a van. Bill se oferecera para ir, mas ela não achou certo e assegurou a ele que não precisava se preocupar. Ela achou que levaria apenas algumas horas e foram até lá depois da hora que ela sabia que Jack teria saído para o trabalho. Mas assim que chegou à porta da frente e colocou a chave na fechadura, ela soube que havia algo errado. A porta não abria. A chave parecia servir perfeitamente, mas quando ela a girava não abria nada. Ela tentou novamente, imaginando se havia algo errado com a fechadura, e o segurança também tentou. E então ele olhou para ela e disse que as fechaduras haviam sido trocadas. Sua chave não servia mais.

Ainda estava do lado de fora da casa quando usou seu celular para ligar para Jack, e a secretária colocou-a em contato com ele imediatamente. Por um momento ela sentira medo de que ele não fosse falar com ela.

— Estou em casa tentando pegar minhas coisas — explicou — e minha chave não funciona. Presumo que você tenha mudado as fechaduras. Podemos ir até o escritório e pegar a chave? Eu a levo de volta para você mais tarde. — Era um pedido razoável e sua voz estava leve e alegre, embora suas mãos estivessem tremendo.

— Que coisas? — perguntou ele, parecendo surpreso. — Você não tem nenhuma "coisa" em minha casa. — Era uma maneira estranha de colocar a situação.

— Só quero pegar minhas roupas, Jack. Não vou levar mais nada. Você pode ficar com o resto. — Ela também tinha de pegar as roupas que deixara na Virgínia. — E obviamente vou levar minhas jóias. É isso. O resto é tudo seu.

— Você não é dona das roupas ou das jóias — disse ele numa voz gelada. — Eu sou. Você não é dona de nada, Mad, exceto do que você estiver usando agora. Eu paguei tudo. Eu sou o dono. — Exatamente como ele costumava dizer que era dono dela. Mas ela tinha sete anos de guarda-roupas e jóias na casa e não havia razão para não pegá-los, a não ser que ele quisesse se vingar.

— O que você vai fazer com tudo? — perguntou ela calmamente.

— Mandei as jóias para a Sotheby's dois dias atrás e a Boa Vontade pegou suas coisas no dia em que você me falou que ia embora. Eu disse a eles que as destruíssem.

— Você fez isso?

— Claro que fiz. Não achei que você ia querer que mais ninguém usasse suas coisas, Mad — disse ele como se tivesse feito a ela um grande favor. — Não há absolutamente nada seu nessa casa agora. — E mesmo as jóias não representavam um grande investimento para ele. Ele nunca havia dado a ela qualquer jóia realmente importante, apenas algumas coisas bonitas de que ela gostava e que não dariam a ele nenhuma fortuna se fossem vendidas.

— Como você pôde fazer isso? — Ele era um grande filho-da-puta. Ela estava do lado de fora da casa, estarrecida com a maldade que ele havia feito.

— Eu disse a você, Maddy. Não tente me foder. Se você quiser sair, vai pagar por isso.

— Eu paguei durante todos os anos em que te conheci, Jack — disse ela tranqüilamente, mas estava tremendo por causa do que ele havia acabado de fazer. Parecia que ela tinha sido roubada enquanto ficava do lado de fora de sua casa, usando as roupas que Bill havia comprado para ela.

— Você ainda não viu nada — Jack a advertiu. E seu tom pareceu tão doentio que a apavorou.

— Tudo bem — disse ela, desligou e voltou para a casa de Bill. Ele estava lá, trabalhando em algumas coisas, e pareceu surpreso que ela houvesse retornado tão rápido.

— O que aconteceu? Ele já havia empacotado tudo antes que você chegasse?

— Pode-se dizer que sim. Ele diz que destruiu tudo. Mudou as fechaduras e nem cheguei a entrar. Liguei para ele. Ele diz que está vendendo as jóias na Sotheby's e pediu para a Boa Vontade destruir todas as minhas roupas e objetos pessoais. — Era como se uma fogueira houvesse queimado tudo. E ela não tinha nada. Era tão cruel e pequeno.

— O canalha. Dane-se ele, Maddy. Você pode comprar outras coisas.

— Espero que sim. — Mas de alguma maneira ela se sentia violentada. E seria caro comprar um guarda-roupa inteiro novamente.

Ela se sentia mobilizada pelo que Jack fizera, mas apesar disso conseguiram passar um bom fim de semana e ela estava se fortalecendo para um encontro inevitável com Jack quando voltasse a trabalhar na segunda-feira. Ela sabia o quanto seria difícil trabalhar para ele, mas amava seu trabalho e não queria desistir dele.

— Acho que você devia notificá-los — disse Bill com sensibilidade. — Há muitas outras emissoras que adorariam ter você.

— Preferia manter a minha posição por enquanto — disse ela, embora talvez com menos sensibilidade, e ele não discutiu com ela. Ela tivera traumas suficientes para uma semana, entre a explosão e a perda de tudo o que tinha para seu futuro ex-marido.

Mas ela estava totalmente despreparada para o que aconteceu quando foi trabalhar na segunda-feira. Bill a levou até lá, a caminho de um encontro com seu editor, e ela entrou no *lobby* usando seu crachá e com um largo sorriso, enquanto se preparava para passar pelo detector de metais. E imediatamente ela viu o chefe da segurança esperando por ela. Ele a puxou de lado e explicou que ela não podia subir.

— Por que não? — perguntou, parecendo surpresa. Ela imaginou se eles estariam fazendo um treinamento de incêndio ou de ameaça de bomba, ou até mesmo para algum tipo de ameaça contra ela.

— Você não está autorizada — disse ele grosseiramente. — Ordens do senhor Hunter. Sinto muito, madame, mas a senhora não pode entrar no prédio. — Ela não havia sido apenas despedida. Era *persona non grata*. Se o guarda tivesse batido nela não a surpreenderia mais do que o que ele acabara de dizer. A porta fora batida em sua cara. Ela estava sem trabalho, sem roupas, sem sorte e por um instante sentiu o pânico que ele quisera que ela sentisse. Tudo de que precisava era uma passagem de ônibus para Knoxville.

Ela respirou profundamente quando saiu e disse a si mesma que não importava o que ele fizesse, pois não podia destruí-la. Ela estava sendo punida por deixá-lo. Não tinha feito nada de errado, lembrou a si mesma. Depois de tudo o que ele havia feito, ela tinha direito à sua liberdade. Mas e se jamais encontrasse um emprego novamente, ela se perguntou, ou se Bill ficasse cansado dela, ou se Jack estivesse certo e ela fosse uma inútil? Sem pensar, começou a caminhar de volta para a casa de Bill, o que levou uma hora. E quando chegou estava exausta. Ele já estava de volta e, quando a viu, ela estava branca feito papel e começou a soluçar, contando a ele o que acontecera.

— Se acalme — disse ele firmemente. — Se acalme, Maddy. Tudo vai ficar bem. Ele não pode fazer nada para te machucar.

— Sim, pode. Vou direto para a sarjeta, exatamente como ele disse. E vou ter que voltar para Knoxville. — Era totalmente irracional, mas ela passara por muita coisa em muito pouco tempo e estava completamente em pânico. Ela tinha dinheiro no banco, que guardara de seu salário sem contar a Jack, e tinha Bill, mas apesar disso se sentia órfã, o que era exatamente o que Jack queria. Ele soubera como ela se sentiria, totalmente devastada e aterrorizada, e era o que ele queria. Era guerra agora.

— Você não vai para Knoxville. Você não vai a lugar nenhum, exceto a um advogado. E um que não seja pago por Jack. — Ele ligou para um advogado quando ela se acalmou e eles foram vê-lo juntos naquela tarde. Havia algumas coisas que ele não podia fazer, como pegar suas roupas de volta. Mas podia fazer muito para obrigar Jack a honrar o contrato. Jack ia ter de pagar a ela pelo que destruíra, ele explicou, e ia ter de pagar uma alta indenização de danos morais por barrá-la na emissora. Ele já estava até falando em milhões por quebra de contrato enquanto Maddy escutava assombrada. Ela não estava, como temera a princípio, sem saída, e nem era sua vítima. Ele teria de pagar caro pelo que estava fazendo e a má publicidade que aquilo geraria para ele também não lhe faria bem.

— É isso, senhora Hunter. Ele não pode fazer nada pior do que já fez. Ele pode aborrecê-la. Ele pode causar algum desgosto pessoal, mas não pode prosseguir com isso. Ele é um alvo em movimento e uma pessoa pública. E nós vamos conseguir uma grande indenização, mesmo que seja preciso fazê-lo através de um júri. — Maddy sorriu para Bill como uma criança com um brinquedo novo no Natal e, quando saíram do escritório, olhou para ele com um sorriso tímido. Ela se sentia mais a salvo que nunca com ele.

— Sinto muito por ter fraquejado essa manhã. Só fiquei muito assustada e foi tão horrível quando o guarda me disse que eu tinha de deixar o prédio.

— Claro que foi — disse Bill, compreensivo. — Foi uma coisa nojenta que ele fez, e por isso ele a fez. E não brinque com isso. Ele ainda não acabou. Vai fazer com você todas as coisas nojentas em que puder pensar enquanto os tribunais o deixarem fazer. E pode inclusive continuar tentando depois. Você tem que se proteger, Maddy.

— Eu sei — disse ela, parecendo deprimida. Uma coisa era falar e outra, fazer.

E, no dia seguinte, a guerra continuou. Ela e Bill estavam tomando o café da manhã em paz, lendo os jornais, quando ela engasgou subitamente e Bill olhou para ela.

— O que aconteceu? — Seus olhos se encheram de lágrimas e ela deu o jornal a ele. Havia um pequeno artigo na página 12 dizendo que ela tivera que sair do lugar de apresentadora no programa por causa de uma crise nervosa que tivera depois de ficar presa por 14 horas no *shopping* explodido.

— Oh, meu Deus — disse ela, olhando para Bill. — Ninguém vai me contratar se acharem que fiquei louca.

— Filho-da-puta. — disse Bill, lendo cuidadosamente, e então ligou para seu advogado. Ele lhes disse, quando retornou a ligação ao meio-dia, que poderiam processar Jack por calúnia. Mas estava claro agora que Jack Hunter estava jogando alto e que seu único objetivo na vida era se vingar de Maddy.

Ela voltou para o grupo de mulheres agredidas na semana seguinte, contou o que ele estava fazendo e nenhuma delas ficou surpresa. Elas a avisaram de que ficaria ainda pior e que ela precisaria se proteger fisicamente também. A líder do grupo descreveu o que era o comportamento sociopata e aquilo se encaixava perfeitamente em Jack. Ele era um homem sem moral nem consciência que, quando era de seu interesse, mudava as coisas em torno e imaginava que era a vítima. A descrição cabia perfeitamente em Jack. Ela contou aquilo a Bill à noite e ele concordou inteiramente com elas.

— Quero que você tome cuidado quando eu partir, Maddy. Vou ficar morrendo de preocupação. Queria que você fosse comigo. — Ela insistira para que ele fosse para Vermont passar o Natal como planejado, e ele partiria em poucos dias. Ela queria ficar na cidade para instalar Lizzie em seu novo apartamento. Ela chegaria no dia da partida de Bill. E Maddy ainda achava que devia se mudar com ela. Embora adorasse ficar com Bill, não queria que ele se sentisse pressionado ou com seu espaço reduzido. E ainda estava esperando notícias do bebê. E aquela era a última coisa de que ele precisava para estragar sua existência pacífica. Ela queria chegar até ele suavemente.

— Ficarei bem — Maddy acalmou-o. Ela não achava mais que ele ia atacá-la fisicamente. Ele estava muito ocupado criando problemas para ela de maneiras que fariam um estrago bem maior.

Seu advogado fez o jornal publicar uma retratação sobre a história que divulgaram e correu rapidamente a notícia de que ela fora demitida por seu ex-marido furioso. Em dois dias ela havia recebido telefonemas de três grandes emissoras, e as ofertas eram todas tremendamente sedutoras. Mas ela queria tempo para pensar naquilo também. Queria fazer a coisa certa e não agir muito rápido. Mas pelo menos ficou aliviada porque não ia ficar desempregada para sempre. As alusões de Jack a *trailers* e sarjetas não eram nada mais do que outra forma de tortura.

No dia em que Bill viajou, ela foi para o apartamento de Lizzie a fim de organizar as coisas que comprara para ela. E quando Lizzie chegou naquela noite o apartamento parecia aconchegante e limpo, e tudo estava em perfeita ordem. E ela adorou o fato de que ia dividir seu apartamento com a mãe. Achou que o que Jack fizera fora horrível. Mas tentar se livrar de Lizzie antes que Maddy soubesse sobre ela fora o pior de seus crimes. Havia uma lista sem fim de coisas hediondas que ele fizera, e todas estavam claras para ela agora. Embaraçava-a pensar sobre todos os abusos que ela permitira. Mas ela sempre havia acreditado secretamente que merecia aquilo e ele sabia disso. Dera a ele todas as armas de que precisava para machucá-la.

Ela e Lizzie passaram longas horas falando sobre isso, e Bill ligou para ela de Vermont assim que chegou lá. Ele já sentia a sua falta.

— Por que você não vem para o Natal de uma vez? — disse ele e pareceu que queria mesmo aquilo.

— Não quero invadir o espaço de seus filhos — disse ela.

— Eles adorariam ter você aqui, Maddy.

— E no dia seguinte ao Natal? — Era uma proposta razoável e Lizzie estava morrendo de vontade de aprender a esquiar. Bill ficou feliz com a sugestão e Lizzie também, quando Maddy contou a ela mais tarde.

Ele ligou para ela antes de dormir naquela noite para dizer o quanto a amava.

— Acho que precisamos renegociar esse arranjo de vida. Não acho que seja justo para você morar com Lizzie num apartamento de um quarto. Além do mais, vou sentir sua falta. — Ela realmente tinha pensado em alugar um apartamento, pela mesma razão pela qual não queria ir a Vermont para as festas. Ela não queria que ele se sentisse pressionado. Ela era muito sensível àquilo. Mas ele parecia quase insultado por ela ter se mudado e ido morar com Lizzie.

— Bem, considerando o tamanho de meu guarda-roupa no

momento — ela sorriu pesarosa — é uma decisão que posso mudar em cinco minutos.

— Bom. Quero que você volte para lá quando eu chegar em casa. É hora, Maddy — disse ele gentilmente. — Ambos tivemos sofrimento sufuciente e épocas de muita solidão. Vamos começar uma vida nova juntos. — Ela não tinha certeza exatamente do que aquilo significava e ficou embaraçada de perguntar. Mas eles tinham todo o tempo do mundo para descobrir. A manhã seguinte era véspera de Natal e todos tinham muito o que fazer, embora ela ainda não tivesse um trabalho e estivesse planejando dar toda a sua atenção a Lizzie.

Elas saíram, compraram uma árvore no dia seguinte e decoraram-na juntas. Aquilo era bem diferente de suas festas soturnas com Jack, trancada na casa da Virgínia, enquanto ele ignorava as comemorações e a forçava a ignorá-las também. No mínimo esse era o Natal mais feliz de sua vida, embora ela ainda sentisse uma certa culpa em relação a Jack e ao quanto sua relação havia se tornado azeda. Mas lembrava-se regularmente de que estava melhor sem ele. E quando as boas lembranças tomavam conta dela, Maddy as apagava com as más, que existiam numa quantidade bem maior. Mas ela sabia que era muito afortunada por ter Bill em sua vida, e Lizzie.

Às duas horas daquela tarde, na véspera de Natal, ela recebeu o telefonema que estivera esperando e não tinha idéia de quando viria. Eles haviam dito que poderia levar semanas ou até mesmo um mês, então ela havia tirado aquilo de sua mente e estava se concentrando em curtir Lizzie.

— Ele está pronto, mamãe — uma voz familiar disse ao telefone. Era a assistente social que a estava ajudando na adoção de Andy. — Você ganhou um garotinho aqui, que quer ir para casa com sua mãe no Natal.

— Você está falando sério? Posso pegá-lo agora? — Ela olhou para Lizzie e acenou freneticamente, mas Lizzie não tinha idéia do que estava acontecendo e apenas sorriu para ela.

— Ele é todo seu. O juiz assinou os papéis nesta manhã. Ele

achou que significaria muito para você no Natal. É uma grande maneira de passar as festas, com um novo bebê.

— Onde ele está?

— Bem aqui no meu escritório. Os pais adotivos acabaram de deixá-lo. Você pode pegá-lo a qualquer hora esta tarde, mas eu gostaria de ir para casa ficar com meus próprios filhos.

— Estarei aí em vinte minutos — disse Maddy, desligou e disse a Lizzie o que estava acontecendo. — Você vai comigo? — perguntou, subitamente sentindo-se muito nervosa. Jamais tinha tomado conta de um bebê. Isso tudo seria novo para ela, que ainda não comprara nada para ele. Não quisera contar com o ovo antes de sair da galinha, por assim dizer, e tinha achado que de alguma maneira a avisariam com mais antecedência.

— Vamos comprar alguma coisa depois que o pegarmos — disse Lizzie sensatamente. Ela havia tomado conta de crianças em todas as suas casas de adoção e sabia bem mais do que sua mãe sobre bebês e suas necessidades.

— Nem mesmo sei o que comprar... fraldas, remédios, acho... chocalhos.. brinquedos... essas coisas, certo? — Maddy sentia como se tivesse quatorze anos e estava tão excitada que mal podia ficar ali enquanto penteava seus cabelos, lavava o rosto, colocava o casaco, agarrava sua bolsa e corria degraus abaixo com Lizzie.

Quando elas chegaram ao escritório da assistente social, de táxi, Andy estava esperando por elas vestindo um suéter branco, chapéu e pijamas de veludo azul, e seus pais adotivos haviam dado a ele um pequeno urso de presente de Natal.

Ele estava dormindo tranqüilo quando Maddy olhou para ele e o pegou, muito gentilmente. E havia lágrimas em seus olhos quando ela olhou para Lizzie. Ainda sentia muita culpa e arrependimento por sua filha nunca ter podido contar com ela. Mas Lizzie parecia entender o que ela estava sentindo e pôs um braço em torno de seus ombros.

— Está tudo bem, mamãe... eu te amo.

— Eu também te amo, querida — disse Maddy e a beijou. Logo o bebê acordou e começou a chorar. Maddy o colocou cuidadosamente em seu ombro e ele olhou em volta, como se procurando uma face familiar, e chorou mais forte.

— Acho que está com fome — disse Lizzie com mais confiança do que sua mãe sentia e a assistente social deu a elas sua bolsa, seus remédios e uma lista de instruções. Deu a Maddy um envelope com seus papéis de adoção. Ela ainda tinha de ir ao tribunal mais uma vez, mas era apenas uma formalidade. O bebê era dela. Ela ia manter seu primeiro nome e decidira trocar o sobrenome, e o dela mesma, para seu nome de solteira, Beaumont. Não queria ter mais nada a ver com Jack Hunter. Mesmo se fosse trabalhar em outro programa, decidira fazê-lo como Madeleine Beaumont. E ele agora era Andrew William Beaumont. O nome do meio era uma homenagem a seu avô. E quando saíram do escritório da assistente social, ela se sentia espantada enquanto carregava sua preciosa trouxinha.

Pararam numa loja de bebês e na *drugstore* no caminho para casa e compraram tudo o que Lizzie e a mulher da loja disseram que precisava. Encheu tanto o táxi que mal havia lugar para elas, e Maddy estava radiante quando entraram no apartamento e o telefone tocou.

— Eu o seguro para você, mamãe — Lizzie se ofereceu e Maddy odiou ter de deixá-lo, mesmo por um minuto. Se ela em algum momento pensara se aquilo realmente era certo, agora o sabia com certeza. Era exatamente o que ela precisava e queria.

— Onde você estava? — perguntou a voz familiar. — Era Bill, ligando de Vermont. Ele havia acabado de voltar de uma tarde esquiando com seu neto. E ela não podia esperar para contar a ele. — Onde estava, Maddy? — ele perguntou novamente e ela sorriu quando respondeu.

— Pegando seu afilhado — disse ela orgulhosamente. Lizzie havia acabado de ligar as luzes da árvore de Natal e o apartamento parecia confortável e aconchegante, embora ela sentisse não estar com Bill no Natal. Especialmente agora que Andy havia se juntado a elas.

Por um momento ele não entendeu o que ela queria dizer e então se deu conta e sorriu. Podia perceber na voz dela o quanto ela estava feliz. — É um grande presente de Natal. Como ele está? — Ele podia ouvir como ele estava.

— Ele é tão bonito, Bill — e então ela lançou um olhar para Lizzie e sorriu enquanto ela segurava seu novo irmão. — Não tão bonita quanto Lizzie era, mas é uma graça. Espere só até vê-lo.

— Você vai trazê-lo para Vermont? — Mas ele soube que era uma pergunta boba assim que a fez. Ela não tinha alternativa e ele não era um recém-nascido. Era um bebê saudável de dois meses e meio. Ele faria dez semanas na manhã de Natal.

— Se estiver tudo bem para você, eu adoraria.

— Traga-o com você. As crianças vão adorá-lo. E acho que ele e eu devemos nos conhecer melhor se eu for seu padrinho mesmo. — Ele não disse mais nada a ela, mas ligou novamente naquela noite e na manhã seguinte. Ela e Lizzie foram à missa da meia-noite e levaram o bebê, e ele não acordou nenhuma vez. Maddy o colocou na elegante cesta azul que havia acabado de comprar e ele parecia um pequeno príncipe com um chapéu azul e um suéter novos em folha, embaixo de um enorme e confortável cobertor azul, com seu urso enfiado perto dele.

Na manhã de Natal ela e Lizzie abriram todos os presentes que compraram uma para a outra. Havia bolsas, luvas, livros, suéteres e perfumes. Mas o melhor presente de todos era Andy, que ficou deitado na cesta olhando para elas. E quando Maddy se abaixou e beijou-o, ele sorriu. Foi um momento que ela sabia que jamais iria esquecer. Um presente pelo qual ficaria eternamente grata. E, enquanto o pegava em seus braços, ela fez uma prece silenciosa de agradecimento à mãe dele por seu incrível presente.

Capítulo 24

NO DIA SEGUINTE AO NATAL, Maddy e Lizzie foram para Vermont num carro alugado que mais parecia uma van cigana com todos os apetrechos do bebê. Ele dormiu a maior parte do caminho e Maddy e Lizzie falaram e riram. Pararam para um hambúrguer e, enquanto comiam, Maddy deu a Andy sua mamadeira. Ela nunca fora tão feliz em sua vida, ou estivera tão certa de que havia feito o que era melhor. Aquilo a fez se dar conta agora do que Jack havia tirado dela quando a forçara a ligar as trompas. Ele tirara muitas coisas dela, sua segurança, seu respeito, sua auto-estima, sua confiança, o poder de tomar suas próprias decisões e de dirigir sua própria vida. Fora uma troca injusta pelo emprego e as coisas materiais que dera a ela.

— O que você vai fazer a respeito das ofertas que teve? — perguntou Lizzie com interesse no caminho para a casa de Bill em Sugarbush, e Maddy suspirou.

— Não sei ainda. Quero voltar a trabalhar, mas quero curtir você e Andy por um tempo. Esta é minha primeira e última chance de ser mãe em tempo integral. Quando voltar ao trabalho, vão arrancar o meu couro novamente. Não estou com pressa. — E ela tinha alguns outros assuntos legais para resolver. Seu advogado estava preparando uma grande ação judicial contra Jack e sua emissora. Ele devia a ela uma alta indenização por demiti-la e havia o assunto da calúnia, má-fé e uma série de outras coisas que o advogado queria incluir no processo. Porém, mais que tudo ela queria ficar em casa por algum tempo e curtir Lizzie e o bebê. Lizzie ia começar em Georgetown em duas semanas, e estava muito empolgada.

Elas chegaram a Sugarbush às seis da tarde, a tempo de encontrar todos os filhos de Bill e se juntarem a eles para o jantar. Os netos dele ficaram loucos com o bebê. Ele ria e fazia caretas para eles, e o mais jovem, que tinha dois anos e meio, jogou "O trem maluco" com ele, que adorou.

Lizzie tirou-o de sua mãe depois que todos comeram e disse que o colocaria na cama para ela. E depois que Maddy ajudou a filha de Bill e suas noras a lavar os pratos, ela se sentou com ele na frente do fogo e conversaram por um tempo. Quando todos subiram ele sugeriu que saíssem para uma caminhada. Estava gelado, mas as estrelas estavam brilhando e a neve estava crocante sob seus pés enquanto andavam na trilha aberta por seu filho. Era uma velha casa, grande e confortável, e era óbvio que todos eles a amavam. Eram uma família adorável e gostavam de passar o tempo juntos. E nenhum deles parecia chocado com seu relacionamento com Maddy. Fizeram questão de dar a ela as boas-vindas e foram muito gentis, inclusive com Lizzie e o bebê.

— Você tem uma família maravilhosa — ela o felicitou enquanto andavam de mãos dadas, com suas luvas. Todos os esquis de todo mundo estavam alinhados do lado de fora e ela estava aguardando ansiosamente para esquiar com ele no dia seguinte, se pudessem encontrar alguém para ficar com o bebê. Era um novo aspecto de sua vida e ela sabia que pareceria estranho por um tempo, mas estava adorando tudo aquilo.

— Obrigado — ele sorriu para Maddy e então colocou um braço em torno dela, com seu casacão. — Ele é uma graça de bebê — disse ele com um sorriso. E já podia ver o quanto ela o amava. Teria sido errado se ela nunca tivesse experimentado aquilo. Estava pronta para dar a Andy uma vida que ele jamais teria, mesmo com sua mãe natural. Deus soubera o que estava fazendo nos escombros do *shopping* aquela noite, quando havia colocado os três juntos. E quem era ele, Bill percebeu, para tirá-lo dela? — Estive pensando muito — disse ele depois de um tempo, enquanto começavam a se virar na direção da casa, e ele viu que ela parecia assustada quando olhou para ele. Ela achou que sabia o que estava por vir.

— Não estou certa de querer escutar — seus estranhos terrores brilharam em seus olhos enquanto ela olhava para longe dele, para que ele não pudesse ver as lágrimas que estavam se formando.

— Por que não? — perguntou ele gentilmente, virando-a para encará-lo enquanto paravam no caminho coberto de neve. — Descobri algumas coisas. Achei que você devia querer ouvi-las.

— Sobre nós? — ela perguntou numa voz chocada, com medo de que assim que tivesse começado já teria acabado. Não parecia justo, mas nada em sua vida o fora, exceto o que ela tinha agora. Bill e Lizzie e Andy. Eles eram tudo o que importava para ela. Sua vida com Jack parecia um sonho ruim.

— Não fique com medo, Maddy — disse Bill suavemente. Ele podia senti-la tremendo enquanto a segurava.

— Estou com medo. Não quero perder você.

— Não há garantias contra isso — disse ele honestamente. — Você tem muito mais estrada à sua frente do que eu. Mas acho que descobri que neste ponto em minha vida o importante não é quando você chega lá, ou com que rapidez. A questão é a jornada. Se você viaja junto com alguém no mesmo caminho e faz isso bem, talvez seja tudo o que você pode pedir. Nenhum de nós jamais terá certeza do que está na próxima esquina. — Ele havia aprendido aquela lição da maneira mais difícil, mas Maddy também. — É uma espécie de caminhada cega. — Ela ainda não tinha certeza do que ele estava dizendo. Mas ele queria mais do que nunca acalmá-la. — Não vou deixá-la, Maddy. Não vou a lugar nenhum. E eu não quero jamais machucar você. — Mas eles iriam fazê-lo de vez em quando, mesmo sem malícia. Ambos sabiam disso.

— Também não quero machucar você — disse ela suavemente, agarrando-se a ele como se estivesse em perigo, mas ligeiramente mais calma pelo que ele estava dizendo. Ela sentia que não tinha nada a temer dele. Esta era uma nova vida, um novo dia, um novo sonho que haviam encontrado juntos e cultivado cuidadosamente.

— O que estou tentando dizer — disse ele, enquanto olhava para ela com um sorriso no ar frio da noite — é que descobri que pode ser bom para mim jogar beisebol aos setenta anos. Se tudo o mais falhar, Andy pode jogar a bola para mim na cadeira de rodas.

Ela olhou para ele com um sorriso engraçado.

— Nem consigo pensar em você numa cadeira de rodas — mas ela podia ver agora que ele estava sorrindo.

— Quem sabe? Você pode me deixar exausto. Você já tentou. Deus sabe, explosões em *shoppings*, bebês, ex-maridos loucos... você certamente mantém minha vida em atividade. Mas não quero apenas ser padrinho dele. Ele merece mais que isso. Nós todos merecemos.

— Você quer ser seu treinador na Pequena Liga de Basquete? — Ela provocou. Parecia que seu navio havia acabado de chegar, e era um navio pelo qual esperara longo tempo, durante toda a sua vida. Mas ela sabia que com Bill estaria finalmente a salvo e em boas mãos.

— Eu quero ser seu marido, é o que estou tentando dizer. O que você acha, Maddy?

— O que seus filhos dirão? — Ela estava preocupada, mas eles haviam sido incrivelmente bons com ela.

— Eles provavelmente dirão que estou louco, mas vão ficar bem. Mas acho que é a coisa certa a fazer, para nós dois... todos nós... Eu soube disso há muito tempo. Só não estava certo do que você ia fazer ou de quanto tempo ia levar.

— Levou muito tempo — disse ela. Ela se arrependia, mas também sabia que não poderia ter feito mais rápido.

— Eu disse a você, Maddy, a questão não é sobre a rapidez com que você chega. É sobre a jornada. Então, o que você acha?

— Acho que tenho muita sorte — sussurrou.

— Eu também — disse ele, enquanto colocava um braço em torno de seus ombros e a levava de volta para a casa, e Lizzie segurava o bebê e os observava de uma janela no andar de cima. Maddy percebeu e olhou para cima, sorrindo e acenando, enquanto Bill a levava para dentro da casa, parava na porta de entrada e a beijava. Para eles, aquilo não era um início ou um fim. Era uma vida que partilhavam e a alegria de saber que a jornada continuaria por um longo tempo.

Este livro foi composto na tipologia
Agaramond em corpo 11.5/15, e impresso em
papel off-set 75g/m^2 no Sistema Cameron da
Divisão Gráfica da Distribuidora Record.